ВОЗРАСТ ЛЮБВИ

РОМАН

МОСКВА ЭКСМО 2005

УДК 820(73)
ББК 84 (7 США)
С 80

Danielle STEEL
SPECIAL DELIVERY

Перевод с английского *В. Гришечкина*

Разработка оформления
художника *Е. Савченко*

Стил Д.

С 80 Возраст любви: Роман / Пер. с англ. В.А. Гришечкина. — М.: Изд-во Эксмо, 2005.— 320 с.

ISBN 5-04-005379-7

У знаменитой кинозвезды Аманды Роббинс уже взрослые дети, но неожиданно для себя она вновь влюбляется. Джек Уотсон тоже полюбил Аманду, однако на пути их непростого счастья встают... их собственные дети. И все же это настоящая страсть, которой не страшны никакие преграды, никакие условности и предрассудки. Но и сами немолодые, но пылкие любовники не могут предположить, к чему приведет их безрассудная страсть.

УДК 820 (73)
ББК 84 (7США)

ISBN 5-04-005379-7

То́му, с любовью и благодарностью
за все счастливые дни.

Д.С.

Глава 1

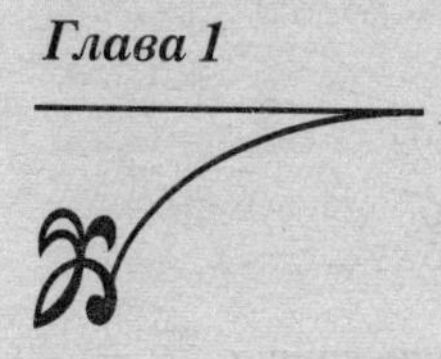

Вылетевший из-за угла красный «Феррари» был похож на язык пламени. Пронзительно взвизгнули тормоза, и приземистый спортивный автомобиль аккуратно вписался в свободное пространство на стоянке, где всегда парковался Джек Уотсон. Сама стоянка располагалась в Беверли-Хиллз, возле фешенебельного салона, носившего название «У Джулии». Прошло ровно двадцать лет с тех пор, как Джек Уотсон назвал этот магазин в честь дочери, которой в ту пору было всего девять. Тогда Уотсон только что завершил свою карьеру продюсера и – просто ради забавы – открыл этот бутик, чтобы было чем заняться на досуге.

За свою жизнь Джек Уотсон снял семь или восемь малобюджетных фильмов, ни один из которых не пользовался сколько-нибудь значительным успехом. Еще раньше – на протяжении десяти или двенадцати лет после окончания колледжа – он был актером, но и актерская карьера не принесла ему ни славы, ни богатства. Как и у большинства актеров средней руки, тогдашняя жизнь Джека была полна смутных надежд и обещаний, но им не суждено было сбыться, и с каждой новой ролью он все больше и больше терял надежду на успех.

Розничная торговля эксклюзивной женской одеждой, бижутерией и предметами женского туалета неожиданно для всех, и прежде всего для него самого, оказалась куда более плодотворной. Довольно скоро и без каких-либо особенных усилий с его стороны скромный бутик, открытый, кстати, на скромное наследство двоюродного дяди по материнской линии, превратился в фешенебельный салон, за возможность покупать в котором любая представительница лос-анджелесского высшего света готова была отдать все на свете. Правда, на первых порах с ассортиментом товаров для салона Джеку помогала жена, но очень скоро он настолько поднаторел в этом, что стал самолично ездить по поставщикам, отбирая для своего салона наиболее модные и изящные вещи.

У него оказался настоящий талант коммерсанта, но, к великой досаде своей жены, Джек начал разбираться не только в предметах женского туалета, но и в самих женщинах. Он всегда был лакомкой, но прежде ему приходилось сначала побегать за предметом своего вожделения; теперь же для удовлетворения своих сексуальных аппетитов ему достаточно было несколько раз мило улыбнуться. Актрисы, манекенщицы и прочие «дамы из общества» мечтали не только покупать «У Джулии», но и... встречаться с Джеком Уотсоном. Их влекло к нему, как пчелу влечет к цветку запах нектара, и Джеку это нравилось. И женщины ему тоже нравились.

Через два года после того, как Джек открыл свой магазин, от него ушла жена. Для него – но не для всех остальных – это стало сюрпризом, однако на протяжении последующих восемнадцати лет он ни разу не пожалел об этом. Со своей будущей женой он познакомился на съемочной площадке, когда она пришла пробоваться на какую-то второстепенную роль. Следующие две недели, насыщенные безудержной страстью, они провели в его коттеджике в Малибу, а уже через шесть месяцев поженились. Джек был безумно и безоглядно влюблен в Барбару, и, должно быть, именно благодаря этому их брак, который был первым для обоих, продержался целых пятнадцать лет и ознаменовался рождением двух детей. Однако конец семейной жизни Джека был самым банальным. Взаимное озлобление, раздражение и разочарование друг в друге сделали дальнейшую совместную жизнь невозможной, а развод еще больше убедил Джека Уотсона в том, что всякий брак обречен изначально и что каждый умный человек должен беречься его, как огня.

Только раз за всю свою последующую жизнь он снова испытал желание связать свою жизнь с любимой женщиной, но она оказалась слишком умна, чтобы польститься на такое сокровище, как Джек Уотсон. Между тем, как он часто признавался себе, Дорианна была единственной женщиной, которая вызывала в нем желание хранить ей верность. И, пока продолжался их роман, он действительно ни с кем, кроме нее, не встречался. Ему просто не хотелось.

Тогда ему было сорок с небольшим, а ей – тридцать девять. Дорианна была француженкой, но жила в Штатах, делая весьма успешную карьеру на поприще живописи. Они с Джеком прожили вместе два года, и, когда она погибла в дорожной аварии в Палм-Спрингс, он думал, что уже никогда не оправится от этого удара.

Впервые за всю жизнь Джек Уотсон узнал, что такое настоящая боль. Дорианна была единственной женщиной, которую он по-настоящему любил, и даже теперь, много лет спустя, он вполне серьезно утверждал, что такой, как она, ему никогда больше не встретить. Она была веселой, жизнерадостной, непосредственной, чертовски сексуальной и ослепительно красивой. С ней ему было удивительно легко и одновременно – невероятно трудно. Дорианна не спускала ему ни одной шутки, ни одного, даже случайного, проявления мужского шовинизма, всерьез утверждая, что выйти за него замуж может только круглая идиотка. И Джек с глупейшей улыбкой соглашался с ней. Он знал, что Дорианна любит его, любит по-настоящему.

Что касалось самого Уотсона, то он не просто любил Дорианну – он преклонялся перед ней, боготворил, прощал ей едкие шутки и готов был исполнить любое ее желание. Как-то Дори повезла его с собой в Париж, чтобы познакомить со своими друзьями, и он поехал, бросив свой салон на произвол судьбы. А прямо из Парижа они отправились в долгое путешествис по всему миру (они не были разве что в Австралии), потому что так захотела она. О своих делах Джек просто не думал, да и какие могли быть дела, когда каждая минута, каждое мгновение, проведенные с Дорианной, были напоены для него самым настоящим волшебством, от которого хотелось и смеяться, и плакать одновременно.

Это было настоящее счастье, и Джеку не хотелось даже думать о том, что этой беззаботной и удивительной жизни может наступить конец, но судьба рассудила иначе. Нелепая случайность оборвала жизнь Дорианны в тот самый момент, когда она спешила на свидание с ним. Ее смерть сделала его жизнь такой пустой и бессмысленной, что порой Джеку казалось: еще немного, и он не выдержит этого невыразимого одиночества и наложит на себя руки.

Но, как известно, время – лучший целитель, и его рана хотя и не перестала болеть, но по крайней мере больше не кровоточила. У Джека снова появились женщины – множество женщин, – которые помогали ему коротать пустые дни и бесконечные ночи, которые казались особенно длинными из-за того, что ему приходилось проводить их одному, в пустой и холодной постели. Впрочем, за двенадцать лет, прошедших со дня гибели Дорианны, таких ночей у Джека почти не было, но это вовсе не значило, что он забыл ее. Да, рядом с ним постоянно были женщины, с которыми он готов был разделить свою постель, однако ни одну из них он так и не сумел полюбить. Да он и не хотел этого, на собственном опыте убедившись, что любовь приносит слишком много боли, чтобы повторно отважиться на эту пытку.

Вот как получилось, что к пятидесяти девяти годам у Джека Уотсона было все, о чем мужчина может только мечтать. Физически он все еще был достаточно крепок, чтобы менять любовниц каждую неделю, а то и чаще. Кроме того, у него было дело, которое словно само собой продолжало расти, расширяться и при этом приносило неплохой доход, которым Джек мог распорядиться по своему усмотрению.

Второй салон в Палм-Спрингс Джек открыл, еще когда Дори была жива. Через пять лет после ее гибели он организовал небольшой филиал в Нью-Йорке, а в последние год-два подумывал о том, чтобы открыть бутик и в Сан-Франциско. Вместе с тем он вовсе не был уверен в том, что в его возрасте стоит и дальше расширять бизнес. Новая торговая точка означала бы для него только лишнюю головную боль. Другое дело, если бы его сын Пол смог помочь ему, но – нет... Пола интересовала только его карьера в киномире, и Джеку так и не удалось убедить его в том, что сеть дорогих салонов может принести ему и славу, и деньги. Впрочем, он хорошо понимал Пола: в свои тридцать два года сын уже был довольно известным продюсером, вкусившим настоящий успех, о котором его отец мечтал когда-то, но так и не добился. К тому же Пол искренне любил свое дело, а к отцовскому бизнесу относился с легким пренебрежением, которое, впрочем, было вполне естественным для человека, сумевшего подняться к самым вершинам кинематографического олимпа, или, если точнее, к вершинам Голливудских холмов.

Правда, многие звезды тоже открывали свои собственные магазины или сети ресторанов, однако для них это не было главным. Возможно, Пол просто считал, что у него все еще впереди, однако Джек не разделял уверенности сына в будущем. Дело было даже не в том, что он сомневался в его способностях, таланте, трудолюбии, – просто он слишком хорошо знал кинематографический мир и понимал, что киноиндустрия как вид предпринимательства является делом в высшей степени рискованным, нестабильным, чреватым многими и многими разочарованиями. Именно поэтому он был так настойчив, пытаясь убедить сына в том, что одно другому не помеха, однако Пол упрямо стоял на своем, и Джеку приходилось утешаться тем, что со временем ситуация изменится. Да и в любом случае Пол и Джулия были его единственными наследниками.

Кроме собственной карьеры в кино, Пол был озабочен и еще одной проблемой. Он был женат уже два года, и его семейная жизнь складывалась удачно, однако, если верить его собственным словам, единственное, чего не хватало Полу, так это ребенка. Джек, правда, не знал точно, насколько это обстоятельство действительно волнует сына, однако даже для него было очевидно, что жена Пола относится к этой проблеме очень серьезно. Что, по мнению Джека, объяснялось тем, что Джен до замужества работала в картинной галерее, то есть – с точки зрения такого закоренелого холостяка, каким со временем сделался Уотсон, – целыми днями била баклуши, ожидая, пока какой-нибудь молодчик возьмет ее замуж и сделает ей ребеночка. И вот теперь факт оставался фактом: свою бездетность она воспринимала очень болезненно и остро.

Джен в общем-то нравилась Уотсону, хотя, на его взгляд, ей не хватало характера. Впрочем, она была очень мила, и Пол был счастлив с нею. Кроме того, Джен была еще и красива – ее матерью была знаменитая кинозвезда Аманда Роббинс, которая, хотя и перестала сниматься, в свои пятьдесят оставалась весьма и весьма привлекательной женщиной. Высокая, стройная, светловолосая, она не утратила ни своей горделивой осанки, ни изящной точности в движениях, и на нее было так же приятно смотреть, как и двадцать пять лет назад, когда она оставила карьеру кинозвезды и вышла замуж за весьма обеспеченного, респектабельного и – с точки зрения Джека – донельзя скучного типа по имени Мэттью Кингстон. Мэттью был членом совета директоров одного из самых крупных банков Тихоокеанского побережья и играл там первую скрипку. Стоило ли говорить, что Кингстоны вращались в самых высших сферах, жили в собственном особняке в Бель-Эйр и, похоже, считали себя если не небожителями, то, во всяком случае, не простыми смертными.

Аманда Кингстон-Роббинс была одной из немногих лос-анджелесских знаменитостей, которые никогда и ничего не покупали «У Джулии», и сознание того, что она его просто органически не переносит, приносило Джеку какое-то извращенное удовольствие. Казалось, что ей глубоко противно все, что он любит и ценит, и даже сам его образ жизни она, похоже, воспринимала как личный вызов. Каждый раз, когда их дорожки пересекались, Аманда держалась с ним с подчеркнутой вежливостью, граничащей с презрением, но Джека это только забавляло. Впрочем, положа руку на сердце, он тоже не мог сказать, что миссис Кингстон ему симпатична. Его нисколько не удивило то, что Аманда всеми силами старалась отговорить свою младшую дочь от брака с «этим сомнительным Уотсоном», полагая, видимо, что шоу-бизнес сделает из Пола такого же развратника, каким стал его отец. Джек тоже не был в особенно большом восторге от намерения сына жениться на этой «гордячке Кингстон», однако он знал Пола лучше, чем Аманда и ее муж-банкир. Пол всегда был серьезным молодым человеком. Поэтому после свадьбы он довольно быстро сумел зарекомендовать себя заботливым и верным супругом, так что в конце концов Аманда и Мэттью скрепя сердце приняли его в лоно семьи. К Джеку, однако, они своего отношения не изменили – его репутация была слишком хорошо известна в Лос-Анджелесе, к тому же он не делал ни малейших попыток изменить свое поведение. Как и несколько лет назад, Джек Уотсон был все так же хорош собой, по-прежнему не пропускал ни одного светского мероприятия и все так же укладывал к себе в постель всех восходящих голливудских звездочек и топ-моделей, которые только попадались ему на глаза.

Правда, даже Аманда не могла не признать, что он был неизменно добр и внимателен к женщинам, с которыми встречался. Джек был остроумен, щедр, снисходителен и мягок в обращении, проводить с ним время было довольно приятно. Красотки, с которыми он спал, просто обожали его, и лишь некоторые бывали достаточно глупы, чтобы вообразить, будто они могут рассчитывать на нечто большее, чем просто увлекательная интрижка. Джек Уотсон был, что называется, стреляный воробей. Он ревностно следил за тем, чтобы женщины, которые появлялись в его жизни, исчезали прежде, чем они успеют запустить свои коготки в его, как он выражался, «бедное мужское сердце». Чужую зубную щетку на полке в ванной он еще терпел, но никогда не доводил дело до того, чтобы его приятельницы оставляли одежду в его стенном шкафу. Это, впрочем, удавалось Джеку с завидной легкостью, поскольку со своими дамами он всегда был предельно откровенен. Он никогда не старался произвести впечатления, не давал никаких обещаний и скоропалительных клятв и прямо заявлял очередной претендентке, что от нее ему нужна только постель, что, впрочем, не мешало многим сладко заблуждаться на его счет.

И неудивительно. Джек не просто спал с женщинами – он ухаживал за ними, всячески развлекал, водил по ресторанам и закрытым клубам, куда без него они вряд ли могли бы попасть, поил лучшими винами, угощал изысканнейшими обедами и... неожиданно бросал, увлекшись другой. Он сознательно старался сделать расставание как можно безболезненнее для обеих сторон, и его любовницам, как правило, вполне хватало сладостных воспоминаний о бурном, хотя и кратком романе с красивым, веселым, щедрым и сексуальным мужчиной, обратившим на них свое внимание. Правда, многим хотелось бы, чтобы роман этот продолжался и продолжался, однако досада их быстро проходила. На Джека просто невозможно было долго сердиться. С точки зрения абсолютного большинства женщин, он был настоящим душкой, мужчиной, стоящим настолько близко к идеалу, насколько это вообще возможно. Он даже бросал их с очаровательной легкостью, а это, безусловно, дано не каждому. Кроме того, изредка встречаясь с замужними женщинами, Джек никогда не позволял себе ни одного дурного слова в адрес мужей-рогоносцев, и это придавало ему благородства и еще больше возвышало по сравнению с другими.

Словом, Джек Уотсон был отличным парнем: настоящим кавалером, изысканным любовником, неисправимым плейбоем, но, самое главное, он всегда держался естественно и никогда не притворялся. В свои пятьдесят девять Джек выглядел на сорок пять – сорок семь, но он никогда не делал тайны из своего возраста и объяснял всем и каждому, что поддерживать форму ему помогают ежедневные физические упражнения, частые купания в океане и общение с «тезкой», под которым он подразумевал виски «Джек Дэниелс». Последнее, конечно, было шуткой, поскольку пил Джек редко и равнодушно, однако все остальное было верно: свой коттедж в Малибу он сохранил и даже пристроил к нему небольшой тренажерный зал.

Если верить Джеку, то больше женщин он любил только свой красный «Феррари», однако это было не совсем так. На самом деле единственным, к чему он относился по-настоящему серьезно, были его дети – Пол и Джулия. Для Джека они были всем – маяком, путеводной звездой, светом в окошке, и он знал, что так будет всегда, что бы ни случилось. Барбару – их родную мать – он вспоминал довольно редко, но каждый раз испытывал к ней бесконечную благодарность за то, что ей хватило здравого смысла и решимости уйти от него. Благодаря этому в последние восемнадцать лет своей жизни он делал все, что хотел. У него были деньги и ничем не ограниченная свобода, и Джек сумел распорядиться и тем и другим так, чтобы извлечь для себя максимальное удовольствие. Для женщин он был практически неотразим, но самое главное заключалось в том, что Джек отлично это знал и умело этим пользовался. Однако – как ни странно – в нем не было ни наглости, ни излишней самонадеянности, ни пренебрежения к тем, с кем он спал. Напротив, Джек старался доставить своим партнершам как можно больше удовольствия как в постели, так и вне ее; это легко ему удавалось, и редкая женщина не чувствовала себя рядом с ним обворожительной красавицей. Что касалось самого Джека Уотсона, то и он за редким исключением чувствовал себя вполне счастливым и довольным. Ему нравилось приятно проводить время, и он не собирался ничего менять в своей жизни. Он любил женщин и не видел в этом ничего дурного, и женщины платили ему той же монетой.

– С добрым утром, мистер Уотсон, – приветствовал его менеджер салона, когда Джек быстрым шагом пересекал торговый зал, направляясь к служебному лифту. Его кабинет находился на втором этаже и был отделан черной кожей и отполированной нержавеющей сталью. Это ультрасовременное убранство было плодом фантазии знаменитой итальянской художницы по интерьерам, с которой у Джека совсем недавно состоялся бурный роман. В конце концов красавица итальянка открытым текстом заявила ему, что ради него готова бросить мужа-архитектора и троих детей, но Джеку удалось убедить ее, что совместная жизнь с ним способна свести с ума кого угодно. И, как и со многими другими женщинами, они с Паолой расстались добрыми друзьями, не только не имеющими друг к другу никаких претензий, но и благодарными друг другу за полученное удовольствие.

Джек знал, что, когда он поднимется в свой итальянский кабинет, его уже будет ждать чашечка горячего кофе и легкий завтрак. Сегодня утром он особенно нуждался в этом, так как приехал на работу позже обычного, предварительно побывав на пляже и вдоволь наплавав-шись в океане. Несмотря на январь, погода стояла довольно теплая, чего нельзя было сказать о воде, однако Джека это не остановило. Он любил плавать, любил свой дом на побережье и точно так же любил все, что было связано с его бизнесом. Он мог сильно увлечься женщиной, но это не могло заставить его забыть о магазине, в котором он появлялся каждое утро. У него был толковый, знающий управляющий и умница секретарша, которым он мог со спокойной душой доверить свой салон хоть на месяц, но Джек считал, что не имеет права этого делать. Кроме того, ему самому нравилось просматривать каталоги, возиться с бухгалтерской отчетностью и улаживать тысячи мелких проблем, которые возникали чуть ли не ежедневно.

Да, в том, что салон «У Джулии» был одним из самых успешных коммерческих предприятий, не было ничего удивительного или случайного. Предприятие Джека росло благодаря его каждодневной заботе и попечению, и за двадцать лет он вложил в него немало душевных сил. Должно быть, поэтому Джек отверг несколько весьма выгодных предложений о присоединении «Джулии» к сети городских универсальных магазинов, в результате чего он стал бы открытым для широкой публики. В этом, разумеется, не было ничего страшного, но Джек попросту не был готов к такому повороту дел. Салон «У Джулии», выросший из небольшого бутика, был на сто процентов его детищем, и ему нравилось быть его единственным владельцем, самому принимать решения и отвечать только перед самим собой.

Когда Джек вошел в кабинет, на его столе, кроме чашечки кофе и бутербродов с русской икрой, лежало несколько телефонограмм, расписание деловых встреч и звонков на сегодня, а также несколько французских товарных каталогов, получения которых он ждал с большим нетерпением. Продукцию парижских фирм можно было без преувеличения назвать великолепной, и Джек с благодарностью вспомнил Дорианну, которая научила его понимать волшебство французских тканей, посвятила в тайны французской кухни, познакомила с изысканным вкусом французских вин... и французских женщин тоже. Он до сих пор питал своего рода слабость ко всему, что было связано с Парижем, и в его салоне всегда было много французских товаров. Джек выписывал их из Франции по фирменным каталогам, и, хотя затраты были велики, это неизменно себя оправдывало. Карден, Сен-Лоран, Шанель – магия этих имен срабатывала безотказно.

Не успел Джек сесть в свое кресло, как раздался музыкальный сигнал селектора внутренней связи, и он, не глядя, включил микрофон.

– Алло, – произнес он глубоким бархатистым баритоном, один звук которого заставлял женские сердца замирать в сладкой истоме. Из этого правила было, однако, одно исключение. Чары Джека совершенно не действовали на его секретаршу, Глэдди, которая слишком хорошо знала своего босса. Она работала у Уотсона уже пять лет и прекрасно разбиралась, что к чему. Джек со своей стороны также относился к ней чисто платонически, поскольку уже давно выработал себе одно правило: никогда не иметь интимных отношений с женщинами, которые на него работают. И за все время он еще ни разу не нарушил этого закона, хотя другие правила, касавшиеся женщин, Джек нарушал всякий раз, когда так ему было удобнее.

– Кто там, Глэдди? – спросил он.

– Звонит ваш сын, мистер Уотсон. Будете говорить или сказать ему, что вы заняты? В десять пятнадцать у вас назначена деловая встреча, представитель фирмы вот-вот подойдет...

– Пусть подождет, – решил Джек. В десять пятнадцать он ожидал представителя миланской кожгалантерейной компании, которая изготавливала эксклюзивные дамские сумочки из кожи аллигаторов и бразильских игуан, однако этот визит был уже чисто техническим – главные переговоры он провел с итальянцами еще на прошлой неделе. – Давай мне Пола, а если макаронник появится – займи его чем-нибудь. Ты же умеешь...

– Хорошо, шеф.

Глэдди переключила телефон на городскую линию,

и Джек с улыбкой взял трубку, одновременно выключая громкоговоритель селектора. Он всегда старался заниматься в первую очередь детьми и лишь потом – бизнесом. Только что-нибудь действительно очень важное или срочное могло заставить его поступить иначе. Джек всегда был без ума от Джулии и от Пола – несмотря на множество недостатков, этого у него отнять было нельзя.

– Привет, парень, – сказал он в трубку. – Как дела?

– Привет, папа, – отозвался Пол. – Я звоню, чтобы уточнить: мне заехать за тобой или ты подъедешь прямо на место?

По характеру Пол был гораздо спокойнее и уравновешеннее отца, но сегодня его голос звучал озабоченно, и Джек сразу это отметил.

– Куда это я должен подъехать? – удивленно переспросил он. Слова сына не затронули в его памяти ни единой струнки; как Джек ни старался, он не мог припомнить, о чем он договаривался с Полом и когда. Обычно подобных вещей он не забывал – все, что касалось детей, было для него свято. Но на этот раз, как видно, память его подвела.

– Ну, папа же!.. – В голосе Пола прозвучали и досада, и огорчение. Он явно был расстроен реакцией Джека. – Это серьезное дело. Я просто не понимаю, как ты можешь шутить.

– Я и не собирался шутить. – Джек сдвинул в сторону каталоги и принялся рыться в лежащих на столе бумагах, ища расписание деловых мероприятий или памятную записку от Глэдди, которая помогла бы ему вспомнить, в чем дело.

– Напомни еще раз, куда мы должны ехать? – спросил он и внезапно все вспомнил. – О господи, у меня совсем из головы вылетело!

Он действительно вспомнил. На сегодня были назначены похороны тестя Пола, банкира Мэттью Дж. Кингстона. Как он мог забыть об этом?! Главное, Джек не только нигде не записал это, но даже не предупредил Глэдди, которая непременно напомнила бы ему о похоронах и вчера вечером, и сегодня утром.

– Неужели? – едко осведомился Пол, заподозривший отца в нежелании ехать в дом Кингстонов и участвовать в траурной церемонии. – Что-то мне не верится.

– Да нет, я действительно... Я не то чтобы забыл, просто не думал об этом. У меня голова была занята совсем другим.

– Чушь. Ты просто не хочешь туда идти и встречаться с Амандой. Так вот, я тебе напоминаю, что похороны состоятся ровно в двенадцать, а потом в Бель-Эйр пройдут поминки. Ты, разумеется, можешь никуда не ходить, но мне кажется, что твое присутствие было бы, гм-м... весьма желательно.

Сестра Пола Джулия уже сообщила, что непременно будет на траурной церемонии, и отсутствие Джека могло быть истолковано превратно.

– Как ты думаешь, сколько человек они пригласили? – спросил он сына, ломая голову над тем, что ему делать с несколькими деловыми свиданиями, назначенными на вторую половину дня. Джек, разумеется, предпочел бы никуда не ходить, но он понимал, что для Пола его появление на похоронах тестя действительно важно, и собирался сделать все, что только будет в его силах.

– На поминки? Откровенно говоря, я не знаю. Ты же знаешь, у них было очень много знакомых и в деловом мире, и среди самых известных людей в городе. Может, человек двести, если не все триста.

«Вот это да...» – подумал Джек и вспомнил, как он был поражен, когда на свадьбу Пола приехало больше полутысячи гостей со всех концов страны. «Впрочем, не на свадьбу Пола, а на свадьбу Джен Кингстон», – тут же поправил себя он.

– Вот и отлично, – сдержанно сказал он в трубку. – Значит, если я не пойду на поминки достопочтенного мистера Кингстона, никто даже не заметит, что меня там не было. Впрочем, ладно, – поспешно добавил он, почувствовав недовольство Пола. – Я загляну в церковь. Спасибо за предложение заехать за мной, но я думаю, что тебе следует быть с Джен и с ее матерью. Я и сам доберусь.

– Только постарайся сделать так, чтобы Аманда тебя заметила, – предупредил Пол. – Джен очень расстроится, если ее мать решит, что тебя не было на похоронах.

– Аманде будет гораздо приятнее, если я не приеду на похороны, – ответил Джек и рассмеялся. Он никогда не делал секрета из той неприязни, которая существовала между ним и Амандой Кингстон. На свадьбе Пола он танцевал с ней один или два раза, и Аманда, не произнеся ни одного резкого слова, сумела совершенно недвусмысленно дать ему понять, что он ей глубоко антипатичен. Удивляться этому не приходилось: как и большинство жителей Лос-Анджелеса, она имела отличную возможность читать в газетах подробнейшие отчеты о его личной жизни. И дело было даже не в том, что писали о Джеке Уотсоне журналисты, – дело было в самом факте появления его имени в газетах – и в бульварной прессе, и в солидных газетах. Очевидно, после того как Аманда оставила свою кинокарьеру и стала женой финансового магната, она усвоила строгие принципы мужа, которые состояли в том, что приличные люди должны упоминаться в прессе только в связи с рождением, бракосочетанием или смертью. Имя и фамилия Джека, напротив, появлялись в газетах каждый раз, когда его видели в обществе популярной киноактрисы, восходящей кинозвездочки или блестящей манекенщицы или же когда он устраивал «У Джулии» шумный прием с шампанским для своих самых знаменитых клиентов.

Его салон, кстати, был известен не только своим богатым ассортиментом, но и этими самыми вечеринками, проходившими в экстравагантно отделанном торговом зале, спроектированном модными европейскими дизайнерами. Друзья, знакомые и знакомые знакомых любыми способами добивались приглашения на эти вечеринки, но Кингстоны – никогда. А Джек, зная, что ни Аманда, ни ее муж все равно не придут, даже не давал себе труда посылать им пригласительные билеты.

– Смотри не опоздай, па! Я тебя знаю – ты способен опоздать даже на собственные похороны.

– Которые, хочется надеяться, состоятся еще не скоро, – парировал Джек. – И вообще, спасибо тебе, сынок, за заботу. Только не приглашай на мои похороны Аманду Кингстон. Мне-то, конечно, будет уже все равно, просто я не хочу доставить ей эту радость, – добавил он, раздумывая о сердечном приступе, который убил Мэттью Кингстона. Банкир скоропостижно скончался четыре дня назад на теннисном корте, а ведь он был на два года моложе Джека. Его партнер по игре оказал мистеру Кингстону первую помощь, но ни его старания, ни усилия своевременно вызванной бригады «Скорой помощи» ни к чему не привели. И вот теперь пятидесятисемилетнего Мэттью Кингстона оплакивала его семья и весь деловой и финансовый мир страны, за исключением, быть может, одного Джека Уотсона. Они с Мэттью были официально представлены друг другу, но Джек никогда не вел с тестем Пола никаких дел и не стремился к этому. Мистер Кингстон всегда казался ему чересчур правильным, напыщенным и бесконечно нудным.

– Ладно, па, увидимся, – быстро сказал Пол. – Мне еще надо заехать за Джен – она сегодня ночевала дома, у своих.

– Кстати, твоей Джен ничего не нужно? Скажем, траурное платье, шляпку, перчатки? Я могу попросить моих девочек, чтобы они все приготовили, а ты захватил бы все это по пути.

– Спасибо. – Пол улыбнулся. Как все старики, Джек иногда начинал брюзжать, но на самом деле он был отличным парнем, и Пол искренне любил его. – Ты это хорошо придумал, но у Джен есть все необходимое. Аманда обо всем позаботилась. Она совершенно убита, но старается держаться. Не представляю, как ей только это удается... Поистине, моя теща – удивительная женщина!

– Твоя теща – настоящая Снежная королева! – не подумав, ляпнул Джек и немедленно пожалел об этом, но исправить что-либо было уже поздно. Пол немедленно отреагировал:

– Стыдно, отец, говорить так о женщине, которая только что потеряла мужа!

– Ну извини, извини, – примирительно пробормотал Джек и вздохнул. Они оба знали, что в своей оценке он не так уж далек от истины. Аманда Кингстон всегда выглядела спокойной, уравновешенной, уверенной в себе женщиной. Ни Джек, ни даже Пол, встречавшийся с Амандой гораздо чаще, чем отец, не могли припомнить случая, чтобы она вышла из себя. Прическа ее неизменно бывала аккуратной, а одежда – такой безупречной и строгой, что каждый раз, когда Джек смотрел на это совершенство во всех отношениях, он испытывал почти непреодолимое желание взлохматить ей волосы, сорвать с нее платье, уложить в постель и посмотреть, что из этого выйдет.

Неожиданно для себя Джек подумал об этом и сейчас, и, даже повесив трубку, он еще некоторое время размышлял об Аманде, хотя обычно делал это довольно редко. Он хотел бы искренне сочувствовать ее горю, ибо хорошо помнил, как плохо ему было, когда он потерял Дори, однако Аманда представлялась ему настолько сдержанной и холодной, что даже сочувствовать ей было непросто. Она была слишком совершенна, а любое, даже самое божественное совершенство вызывает в простых смертных глухое раздражение и протест. Кроме того, несмотря на свои пятьдесят, она все еще выглядела свежо и привлекательно – почти как двадцать пять лет назад, когда звезда серебряного экрана Аманда Роббинс оставила кинобизнес, чтобы стать женой Мэттью Кингстона. Их свадьба наделала много шума, и еще долго в барах Голливуда операторы и продюсеры бились об заклад, сколько времени пройдет, прежде чем Аманда пошлет к черту своего скучного сухаря и вернется в волшебный, сверкающий мир кинематографа. Но шли годы, а этого так и не случилось. Аманда сохраняла свою сногсшибательную внешность, свою изысканную, холодную красоту, но ее карьера была закончена раз и навсегда. Возможно, она и хотела вернуться, но Мэттью Кингстон ей не позволил. В это было довольно легко поверить, поскольку банкир вел себя так, словно владел ею, как владеют недвижимостью или крупным пакетом акций.

Вздохнув, Джек поднялся с кресла и заглянул в стенной шкаф. Он выбрал темно-серый костюм строгого покроя, как раз то, что надо для церемонии похорон, пусть это даже были похороны банкира. Правда, среди светло-голубых, красных и желтых галстуков, висевших здесь же, не оказалось ни одного темного, но это было легко исправить.

Захлопнув дверцы шкафа, Джек вышел в приемную.

– Почему ты не напомнила мне о похоронах? – строго спросил он у Глэдди и скорчил страшную гримасу, хотя на самом деле он ничуть не сердился, и секретарша прекрасно это понимала. Джек Уотсон принадлежал к тем редким людям, которые никогда не сваливают свою вину на других и умеют признавать собственные ошибки. Это было одной из причин, почему Глэдди нравилось работать у него. В некоторых кругах Джек Уотсон был известен как человек ветреный и безответственный, но Глэдди знала его гораздо лучше. С людьми, которые работали у него, Джек был неизменно внимателен и щедр; любой из его сотрудников – начиная от старшего бухгалтера и заканчивая продавщицей или уборщицей – мог положиться на него в трудную минуту. И персонал отвечал на заботу самоотверженным и честным трудом.

– А я подумала, что вы решили не ходить, – без колебаний ответила Глэдди. – Или вы забыли?

Джек с виноватой улыбкой кивнул:

– Совершённо забыл, Глэдди. И, должно быть, это неспроста. Терпеть не могу ходить на похороны людей младше себя. Каждый такой случай наводит на грустные мысли о...

Не договорив, он энергично тряхнул головой, не желая говорить о неприятном.

– Сделай одолжение, Глэд, загляни в «Гермес» и купи мне, пожалуйста, темный галстук. Только, упаси бог, не черный, не траурный, – просто достаточно строгий, чтобы не поставить Пола в неловкое положение перед тещей. В общем, я надеюсь, что ты не купишь галстук с обнаженной женщиной?

Глэдди улыбнулась и взяла в руки свою сумочку. Она уже собиралась уходить, когда в офисе появился представитель итальянской кожевенной фирмы с помощником, и Джек, жестом отпустив замешкавшуюся на пороге секретаршу, повернулся к ним. Эта должна была быть очень короткая встреча, и он мог справиться со всем без ее помощи.

К одиннадцати часам Джек договорился о поставке итальянцами полутора сотен изящных дамских сумочек из крокодиловой кожи и попрощался с гостями. В дверях он столкнулся к Глэдди, которая вернулась из «Гермеса» с французским галстуком темно-серого цвета, по всему полю которого были разбросаны крошечные белые треугольники и квадраты. Это было то, что надо, – Джек понял это сразу.

– Отлично, Глэдди, – благосклонно кивнул он и отправился переодеваться. Через несколько минут, на ходу завязывая галстук, Джек снова вышел в приемную.

– Ну как я выгляжу? Пристойно? – спросил Джек, останавливаясь перед зеркалом и поправляя на шее узел галстука. У него были светло-каштановые волосы, теплые темно-карие глаза и резкие, но не жесткие черты лица. Темно-серый костюм, отлично сидевший на его спортивной фигуре, белая сорочка и мягкие французские туфли ручной работы были безупречны, и Глэдди невольно залюбовалась своим шефом.

– Пристойно?.. Я бы сказала – великолепно, но, боюсь, вряд ли так можно сказать о человеке, который собрался на похороны, – ответила она. Как и всегда, его мужские чары оставили Глэдди равнодушной, о чем Джек отлично знал. Это, впрочем, его нисколько не задевало, – напротив, ему даже нравилось, что Глэдди совершенно наплевать на его репутацию, на его успех у женщин и на его внешность. Ее интересовало только дело, а со своими обязанностями она справлялась отлично.

– Нет, серьезно, шеф, вы выглядите просто блестяще. Пол может гордиться вами.

– Что ж, будем надеяться, что моя внешность произведет впечатление даже на его благонравную тещу и она воздержится от того, чтобы вызвать полицию нравов. Господи, ненавижу похороны!.. – Последние слова вырвались у него совершенно непроизвольно, ибо Джек снова вспомнил Дори. Ему действительно было очень тяжело тогда: сначала он испытал настоящий шок, за которым пришла боль – непереносимая, мучительная боль, которой, казалось, не будет конца. Джек никак не мог смириться с тем, что Дорианна ушла навсегда. Ему потребовались годы, чтобы если не принять это, то по крайней мере понять. Увы, пустоту в сердце, которую он пытался заполнить десятками женщин, ему не удалось победить до сих пор. Ни одна из его любовниц не могла сравниться с Дорианной, которая была такой красивой, такой сексуальной, такой озорной, веселой и желанной, что при одном воспоминании о ней Джек чувствовал себя несчастным. Даже сейчас, двенадцать лет спустя, он все еще ощущал в груди тупую, саднящую боль, которую не в силах были умерить никакие лекарства.

Спускаясь по лестницам и шагая через торговый зал, Джек не замечал восхищенных взглядов, которые бросали на него покупательницы. Сев за руль «Феррари», он рванул с места с такой скоростью, что покрышки протестующе взвизгнули, а мощный мотор взревел, словно двигатель самолета. Через пять минут он уже ехал по бульвару Санта-Моника к епископальной церкви Всех Святых, где должно было состояться отпевание. Часы показывали начало первого, и движение на бульваре оказалось гораздо более оживленным, чем он рассчитывал. Казалось, в этот теплый январский полдень каждый житель Лос-Анджелеса считал необходимым сесть в свой автомобиль и немедленно отправиться в путь – неважно, по делам или просто так.

В результате он опоздал к началу службы на двадцать пять минут. Кое-как припарковав «Феррари» на ближайшей платной стоянке, Джек торопливо вошел в церковь и встал в одном из последних рядов.

Народу на отпевание собралось столько, что в первую минуту Джек был ошеломлен. Казалось, в церкви собралось не меньше пятисот-шестисот человек, хотя он был уверен, что на самом деле народу здесь гораздо меньше. Сидячих мест, во всяком случае, уже не было, люди стояли в проходах, и протиснуться вперед не было никакой возможности. Впрочем, Джек не испытывал никакого желания быть в первых рядах. Он пришел сюда только из-за Пола и собирался исчезнуть как можно скорее. Единственное, что его беспокоило, это данное сыну обещание непременно попасться на глаза Аманде или кому-то из близких родственников.

Привстав на цыпочки и вытянув шею, Джек попытался высмотреть в толпе сына с женой или Джулию, но его дочери нигде не было видно. Зато Пола он увидел сразу. Сын Джека сидел на передней скамье между Джен и ее сестрой. Где-то там должна была быть и Аманда, но ее, судя по всему, заслоняла от Джека массивная колонна. Впрочем, его внимание сразу же приковал к себе гроб, стоявший перед алтарем на специальной подставке.

Гроб из полированного красного дерева с бронзовыми ручками по бокам воплощал своей строгой геометрией неизбежность конца всякого земного пути, и некоторое время Джек не мог думать ни о чем другом, кроме этого. Крышка гроба была задрапирована гирляндами траурно-зеленого мха и мелких бело-голубых орхидей. Они были очень красивы, как, впрочем, и другие цветы, которыми была убрана вся церковь. Разглядывая букеты и гирлянды орхидей, развешанных между колоннами, Джек каким-то образом догадался, что это Аманда распорядилась украсить церковь подобным образом. Он не особенно раздумывал об этом – его убедила та тщательность и внимание к деталям, которую Аманда проявляла во всем, что бы она ни делала. Джек хорошо помнил, как продуманно и со вкусом была украшена церковь во время бракосочетания Пола и Джен, и ему оставалось только поражаться, как Аманде удалось остаться верной себе, несмотря на постигшее ее горе.

Впрочем, Джек быстро забыл об Аманде и, прислонясь к колонне, погрузился в невеселые размышления о своей собственной бренности, о которой ему напомнил и этот гроб, и весь антураж протестантской службы.

Друзья покойного один за другим произносили над гробом прощальные слова, а Джек с грустью размышлял о том, что когда-нибудь и он будет так же лежать, не видя и не слыша ничего вокруг. Потом Джек подумал о том, как на его похоронах сойдутся десятки – если не сотни – женщин, с которыми он когда-то был близок, и эта мысль почти развеселила его, но тут слово взял Пол. Он произнес совсем небольшую речь, но она была по-родственному прочувствованной и трогательной, и, когда после службы Джек подошел к сыну, в глазах его стояли настоящие слезы.

– Ты отлично говорил, Пол, – сказал Джек, сглатывая застрявший в горле комок. – Когда придет мое время, я хотел бы, чтобы ты сказал несколько слов и обо мне. Договорились?

Ему хотелось, чтобы эти слова прозвучали как можно легче, но Пол не принял шутки. Покачав головой, он крепко обнял отца за плечи и прижал к себе.

– Не льсти себе, па. Когда придет твое время, ни я и никто другой не сможет сказать о тебе ни одного приличного слова, так что живи долго и постарайся исправиться.

– Спасибо, я буду иметь в виду, – с серьезным видом кивнул в ответ Джек. – Может, мне следует оставить теннис, как ты полагаешь?

– Папа!.. – Пол бросил на отца быстрый предостерегающий взгляд. К ним приближалась Аманда. Она шла сквозь толпу, чтобы еще раз поблагодарить всех, кто пришел почтить память ее покойного мужа, и не успел Джек и глазом моргнуть, как он уже оказался с ней лицом к лицу.

Аманда была головокружительно, божественно красива. Несмотря на два с половиной десятилетия, прошедших с тех пор, как она оставила карьеру в кино, Аманда по-прежнему выглядела настоящей кинозвездой. Даже траурный наряд – черное платье, в котором наметанный глаз Джека сразу же узнал штучное творение парижских мастеров, черная шляпка с вуалью и черные шелковые перчатки до локтей – очень шел ей, делая ее элегантной и изящной.

– Здравствуй, Джек, – сказала она негромко. На «ты» они называли друг друга из-за возраста, а также по праву свойства – отнюдь не потому, что были особенно близки. Аманда казалась совершенно спокойной, но в ее огромных голубых глазах было столько сдерживаемой боли, что Джеку стало искренне ее жаль.

– Прими мои искренние соболезнования, Аманда, – ответил он негромко и слегка склонил голову. Пусть они недолюбливали друг друга, однако сейчас ему меньше всего хотелось напоминать ей об этом. Аманде и без того было тяжело – Джек видел это совершенно ясно. К его огромному сожалению, ему было совершенно нечего добавить к сказанному, и он был искренне рад, когда Аманда, машинально кивнув в ответ, прошла дальше. Пол тоже отправился искать Джен, и Джек остался один.

Несколько минут он просто оглядывался по сторонам, но поблизости не оказалось никого из знакомых, и Джек решил про себя, что настал самый подходящий момент, чтобы незаметно исчезнуть. Приехав на службу и показавшись на глаза Аманде, он исполнил свой долг, и теперь его ничто больше здесь не задерживало.

Полчаса спустя Джек снова был в своем кабинете и занимался делами, однако до самого вечера его не оставляли невеселые мысли об Аманде и двух ее дочерях, потерявших отца и мужа, который объединял их, делал одной семьей. С его смертью семья Кингстон просто перестала существовать. Обе дочери были замужем, и теперь они, несомненно, с каждым днем будут уделять все больше и больше времени своим собственным делам. Что касалось Аманды, то она все больше и больше времени будет проводить одна. Конечно, Джек никогда не любил Мэттью Кингстона, однако теперь он чувствовал, что его пренебрежение и антипатия к Мэттью иссякли. Кроме того, кто-то же должен был пожалеть трех женщин, которых он любил и которых оставил так рано.

Эти мысли снова вернули Джека к мыслям о Дорианне. Джек даже достал из ящика стола ее фотографию, которая хранилась там специально на тот случай, если ему вдруг захочется снова увидеть любимое лицо. Как правило, он избегал подобных опытов – рассматривать снимки ему все еще было больно, но сегодня почему-то захотелось сделать это. И, держа перед собой любительскую фотографию, которую он сам сделал на пляже в Сен-Тропе, Джек почувствовал себя еще более одиноким.

Дважды за вечер к нему в кабинет заглядывала Глэдди, но исчезала, так ничего и не сказав. Она была хорошей секретаршей и чувствовала, что шефу нужно немного побыть одному. По его просьбе Глэдди даже отменила две деловые встречи, на которые Джек вполне мог бы успеть, но просто не захотел поехать.

Так он сидел за столом в своем элегантном строгом костюме и вертел в руках цветную фотографию, на которой было запечатлено незабываемое лицо Дорианны, солнце, кусок золотого пляжа, бирюзово-зеленое море. А в эти самые минуты Аманда в своем особняке в Бель-Эйр говорила о нем с Полом.

– Со стороны твоего отца было очень любезно приехать на службу, – сказала она зятю, когда уехали последние гости. Для всех, и в первую очередь для членов семьи и родственников Мэттью Кингстона, это был очень тяжелый день, и под вечер даже сдержанная Аманда выглядела измученной.

– Он искренне сочувствует вам, – ответил Пол, ласково обняв Аманду за плечи. – Я знаю, отец иногда поступает, гм-м... легкомысленно, но я совершенно уверен, что он искренне разделяет наше горе.

В ответ Аманда кивнула и, повернув голову, посмотрела на своих дочерей. Обе были настолько обессилены, что даже перестали ссориться. Джен и ее сестра Луиза были погодками, однако двух других таких непохожих друг на друга женщин просто невозможно было себе представить. С самого раннего детства они постоянно ссорились и ругались и только теперь заключили между собой временное перемирие, чтобы вместе утешать свою овдовевшую мать.

Пол вышел в кухню, чтобы сварить всем по чашечке кофе, и три женщины остались одни. Конечно, дом был полон официантов, уборщиков и посудомоек, специально приглашенных сегодня в усадьбу, чтобы ухаживать за гостями, приехавшими в Бель-Эйр отдать последний долг Мэттью Кингстону.

– Не могу поверить, что Мэтта больше нет, – сказала Аманда глухим голосом, едва за Полом закрылась дверь. Она по-прежнему стояла у окна и, отвернувшись от дочерей, смотрела невидящим взглядом на ухоженные лужайки сада.

– Я тоже, – отозвалась Джен дрогнувшим голосом, и слезы снова потекли у нее по щекам.

Луиза ограничилась тем, что громко вздохнула. Она

любила отца, но ладить с ним ей было трудно. Луиза была старшей, и оттого ей постоянно казалось, что отец относится к ней требовательнее и строже. Он был в ярости, когда она решила не поступать в юридический колледж и сразу же после школы вышла замуж. К счастью, брак оказался крепким, к тому же через пять лет Луиза уже была матерью троих детей, однако Мэттью продолжал при каждом удобном и неудобном случае выражать ей свое недовольство. Ему казалось, что трое детей – это слишком много и что Луизе следовало сначала подумать о карьере, а уж потом обзаводиться семьей. То, что у младшей Джен не было никакой карьеры вообще, что она даже не задумывалась о профессиональном совершенствовании и что она вышла замуж за человека, представлявшего такую несолидную и малопочтенную разновидность бизнеса, как киноиндустрия, казалось, вовсе его не трогало. Луиза же чувствовала себя обиженной и оттого недолюбливала Пола, который был для нее всего лишь сыном торговца с Родео-драйв. Ее муж Джерри работал в юридической фирме «Лэб и Лэб», где он являлся младшим партнером и, строго говоря, был гораздо более подходящей партией для девицы, носящей фамилию Кингстон. Так, во всяком случае, считала Луиза.

И пока в церкви Джен плакала по отцу, ее сестра думала только о том, как часто отец бывал к ней несправедлив, как резко критиковал каждый ее самостоятельный шаг, как требовал от нее того, чего она не могла или не хотела ему дать. За свою жизнь – и в детстве, и в зрелом возрасте – она много раз пыталась решить для себя вопрос, любит ли ее отец, но однозначного ответа до сих пор не было. Сказать «да» Луиза не могла, ибо ей сразу же вспоминались все перенесенные обиды и наказания, которые она считала незаслуженными. Сказать «нет» значило признать себя совершенно самостоятельной, независимой, а к этому Луиза тоже была не готова.

Когда в церкви друзья и родственники произносили над гробом Мэттью напыщенные речи, ей очень хотелось встать и сказать все, что она на самом деле думала об отце, но страх перед матерью и сестрой удержал ее. Луиза твердо знала, что ни Джен, ни Аманда не поймут и не поддержат ее. Особенно – Аманда. Она терпеть не могла, когда Луиза критиковала отца, а сейчас он и вовсе стал для нее почти святым...

– Я хочу, чтобы вы всегда помнили: Мэтт был чудесным человеком, – сказала Аманда, как будто подслушав мысли старшей дочери, и Луиза невольно вздрогнула. Джен хотела что-то сказать, но не успела. Отступив от окна, Аманда повернулась к дочерям, и сестры с удивлением увидели, что глаза ее полны слез, подбородок дрожит, а губы от горечи кривятся. Они еще никогда не видели мать в таком состоянии, и теперь им было тяжело на нее смотреть.

Вместе с тем даже сейчас – усталая, опустошенная, страдающая – Аманда была прекрасна. Она всегда была самой красивой из них троих, и Луиза втайне завидовала матери – большим голубым глазам и роскошным светлым волосам, собранным на затылке в тяжелый пучок. Казалось, время щадило ее, и на лице и шее Аманды не было ни одной морщинки. И Джен, и – в особенности – Луизе мать всегда представлялась эталоном женской красоты и обаяния – идеалом, сравняться с которым у них не было ни малейшей надежды. Впрочем, это не мешало Джен нежно любить мать. Что касалось ее сестры, то этот блестящий фасад заслонял от Лу другую, чисто человеческую сторону натуры матери, которой она не видела и не понимала. Она никогда не замечала, насколько Аманда на самом деле легко уязвима, ранима и чувствительна, и даже не догадывалась о том, что ее мать на самом деле всю жизнь ведет непримиримую борьбу с неуверенностью и тревогой, которые денно и нощно преследовали ее по пятам.

Джен, напротив, гораздо лучше понимала именно эту сторону характера Аманды, забывая подчас об ослепительной внешности матери, и это служило еще одной причиной разлада между сестрами. Луиза всегда ревновала сестру и к отцу, и к матери, а Джен это обижало. Она-то не считала себя «любимой дочерью», в чем ее часто обвиняла сестра. Больше того, Джен знала, что именно с Луизой Аманда и Мэттью связывали все свои надежды и потому были к ней особенно требовательны, однако объяснить это сестре не было никакой возможности. Луиза продолжала ревновать и злиться, и только после замужества обеих сестер между ними установилась видимость нормальных отношений.

– Я хочу, чтобы вы знали, как он любил вас обеих, – негромко добавила Аманда и неожиданно всхлипнула. Она никак не могла поверить, что ее муж умер, что он никогда больше не обнимет ее, не прижмет к себе, не скажет ей, как сильно он ее любит. Всю жизнь она боялась, что Мэтт может вдруг уйти от нее, и вот теперь она осталась одна. И Аманде было ничуть не легче от того, что разлучила их смерть, а не другая женщина. Для нее муж был единственным любимым человеком, от которого она зависела и на которого привыкла полагаться, и теперь Аманде было трудно представить себе, как она будет жить без него.

– О, мама, мамочка!.. – Джен вскочила с дивана и, нежно обняв продолжавшую негромко всхлипывать Аманду, стала утешать ее. Смотреть на это Луизе было невыносимо, и она бесшумно вышла из комнаты. В кухне она застала Пола, который сидел за столом и пил кофе.

– Ну, как она? – озабоченно спросил он, и Луиза раздраженно передернула плечами. Ей тоже было больно, но почему-то это никого не интересовало. Детей она отправила домой, Джерри вернулся на работу в контору, и, кроме Пола, Луизе совершенно не с кем было поговорить. Пола она не любила, но никого другого рядом все равно не было.

– Мама в ужасном состоянии. Такой я ее еще никогда не видела, – сказала она, садясь напротив него и наливая себе кофе из стоящего подле кофейника. – В последнее время она зависела от отца на все сто процентов. Он говорил ей, когда вставать и во сколько ложиться, что делать и чего не делать, с кем общаться, а кого не пускать на порог. По-моему, это чудовищно. Я просто не понимаю, как она могла такое допустить! Неудивительно, что теперь она так растерялась...

– Быть может, именно этого она всегда хотела. Разные люди – разные характеры. Один сам ведет кого-то по жизни, другому нужно, чтобы вели его, – заметил Пол, с интересом поглядев на свояченицу. В Луизе всегда было столько горькой иронии и затаенного гнева, что он не раз задумывался, насколько она счастлива со своим мужем. Как и во всех семьях, в семействе Кингстон были свои подводные течения, свои рифы и отмели, лавировать между которыми человеку со стороны бывало подчас очень трудно, и, чтобы правильно ориентироваться, Пол всегда прислушивался к тому, что Джен и Лу говорят о своей матери. Они, разумеется, видели ее по-разному, однако главное заключалось в том, что на самом деле Аманда Кингстон была совсем не такой, какой ее видели посторонние. Для всего мира она была сильной, уверенной в себе, даже чуточку холодноватой женщиной, но дочери знали ее совсем другой. Для них она была робкой, неуверенной, полностью подчиненной мужу женщиной, которой нравилось, когда ей указывали, что надо делать, и принимали за нее все важные решения.

Иногда Полу даже казалось, что в этом-то и заключена главная причина того, что Аманда отказалась от продолжения кинокарьеры. Может быть, размышлял он, дело вовсе не в том, что Мэттью не разрешил ей сниматься. Может быть, она сама боялась возвращаться в реальную жизнь, где надо было принимать решения и самой отвечать за них.

– Ничего... Я думаю, она скоро успокоится, – сказал Пол Луизе. Ничего другого ему просто не приходило в голову. Да и что тут можно было сказать?

Луиза отпила глоток кофе, поморщилась и отодвинула чашку. Подойдя к буфету, она налила себе вина, но пить не стала и только нервно вертела в руках бокал. Пол сразу понял, что видит перед собой еще одну не очень-то счастливую женщину, но, как ее утешить, он не знал.

– Джен о ней позаботится, – добавил он, но эти слова, казалось, разозлили Луизу еще больше.

– Разумеется, позаботится! Да она от нее теперь ни на шаг не отойдет! – Луиза так резко опустила бокал на стол, что Пол невольно вздрогнул. – Джен всегда обожала лизаться со своей любимой мамочкой! Удивляюсь, как она до сих пор не предложила тебе переехать сюда, тогда бы они могли видеться друг с другом каждый день. Да и мама была бы счастлива. Если вы поселитесь здесь, ей не придется заботиться о доме. Джен была бы только рада взвалить это на себя.

– Послушай, Лу, возьми себя в руки! – воскликнул Пол, назвав свояченицу именем, которым называла сестру Джен, но Луиза смерила его таким взглядом, что ему стало не по себе. В это мгновение она была удивительно похожа на свою мать. И на отца тоже, но это сходство было сходством характеров, а не внешности. Из двух сестер именно Джен унаследовала красоту матери и аристократическое благородство Мэттью. – По-моему, ты зря кипятишься, – добавил Пол. – Поверь, никто не хочет обидеть тебя или причинить тебе боль.

– Черта с два! – воскликнула Луиза и, залпом осушив бокал вина, тут же налила себе еще. – Да они всю свою жизнь только тем и занимались, что старались унизить меня. Быть может, теперь, когда отец умер, Аманда сумеет стать нормальным, зрелым человеком. И она, и все мы...

И, не дав Полу ответить, Луиза вышла, громко хлопнув дверью, а Пол остался сидеть за столом над чашкой остывшего кофе.

Джен увидела Луизу в окно кабинета.

– Лу снова злится на меня, – вздохнула она, провожая взглядом сестру, которая медленно шла по дорожке с бокалом вина в руке. – Она все время на меня за что-нибудь злится.

– Как бы мне хотелось, чтобы вы перестали ссориться друг с другом, – печально ответила Аманда. – Я надеялась, что, когда вы вырастете, все будет по-другому. Я думала, вы подружитесь, особенно после того, как выйдете замуж и у вас будут свои дети...

Она действительно надеялась на это еще с тех пор, когда ее девочки были детьми. Никакого другого будущего Аманда для них не желала, но Джен, услышав ее слова, погрустнела еще больше.

– Ты же знаешь, мама, я... Я не...

– Что?! – На лице Аманды отразилась такая тревога, что сердце Джен болезненно сжалось.

– У меня нет детей, – тихо ответила она, но в ее голосе прозвучала такая грусть, что Аманда насторожилась.

– Ты не хочешь иметь детей?! – осторожно спросила она. Ее дочь не хочет детей? Если это так, это же настоящее предательство!

Другого слова она подобрать просто не могла.

– Дело не в этом... – Джен снова посмотрела в сад, на сестру, которая уселась на скамейку перед клумбой с мелкими желтыми розами и поднесла к губам бокал с вином. У Луизы было трое детей, которых она родила одного за другим в первые пять лет брака. Она сама так хотела и, выйдя замуж, осуществила свою мечту. Теперь у нее было два сына и дочь, и Джен оставалось только завидовать сестре. Зачатие, беременность, роды – все далось Луизе просто и естественно, а у Джен с Полом, увы, ничего не получалось...

– Разумеется, я хочу детей, – сказала Джен. – Но... Мы очень стараемся, но ничего пока не случилось. А ведь прошел уже почти целый год, как мы отказались от контрацепции.

– Это ничего не значит. – Аманда невольно улыбнулась. – Подчас на это требуется время. Будь терпеливой. Во всяком случае, отчаиваться еще рано.

– Почему-то вам с папой никакого времени не потребовалось, – упрямо возразила Джен. – Лу родилась ровно через десять месяцев после того, как вы поженились. А еще через год родилась я.

Она тяжело вздохнула, и Аманда ласково погладила дочь по голове. У Джен было такое выражение лица, что у Аманды буквально сжалось сердце. В глазах Джен отразились не только досада или сожаление; в них были горечь и разочарование, и Аманде снова захотелось заплакать, на этот раз – от бессилия.

– Я хочу, чтобы Пол сходил со мной к врачу, а он не хочет. Он считает, что я напрасно беспокоюсь и что все образуется само собой.

– А сама-то ты была у врача? – осторожно поинтересовалась Аманда. – Что он сказал?

– Мой доктор не нашел никаких отклонений, но он считает, что, раз у нас ничего не получается, значит, я должна подвергнуться более серьезному обследованию. И я, и Пол тоже. Доктор дал мне адрес одного известного специалиста в этой области, но Пол ужасно разозлился, когда я ему сказала... Он был просто вне себя и заявил, что раз дети есть у его сестры и у Лу, значит, и мне нечего беспокоиться. Но ведь все это не так просто... во всяком случае – не всегда.

Джен говорила что-то еще, а Аманда неожиданно задумалась, не могло ли здесь быть чего-то такого, о чем она забыла или не знала. Быть может, когда Джен была маленькой, она проглядела у нее какую-нибудь скрытую патологию или пропустила болезнь, которая могла бы повлиять на ее возможность иметь детей. А может,

Джен втайне от нее сделала аборт и вот теперь... Спросить об этом у дочери Аманда не решилась. Все равно помочь она ничем не могла, так что самым разумным было оставить проблему врачам.

– А тебе не кажется, что в словах Пола есть здравый смысл? – спросила она мягко. – Может, тебе стоит прислушаться к ним и перестать волноваться? Мне кажется, что ничего страшного пока не случилось. Во всяком случае, время у вас есть.

– Но я ни о чем другом просто не могу думать! – призналась Джен, и на глазах у нее снова показались слезы. Они стекали по щекам на подбородок и капали на платье, и Аманда почувствовала, что еще немного, и она тоже расплачется. Ей было отчаянно жаль Джен, но она не знала, как ей помочь, что посоветовать.

– Мне так хочется ребенка, – всхлипнула Джен. – Я хочу, и Пол тоже хочет, но ничего не получается. Я боюсь... боюсь, что не смогу родить. Никогда!..

– Что за глупости, Джен! – воскликнула Аманда. – Ты все сможешь – и зачать, и выносить, и родить. В крайнем случае... в самом крайнем случае вы всегда сможете усыновить ребенка, но я совершенно уверена, что до этого дело не дойдет.

Ей было тяжело думать о том, что ее дочь несчастна. Она только что потеряла отца, а тут еще оказалось, что у нее есть и другие проблемы.

Джен снова всхлипнула:

– Мы говорили об этом с Полом, но он сказал, что никогда на это не пойдет. Он сказал, что хочет воспитывать своих собственных сыновей и что дети чужого дяди ему не нужны.

– Вот как?! – Аманда собиралась сказать, что Пол не

только эгоист, но еще и глупец, но вовремя сдержалась. – Я думаю, Джен, он так сказал, потому что верит в тебя, – заявила она решительно. – Этим он хотел сказать тебе, чтобы ты не отчаивалась и что у вас все получится. Ну а если нет, то... Вот увидишь, если лет через двадцать у вас так ничего и не выйдет, он первым предложит тебе взять из приюта какого-нибудь симпатичного мальчика или девочку. Ну а пока... пока я тоже советую тебе не переживать. Вот увидишь, все будет в порядке. Лично я готова спорить на что угодно!

Джен в ответ торопливо кивнула, но Аманда видела, что ей не удалось успокоить дочь. На протяжении целого года она была обеспокоена своей неспособностью зачать, и теперь ее тревога на глазах превращалась в панику. Аманда запоздало корила себя за то, что не обратила на это внимания раньше. Слава богу, Джен наконец-то доверилась ей!

– А ты, мам? Как ты будешь жить одна?.. – спросила Джен.

Это была очень болезненная тема, и Аманда почувствовала, что глаза ее наполняются слезами, а в горле встает комок.

– Не знаю. – Она покачала головой и, не в силах сдерживаться, заплакала снова. – Мэтт был единственным человеком, которого я по-настоящему любила, и вот теперь он ушел... Я твердо знаю только одно, Джен: в моей жизни никогда больше не будет другого мужчины. Никогда. Мы с твоим отцом были женаты двадцать шесть лет – это больше половины того срока, что я прожила на свете, и теперь я просто не представляю, как быть дальше. Ведь моя-то жизнь еще не закончилась! Как я буду просыпаться каждое утро, как буду ложиться спать... Одна... Мне кажется, что я этого не выдержу! Что мне делать, Джен?!

Джен прижала мать к себе и молчала, давая ей выплакаться. Джен очень хотелось сказать матери, что со временем ей станет легче, но она не могла. Джен тоже не представляла себе, как ее мать сможет жить без мужа. Он был и фундаментом, и раствором, скреплявшим собой кирпичики их семейного здания. Он заслонял собой Аманду от внешнего, не всегда доброжелательного мира, подсказывал ей, что и как лучше сделать, и, несмотря на то что он был старше своей жены всего на семь лет, был для Аманды не только мужем, но и в каком-то смысле отцом. «Я не могу без него жить», — сказала Аманда, и Джен знала, что это вовсе не преувеличение.

Когда Аманда успокоилась и перестала плакать, Джен помогла ей привести себя в порядок. Они сидели рядышком на диване и вспоминали Мэттью, когда дверь кабинета открылась и вошел Пол.

Он сказал, что Луиза уехала домой, что она сама была очень расстроена и решила не прощаться, чтобы не расстраивать мать и сестру еще больше. Потом Пол намекнул Джен, что им тоже пора ехать, так как его еще ждет дома работа.

Джен не хотелось оставлять мать в таком состоянии, но было уже поздно, и она знала, что рано или поздно им все равно придется уехать. А может, так было даже лучше. Аманда должна была привыкать к тому, что отныне ей придется решать большинство проблем самой.

В присутствии зятя Аманда старалась держаться, но прощание все равно вышло долгим и мучительным. Когда Джен и Пол уезжали, она вышла проводить их, но в ее высокой и тонкой фигуре, по-прежнему затянутой в траурное черное платье, было что-то до того трогательное и жалкое, что Джен разрыдалась, едва только их машина выехала за ворота.

– Боже мой, Пол! Она же просто погибнет без папы!.. – безутешно всхлипывала Джен, вспоминая отца, которого она никогда больше не увидит; мать, которая осталась одна в пустом и холодном доме; сестру, которая ее ненавидела; и даже ребенка, своего будущего ребенка, который, как она боялась, никогда не родится. Пол взял ее за руку.

– Вот увидишь, пройдет совсем немного времени, и Аманда придет в себя, – сказал он. – Все будет нормально. Ведь твоя мать еще молода, да и выглядит так, что ей могут позавидовать многие двадцатилетние девчонки. Да через полгода половина мужчин Лос-Анджелеса будет распевать серенады у нее под балконом и умолять о свидании! Может быть, она даже решит вернуться в кино, – в конце концов, наша Аманда не какой-нибудь новичок, которому надо начинать с чистого листа. У нее есть опыт и репутация звезды, а в киномире это значит очень много.

– Она никогда не вернется в кино, даже если бы хотела, – срывающимся голосом возразила Джен. – Папа всегда был против того, чтобы мама снималась в кино, и она не нарушит его воли даже теперь, когда он... когда его нет. Он хотел, чтобы мама принадлежала ему одному, и она пошла на это, потому что любила его.

«Если это правда, – подумал Пол, – то Мэттью Кингстон был самым большим эгоистом на свете». Вслух он, однако, этого не сказал, потому что знал – Джен прибьет его на месте. Она и так была на взводе.

– И потом, – продолжала Джен, пылая праведным

гневом, – как у тебя только язык повернулся сказать, что мама начнет с кем-то встречаться?! Это... это отвратительно!

– В этом нет ничего отвратительного, подлого или бесчестного, – твердо возразил Пол. – Это жизнь, реальная жизнь. Подумай сама, Джен: Аманде – пятьдесят. Всего пятьдесят! Да, твой отец умер, но ведь она-то жива! Неужели тебе хочется, чтобы твоя мать оставалась одна до конца своих дней? Господи, у нее впереди еще целая жизнь, ведь кто знает свой срок? Разве ты хочешь, чтобы твоя мать похоронила себя заживо?

Он сказал это с легкой улыбкой, которая взбесила Джен еще больше, чем сами слова.

– Жить – это не значит встречаться с кем попало. Моя мать, Пол, это не твой отец, и, пожалуйста, не надо их сравнивать. Мама вышла замуж за папу по любви, они прожили вместе двадцать пять лет и были счастливы.

– Тогда, – заупрямился Пол, – она скорее всего снова захочет выйти замуж, чтобы прожить счастливо те два или три десятка лет, которые ей предстоит прожить. С ее стороны было бы просто преступлением запереться в четырех стенах.

– Я просто не верю, что это говоришь ты! – задыхаясь от ярости, проговорила Джен и вырвала у него руку. – Ты что, действительно считаешь, что моя мать будет встречаться с мужчинами после... после того, как... Да ты просто больной! Псих!! Извращенец!!! У тебя нет ни малейшего понятия о порядочности, никакого уважения к памяти моего отца! Кроме того, ты просто не знаешь мою мать.

– Возможно, я действительно ее не знаю, – миролюбиво согласился Пол. – Зато я знаю людей.

Но Джен, сердито отвернувшись от него, стала смотреть в окно. Слова Пола оскорбили ее до глубины души, и весь остаток пути до дома они больше не разговаривали. Джен готова была присягнуть на Библии... нет, на стопке из десяти Библий, что Аманда останется верна памяти Мэттью до конца своих дней.

Глава 2

В июне, через полгода после смерти Мэтта, Джен и Луиза поехали с Амандой в Санта-Барбару. Пол был в Нью-Йорке, где ему предстояли важные переговоры о съемках нового фильма, а муж Луизы Джерри находился в Денвере на ежегодной конференции юристов. Таким образом это была идеальная возможность провести несколько дней втроем, однако не успели они разместиться в отеле, как сестры поняли, что их мать еще не оправилась от постигшего ее горя. Она продолжала носить только черные или закрытые серые платья, прикрывала волосы шляпкой или косынкой и совсем не пользовалась косметикой. Каждый раз, когда Джен или Луиза спрашивали, как она себя чувствует, Аманда начинала плакать, и встревоженные столь бурной реакцией сестры даже заключили временное перемирие, стараясь сделать хоть что-то, чтобы матери стало лучше, но никакого особенного успеха не достигли. С каждым днем Аманда все больше погружалась в пучину отчаяния, а ее безразличие к окружающему было пугающим.

Ранним воскресным утром, пока Аманда еще спала, сестры спустились в ресторан отеля, чтобы позавтракать и обсудить создавшееся положение.

– По-моему, у мамы настоящая депрессия, – заявила

Луиза, жуя ломтик черничного кекса. – Ее надо уговорить сходить к врачу. Может быть, он пропишет ей курс прозака или валиума. Ей бы стоило показаться психоаналитику. Говорят, они делают настоящие чудеса – только нужен хороший аналитик, а не шарлатан.

Джен в ответ только покачала головой:

– Боюсь, это не принесет маме никакой пользы. Я считаю, что ей нужно чаще выходить и встречаться с подругами. На прошлой неделе я случайно встретила миссис Оберман, и она сказала, что не видела маму с того самого дня, как умер отец. А ведь с тех пор прошло уже почти полгода. Не может же мама просто сидеть у себя в доме и плакать. Нам необходимо придумать ей занятие, которое отвлекло бы маму от...

– А ты не подумала о том, что маме, возможно, вовсе не нужно, чтобы что-то отвлекало ее от этих мыслей и переживаний? – ответила Луиза, глядя прямо в глаза сестре и в который уже раз гадая, есть ли у них что-то общее, или они совсем разные люди. – Ты же знаешь, что отец наверняка хотел бы именно этого – чтобы мама сидела в четырех стенах и плакала. Я просто уверена, что, если бы он был заранее осведомлен о дне и часе своей смерти, он оставил бы на этот счет специальное распоряжение. Или завещал бы похоронить маму вместе с собой.

– Прекрати сейчас же говорить гадости о папе! – вспыхнула Джен. – Ты не хуже меня знаешь, что он хотел видеть маму счастливой и терпеть не мог, когда ее что-то огорчало.

– Или, иными словами, он терпеть не мог, когда у мамы появлялась своя собственная жизнь. Он хотел только одного: чтобы Аманда растила нас, следила за нашими успехами в школе, в балетном классе или играла в бридж с женами его деловых партнеров. Я уверена, что подсознательно отец очень хотел, чтобы, когда он умрет, мама была бы несчастна. И, надо сказать, он своего добился. В общем, ей просто необходимо срочно показаться психоаналитику, иначе я просто не знаю, что будет, – закончила Луиза резко.

– Почему бы нам не устроить ей что-то вроде каникул и не свозить ее куда-нибудь на курорт? Перемена обстановки может подействовать на нее так же, как и сеансы психоанализа, – предложила Джен, которой ничего не стоило уйти из галереи, где она работала, но Луиза не могла себе представить, на кого она оставит детей.

– Может, лучше в сентябре, когда они снова пойдут в школу? – спросила она. – Тогда мы могли бы свозить маму в Париж, в Рим, в Венецию...

– Хорошо, – сразу согласилась Джен, которой было, в общем, все равно, но, когда они предложили Аманде этот вариант, она только покачала головой.

– Я не могу уехать сейчас, – твердо сказала она. – Мне нужно еще многое сделать... Вы же знаете, что незадолго до смерти Мэтт задумал привести в порядок наш особняк, но не успел... Я должна довести это дело до конца – хотя бы для того, чтобы оно не тяготило меня. Кроме того, через месяц надо будет официально оформлять все бумаги на наследство. Короче, сейчас ни о какой поездке не может быть и речи.

Но все трое знали, что это обычная отговорка. Аманда упорно не хотела возвращаться в мир, потому что в нем не было Мэтта.

– Пусть этим займутся юристы, мама, – предложила практичная Луиза. – Такие вещи лучше делать через адвокатскую контору. Собственно говоря, иного способа просто не существует, а от того, будешь ты в это время в Лос-Анджелесе или в Париже, ровным счетом ничего не изменится. А уехать тебе будет только полезно. Ты отдохнешь, наберешься сил...

Аманда на некоторое время задумалась, потом снова покачала головой, и на глазах у нее показались слезы.

– Я не хочу никуда ехать, не хочу отдыхать, – сказала она откровенно. – Я буду чувствовать себя виноватой перед ним...

– Виноватой? Да в чем ты можешь быть виновата? В том, что потратишь немного денег? Но ведь Мэтт зарабатывал их для тебя, а не ради собственного удовольствия. К тому же путешествие в Париж обойдется не так уж дорого, и ты вполне можешь себе это позволить...

На самом деле Аманда могла позволить себе не одно, а десять путешествий, и не в Париж, а вокруг всего света – дело тут было не в деньгах. Дело было в том, что она просто не хотела никуда ехать.

– Я... Мне кажется, что я не имею права ехать куда-нибудь без него. Мы всегда и везде ездили вместе, а теперь... Развлекаться, жить в свое удовольствие, когда его нет рядом, – это не для меня. Это будет... эгоистично и нечестно по отношению к нему, к его памяти!

Тут Аманда снова заплакала, но дочери продолжали внимательно смотреть на нее, словно ожидая, что она еще скажет.

– Почему... Почему судьба так несправедливо обошлась со мной? – всхлипнула Аманда. – Почему он умер, а я нет? Это несправедливо, несправедливо!..

Аманда даже ногой топнула, а Луиза и Джен переглянулись в тревоге. Мать впервые говорила с ними о том, что она на самом деле чувствовала. Это был комплекс вины, который часто поражает пережившего супруга или родителей, потерявших своих детей. С этим мало что можно было поделать, однако и Джен, и Луиза хорошо знали, чем чревато подобное состояние.

– Так уж получилось, мам, – негромко сказала Джен. – Так вышло, и ничего тут не поделаешь. В этом никто не виноват – ни ты, ни он, и никакой другой человек. Раз уж судьба так распорядилась, тебе нужно смириться и жить дальше. Жить для себя... для нас, для внуков. Подумай об этом, мама. Если не хочешь в Париж, давай съездим на пару недель в Нью-Йорк, в Майами, в Сан-Франциско, наконец... Куда угодно, лишь бы не сидеть на одном месте. Вот увидишь, ты вернешься совсем другим человеком! Я уверена, что папа сказал бы тебе то же самое, если бы мог. Нельзя отказываться от жизни, пока живешь, – это неправильно.

Но Аманда ничего не сказала и только покачала головой. Сестры еще несколько раз пытались поговорить с ней на эту же тему, но у них так ничего и не вышло. Аманда была еще не готова к тому, чтобы вернуться к нормальной жизни. Скорбь ее оставалась слишком глубока, а рана слишком свежа, чтобы она могла думать о чем-то, кроме своей потери. Мысль о том, чтобы по-прежнему находить в жизни удовольствие, казалась ей кощунственной.

С тем они и вернулись в Лос-Анджелес.

– Как мама? – спросил Пол, прилетевший из Нью-Йорка вечером того же дня. – Как у нее дела? Лучше?

– Хуже, – печально ответила Джен, которая встретила мужа в аэропорту, чтобы отвезти домой. – Откровенно говоря, она совсем расклеилась. Луиза считает, что ей нужно начать принимать прозак, а я... я просто не знаю. У меня такое ощущение, что она твердо решила как можно скорее отправиться вслед за папой.

– Не исключено, что именно этого он и хотел бы, – заметил Пол. – И Аманда это знает.

Они с Джен уже несколько раз ссорились из-за этого, однако Пол продолжал держаться мнения, что Мэттью Кингстон был слишком эгоистичен. И Джен, хотя и не признавала этого открыто, начинала понемногу склоняться к мысли, что влияние ее отца на Аманду было, пожалуй, слишком велико.

– Ты говоришь совсем как моя сестра, – все же огрызнулась она. – Знаешь, я хочу спросить тебя кое о чем...

Она на мгновение отвлеклась от дороги, чтобы посмотреть на него, и Пол улыбнулся в ответ. За время своего пребывания в Нью-Йорке он успел соскучиться по жене и был искренне рад видеть ее.

– Спрашивай, – кивнул он. – Впрочем, я, кажется, уже догадался... Ты хочешь, чтобы я свел Аманду с моим отцом? Нет проблем, дорогая, я все устрою. Джек не будет против, вот увидишь!

Это была настолько дикая идея, что Джен даже не рассердилась. Губы ее дрогнули в улыбке, но взгляд остался серьезным, и Пол понял, что она хочет спросить его о чем-то действительно важном.

– Откровенно говоря, – начала Джен, тщательно подбирая слова, – у меня на уме было кое-что другое...

Она ненадолго замолчала, словно в нерешительности. Джен действительно не знала, как сказать мужу о том, что она задумала, однако ей очень хотелось знать его мнение.

– Выкладывай, Джен, что там у тебя.

– Я хочу, чтобы мы с тобой вместе сходили к врачу, к самому лучшему специалисту... В последний раз мы с тобой говорили об этом полгода назад, но за это время... ничего так и не произошло. Я очень волнуюсь, Пол...

В глазах ее появилось умоляющее выражение, но Пол только раздраженно дернул плечом.

– Опять ты за свое! – в сердцах воскликнул он. – Ну почему ты никак не можешь успокоиться и взглянуть на вещи здраво? Я же сказал тебе, что все будет в порядке. В последние полгода я работал над самым большим контрактом в моей жизни, а для тебя, похоже, все это не имеет значения, ты только и думаешь, что о ребенке. Да в том, что, как ты выражаешься, «ничего не случилось», нет ничего странного. Меня и дома-то почти не было – я то сидел в Нью-Йорке, то мотался по всей стране. Как после этого ты можешь утверждать, что у нас есть какие-то проблемы? Это звучит по меньшей мере глупо!

Джен нахмурилась. Она поняла, что он просто не хочет никуда с ней идти, очевидно, не сомневаясь, что с ним-то все в порядке. Каждый раз, когда она заводила разговор на эту тему, Пол изобретал все новые и новые причины и предлоги, чтобы отложить решение этого вопроса на будущее. Но ведь они действительно старались, старались изо всех сил, и Пол, кажется, начинал понимать, что что-то неладно, хотя открыто признаться в этом ему еще не хватало мужества.

– Я просто хочу знать, в чем дело, – решительно заявила Джен. – Я должна быть уверена, что с нами... со мной все в порядке. Если же я больна, то пусть врач скажет мне, что это за болезнь, чтобы я могла начать лечиться. Вот и все, чего я прошу, Пол! Разве это так много?

Ее глаза наполнились слезами, и Пол вздохнул.

– Тогда почему ты до сих пор не обратилась к врачу? – спросил он. – Сходи в клинику – пусть у тебя возьмут все анализы и назначат комплексное обследование. Но, уверяю тебя, Джен: прежде чем эта бодяга закончится, ты успеешь забеременеть.

Увы, Джен больше так не думала. Они впервые задумались о ребенке полтора года назад, но за это время так ничего и не произошло. Даже гинеколог, к которому Джен постоянно ходила, начал тревожиться и несколько раз заводил разговор о более тщательном обследовании. Пол пока не знал, что примерно месяц назад она наконец-то отважилась обратиться к крупному специалисту по женским болезням. Джен сдала все анализы и даже два дня лежала в клинике, пока ей проводили какой-то сложный гормональный тест, однако это исследование так и не выявило никакой патологии. Джен была здорова, а значит, на этот раз Пол обязательно должен был пойти с ней.

– Если я схожу к врачу и он не найдет у меня никаких проблем, ты пойдешь?

– Может быть... Посмотрим, – ответил Пол и поспешно включил радио – чуть громче, чем было необходимо. Это был его обычный ответ, и Джен догадалась, что он и не собирается. Значит, все безнадежно, подумала она. У нее не будет никакого ребенка, пока Пол не изменит своего отношения к этому вопросу.

К августу она прошла еще одно столь же серьезное исследование у другого врача, который, не найдя никаких отклонений, сказал ей, что все дело либо в несовместимости ее яйцеклеток со сперматозоидами мужа, либо в самом Поле. Но когда Джен попыталась поговорить с ним, он пришел в ярость. Он заявил ей, что с ним все в порядке и что он не потерпит, чтобы Джен на него «давила». Для него это было не самое легкое время: подписание контракта на съемку фильма, на который Пол возлагал такие большие надежды, все откладывалось и откладывалось, и он как угорелый носился со студии на студию, однако, по мнению Джен, это не давало ему права кричать на нее. Пол в ответ заявил, что от секса по ее дурацкому расписанию его уже тошнит, и они крупно поссорились.

Правда, примирение произошло довольно быстро, однако Джен уже поняла, что ее спокойной жизни пришел конец. И действительно, когда через две недели она обнаружила, что никакой беременности у нее нет, с ней случилась самая настоящая истерика.

– Слушай, забудь на время о своей навязчивой идее, ладно? – кричал Пол как-то вечером, когда Джен хотела заняться любовью только потому, что день был максимально благоприятным для зачатия. В ответ на ее упреки он, громко хлопнув дверью, выскочил из дома и уехал к отцу, где основательно напился.

У Джека как раз в это время появилась новая любовница – актриса, о которой критики дружно заговорили примерно месяц назад, и их фотографии появлялись в газетах чуть ли не ежедневно. Джек по-прежнему мечтал, чтобы сын стал его партнером в торговом бизнесе, но Пол об этом и слышать не хотел. Его бесило, что все от него чего-то хотят, и в результате он чуть не поругался и с отцом.

Аманда по-прежнему пребывала в депрессии. В

сентябре Джен и Луиза снова попытались уговорить мать отправиться в путешествие, но все было напрасно – Аманда наотрез отказалась куда-либо уезжать и развлекаться. Между тем ее состояние внушало сестрам серьезные опасения. За лето Аманда потеряла почти четырнадцать фунтов и выглядела изможденной, но ее это как будто вовсе не волновало. Она думала и говорила только о своем покойном муже. Даже на дочерей Аманда почти не обращала внимания, словно душой она уже отправилась в тот мир, где ждал ее Мэттью.

И в конце года она пребывала все в том же состоянии, и сестры по-настоящему заволновались.

– Нужно срочно что-то делать, – сказала однажды Джен в телефонном разговоре с Луизой, состоявшемся недели через две после Дня благодарения. Сам праздник прошел просто ужасно. За столом Аманда не съела ни кусочка и все время плакала. Даже дети Луизы, которых по случаю праздника привезли в особняк в Бель-Эйр, смотрели на бабушку с испугом и ни за что не хотели ее целовать, когда настала пора прощания.

– Я больше не могу этого выносить, Лу. Это какой-то кошмар! – сказала Джен с отчаянием в голосе.

– А может, нам просто оставить ее в покое? – бесстрастным голосом предложила Луиза. – Раз она хочет весь остаток жизни проливать слезы по папочке, почему мы должны ей мешать? Кто мы, в конце концов, такие, чтобы решать, что для нее лучше, а что хуже?

– Мы ее дети, – напомнила Джен сердито. – Лично я не собираюсь спокойно смотреть, как мама медленно убивает себя. Ты сама видела, какой она стала – в гроб краше кладут! Нет, я считаю, что она должна взять себя в руки. Надо ее как-то уговорить...

— Вот ты и придумывай, как ее уговорить. Меня она все равно не станет слушать. Ты ходила у нее в любимицах, так что к тебе она, может быть, и прислушается. И все равно я считаю, что наша мать имеет право сама решать, как ей жить, так что на твоем месте я не стала бы подмешивать ей таблетки в томатный сок. Так ты ничего не добьешься.

— Послушай, Лу, разве ты не видишь, мама уже стоит одной ногой в могиле! — возмутилась Джен. — Неужели тебе все равно, что с ней будет? Это же очевидно — она сдалась, сломалась. Да, мама жива, но у меня такое ощущение, что она умерла вместе с папой.

— Лучше бы она умерла вместе с папой, — зло бросила Луиза и надолго замолчала. — Я не знаю, что тебе сказать, Джен, — выдавила она наконец. — В конце концов, наша мать взрослая женщина, а я не психиатр. И, откровенно говоря, меня начинает мутить, когда я вижу, как она жалеет себя. Ведь она плачет не по отцу, а по своей загубленной жизни. Мне не хочется ни видеть, ни слышать ее, пока она такая, а другой она, наверное, уже не может быть. Ей нравится та роль — жалкая роль, надо сказать, — которую она сейчас играет. Неужели ты сама не видишь, что наша мать считает себя виноватой в том, что отец умер, а она — нет. И она наслаждается этим! По-моему, это просто омерзительно, но мешать ей я не собираюсь. Быть может, она по-своему счастлива.

— И все равно я не допущу, чтобы мама свела себя в могилу, — упрямо повторила Джен.

— Ты все равно не сможешь заставить ее снова повернуться лицом к жизни, потому что жизнь — это удовольствие, которое ей больше не с кем разделить. Она должна сама захотеть этого, но вряд ли это случится.

Пойми это наконец! Впервые за последние двадцать пять лет наша мать получила возможность самой выбирать тот образ жизни, который ей больше по вкусу. Разве это само по себе не счастье? Ну что делать, если рядом с ней больше нет Мэтта, который все решал за нее и указывал, что делать, а что – нет.

– Ты говоришь так, как будто он был настоящим чудовищем, – заметила Джен, которой больно резануло слух, когда Луиза назвала отца по имени.

– Он и был им. По крайней мере в отношении матери и меня, – отрезала Луиза.

И, как всегда, сестры так и не смогли ни до чего договориться. Слава богу, в этот раз они сумели не поссориться, и Джен, повесив трубку, подумала, что в словах Луизы был свой резон. И все-таки она не могла смириться с тем, что никакой надежды нет. Больше того, Джен была совершенно уверена, что сумела бы что-нибудь придумать, если бы собственные проблемы не отнимали у нее столько сил.

Примерно за две недели до Рождества Джен и Пол получили от Джека приглашение на праздничную вечеринку «У Джулии». Джен совсем не хотелось идти, тем более что их с Полом отношения оставались довольно напряженными. Он упорно отказывался идти к врачу и даже дважды порвал прилежно вычерченный ею график «перспективных» дней. Кроме того, Джен была слишком обеспокоена состоянием матери, однако Пол заявил, что, если они не придут, Джек ужасно обидится.

– Почему бы тебе не поехать туда одному? – спросила Джен утром того дня, на который была назначена вечеринка. Она была совсем не в том настроении, чтобы развлекаться, к тому же ей немного нездоровилось. –

Я обещала маме, что заеду к ней во второй половине дня, – добавила она на всякий случай. – Неизвестно, сколько мне придется там пробыть – мама чувствует себя все хуже и хуже, и я не могу просто так бросить ее и отправиться развлекаться.

Аманда действительно все ощутимее сползала в какую-то бездонную яму. Физически она была вполне здорова – только похудела еще больше, однако ее духовный мир предельно сузился. Из всех эмоций и чувств Аманда способна была испытывать одну лишь скорбь – глубокую и безысходную. Смотреть на нее Джен было мучительно больно, но как это изменить, она так и не придумала.

– Почему бы нам не взять Аманду с собой? – небрежным тоном предложил Пол, и Джен посмотрела на него с крайним раздражением.

– Ты что – никогда не слушаешь, что я тебе говорю? – спросила она. – Я уже целый год твержу, что мама никуда не выходит, что она подавлена, расстроена, что она похудела как... как... Как я не знаю кто! Целыми днями она сидит в гостиной или в кабинете и ждет смерти, а ты предлагаешь вытащить ее на вечеринку! Да еще на такую, какие бывают у твоего отца. Мама и раньше не танцевала, а теперь и подавно. Ты просто спятил, Пол!

– Но, может быть, именно это ей и надо, – огрызнулся Пол, торопливо собирая в папку бумаги – он как раз собирался на работу. – По крайней мере спросить-то у нее ты можешь? Или нет?

Джен захотелось швырнуть в него чем-нибудь тяжелым. Он не понимал – не хотел понимать, – насколько серьезным было состояние Аманды.

– Ты не знаешь мою маму, Пол!

– Просто спроси ее, Джен, а уж там пусть она сама решает.

– Скорее она разденется догола и пробежит из конца в конец по улицам Бель-Эйр, чем пойдет на эту вечеринку.

– Это, по крайней мере, доставит удовольствие соседям, – хмыкнул Пол.

Несмотря на угнетенное состояние и пугающую худобу, Аманда Кингстон все еще оставалась очень привлекательной женщиной. Пол даже хотел попытать счастья и пригласить ее сыграть заглавную роль в своем следующем фильме, но боялся, что тогда Джен вовсе смешает его с грязью. Пол заранее представлял, как она округлит глаза, наберет в грудь воздуха и пойдет, и пойдет...

– Хотя бы передай ей, что мой отец был бы очень рад, если бы она пришла. Появление твоей матери придаст его салону респектабельности, – сказал он, целуя Джен на прощание.

Но Джен не ответила на его поцелуй. Она злилась на Пола за то, что он упорно не хотел показаться врачу и проконсультироваться с ним насчет причины, почему их брак, столь благополучный во всех отношениях, оставался бесплодным. Мысль о том, что у них, возможно, никогда не будет детей, приходила к Джен все чаще и чаще, хотя она изо всех сил сопротивлялась ей. Как и Аманда, Джен бóльшую часть времени пребывала в подавленном настроении – просто ей удавалось не показывать этого. На самом же деле временами ей бывало очень плохо – так плохо, что она впадала в самое настоящее отчаяние.

Когда после обеда Джен приехала к матери, у нее чуть сердце не разорвалось от жалости. Аманда выглядела ужасно. Казалось, ей больше не́ для чего жить, и — самое главное — она действительно чувствовала себя так, словно ее жизнь кончена. Ничто ее не интересовало, ничто не трогало. Напрасно Джен упрашивала, умоляла, соблазняла и даже грозила. В ответ на ее слова, что если она не возьмет себя в руки, то они с Луизой переедут к ней и начнут насильно кормить ее и выводить на прогулки, Аманда только устало вздохнула.

— У вас, девочки, должны быть другие дела. Незачем вам тратить свое время на то, чтобы ухаживать за старухой, — сказала она. — Кстати, как там новый фильм Пола?

Каждый раз, когда речь заходила о ней, Аманда старалась перевести разговор на другое, однако сегодня Джен была не расположена беседовать ни о Поле, ни о чем-либо еще. Но, что бы она ни говорила, как бы ни убеждала мать в том, что дальше так продолжаться не может, Аманда только качала головой, и в конце концов Джен основательно разозлилась. Она так и заявила матери, чувствуя, что еще немного, и она попросту взорвется.

— Знаешь, мама, иногда мне просто хочется разбить что-нибудь о твою глупую голову, — сказала она в сердцах. — Посуди сама: у тебя есть все для счастливой и спокойной жизни: деньги, отличный дом, дочери, которые тебя любят... А ты, вместо того чтобы радоваться, только сидишь и льешь слезы, жалея себя и папу. Можешь ты хоть раз подумать не о себе, а о ком-нибудь другом? Неужели ты ни капельки не любишь нас? Неужели тебе все равно, что мы из-за тебя с ума сходим? Я, например, уже давно не могу думать ни о чем другом, кроме того, что ты находишься на грани и сама загоняешь себя в могилу.

Об этом и еще о том, что у меня, наверное, никогда не будет детей...

Тут она неожиданно разрыдалась, да так горько, что Аманда, позабыв о своих несчастьях, бросилась к дочери и заключила ее в объятия. Одно это искупало ту боль и беспокойство, которые она причинила дочерям, и Джен с благодарностью прижалась к матери. Через некоторое время они плакали уже обе.

– Прости меня, Джен, – прошептала Аманда. – Прости меня за все. Я вела себя как последняя эгоистка. Ты заставила меня понять это, и я сожалею...

Джен оторвала мокрое от слез лицо от плеча матери и посмотрела ей в глаза. Да, пусть невольно, но ей все-таки удалось найти подходящие слова, которые помогли Аманде опомниться. Казалось, она даже порозовела.

– Я так боялась, мама, – призналась Джен, громко шмыгая носом. – Ведь ты даже перестала пользоваться косметикой, перестала одеваться, как раньше. А погляди на свои волосы! Они выглядят просто ужасно!..

Впервые за много месяцев Джен была откровенна с матерью, но эта откровенность далась ей удивительно легко. И, как ни странно, Аманда вовсе не обиделась на ее слова. Напротив, она даже улыбнулась и, повернувшись к зеркалу, окинула себя критическим взглядом.

То, что она увидела, ей вовсе не понравилось. Женщину, которая отражалась в зеркале, все еще можно было назвать красивой, но выглядела она высохшей, печальной и неухоженной. И это было неудивительно, поскольку на протяжении вот уже почти целого года Аманда почти не обращала внимания на то, что с ней происходит.

Джен тоже посмотрела на мать в зеркало и неожиданно решила попробовать на ней прием Пола.

– Давай сходим сегодня вечером на вечеринку в салон отца Пола? – предложила она таким тоном, словно речь шла о чем-то совершенно обычном. – Он нас приглашает.

– Пойти туда? – опешила Аманда. – В этот магазин?

Как Джен и предвидела, это предложение потрясло и возмутило ее мать до глубины души. Казалось, на мгновение она даже забыла о смерти мужа.

– Ты, наверное, просто не понимаешь, что говоришь. Это настоящее безумие!

– Безумие – это то, чем ты занималась весь этот год, – жестко возразила Джен, которой не терпелось закрепить свой нежданный успех. – Ну же, мамочка, сделай это для меня! Тебе вовсе не обязательно танцевать там и быть гвоздем программы. Приличное платье, немного косметики – и ты вполне готова. Если хочешь, я могу помочь тебе уложить волосы. Мы поедем вместе, так что тебе не будет там ни скучно, ни одиноко. Пожалуйста, мам, Пол будет просто счастлив!

– А может, нам лучше просто сходить в ресторан? – неожиданно засомневалась Аманда. – Мы поедем в «Спаго», все втроем. Я уверена, что Полу там очень понравится...

– Это мы сделаем в другой раз, – ответила Джен самым решительным тоном. – А сегодня я хочу, чтобы ты поехала с нами. Нам вовсе не обязательно оставаться там до вечера. Думаю, на первый раз вполне достаточно будет получаса. Главное, чтобы ты отважилась на этот шаг... Сделай это для меня, пожалуйста. Для меня, для Лу... для папы, наконец. Он бы очень расстроился, если бы узнал, что ради него ты заточила себя в четырех стенах. Я уверена – он хотел бы, чтобы ты была счастлива. Ну, что скажешь?

Она смотрела на мать затаив дыхание. Аманда задумалась; было видно, что она все еще колеблется. В какое-то мгновение она нахмурилась, и у Джен упало сердце – она была совершенно уверена, что все зря и что мать никуда не поедет ни сегодня, ни вообще никогда.

Аманда неожиданно выпрямилась и серьезно посмотрела на дочь.

– Ты действительно уверена, что твой отец хотел бы этого? – спросила она строго, и Джен уверенно кивнула. Удивительно, подумала она, как много, оказывается, может значить для тебя мнение другого человека, пусть этого человека уже давно нет на свете.

– Абсолютно, мама.

Это была ложь, но Джен очень хотелось, чтобы Аманда поверила ей.

– Хорошо. – Аманда кивнула и, повернувшись на каблуках, направилась в спальню. Джен последовала за ней, не смея спросить мать, что же она в конце концов решила. Аманда уже включила свет в гардеробной. Судя по звукам, которые доносились до Джен, ее мать перебирала висящие на вешалке платья. Прошло минут пять, прежде чем она снова появилась в комнате, держа перед собой вешалку, на которой висело строгое черное платье.

– Что ты на это скажешь? – спросила она у дочери, которая смотрела на нее во все глаза, не веря, что она все-таки сумела сделать это, сумела пробиться к матери сквозь стену горя и отчаяния, которой Аманда отгородилась от всего мира. Только сейчас Джен поняла, как сильно она рисковала, огорошив мать неожиданным предложением пойти на вечеринку, но все, слава богу, кончилось хорошо. Ей, кажется, удалось вырвать Аманду из дома, где мать твердо решила провести остаток своих дней. Фигурально выражаясь, Джен сумела вытащить мать живой из могилы мужа, куда та добровольно уложила себя год назад.

– Не слишком ли официально? – спросила Джен и задумчиво прищурилась. Платье совершенно не годилось для вечеринки, но Джен боялась спугнуть свою удачу. Войдя в гардеробную вслед за матерью, она быстро огляделась. – Ну-ка, взгляни на это, – сказала Джен, взяв с вешалки темно-пурпурное платье, которое, как помнила Джен, Аманда когда-то очень любила. – Примерь, не будет ли оно на тебе висеть – ведь ты стала такая... изящная, – поспешно добавила она, боясь, что Аманда снова начнет задумываться и сомневаться.

– Я стала худая, как кочерга, так будет точнее, – ответила Аманда, качая головой. Она не собиралась надевать это платье, и Джен сразу поняла – почему. Мэттью очень любил, когда Аманда надевала красное или пурпурное.

– А как насчет... – начала Джен, но Аманда уже высмотрела на вешалке очень красивое платье цвета морской волны. Когда-то оно было ей немного тесновато, но сейчас сидело просто идеально, к тому же бирюзовый цвет всегда оживлял Аманду. В нем она снова стала похожа на кинозвезду, которой когда-то была, и Джен не сдержала восхищенного вздоха.

– Отлично, ма! – сказала она матери, примерявшей платье перед зеркалом.

К платью Аманда надела темно-синие туфли на высоком каблуке и серьги с сапфирами. Волосы она зачесала назад и собрала в тугой узел, который был своего рода фирменным знаком кинозвезды Аманды Роббинс. Косметики она положила так мало, что, на взгляд Джен, макияж был совершенно незаметен.

– Глаза не подводи, мам, – схитрила она. – Они у тебя и так потрясающие. А вот немного румян не помешало бы. Впрочем, тебе решать...

Аманда критически покосилась на свое отражение в зеркале и кивнула:

– Да, пожалуй, но только совсем чуть-чуть. Я не хочу выглядеть как проститутка, которой во что бы то ни стало нужно подцепить клиента.

Услышав эти слова, Джен довольно улыбнулась. Аманда буквально на глазах возрождалась из пепла. Она уже начинала шутить... в точности как когда-то. Несколько слов, которые Джен произнесла не подумав, без всякой задней мысли, изменили Аманду как по волшебству. От огородного пугала, в которое она превратилась за год, не осталось и следа; теперь Аманда снова стала похожа на нормальную женщину... Нет, на нормальную и очень красивую женщину, которую Джен знала и любила.

– Ну, что скажешь? – взволнованно спросила Аманда, нанося кисточкой на скулы последний штрих и поворачиваясь к дочери. – Как, по-твоему, я сойду за человека или я по-прежнему похожа на старую ведьму?

Она старалась говорить шутливо, но в ее глазах блестели слезы, и Джен захотелось как-то подбодрить мать.

– Ты похожа на саму себя, мама, – сказала она, чувствуя, что от волнения у нее запершило в горле.

На ее глазах произошло настоящее чудо, и Джен была от души благодарна тем силам, которые сделали это удивительное превращение возможным. Аманда взяла себя в руки – и это было главным. Первый шаг к выздоровлению был сделан.

– О господи, мама, как же я тебя люблю! – воскликнула Джен, порывисто обняв мать. Та смущенно улыбнулась, умело подправила помадой губы и, побросав в сумочку необходимые мелочи, защелкнула замок.

– Я готова, – заявила она, вопросительно глядя на дочь. Сама Джен была в красном платье с черным пояском, которое она очень любила и надевала обычно на Рождество. В этом платье, с золотыми сережками в ушах, Джен была обворожительной и милой.

Джен взглянула в зеркало. Мать и дочь были очень похожи, и Джен с гордостью сказала себе, что сейчас они выглядят скорее как две сестры, а не как мать и дочь. И о том же – с гордостью и нежностью – подумала и Аманда.

– Я люблю тебя, Джен. Ты очень хорошая и добрая девочка, – прошептала Аманда, поворачиваясь к двери. Ей все еще не верилось, что они куда-то идут и что Джен удалось-таки уговорить ее отказаться от своего добровольного заточения. В глубине души Аманда продолжала сомневаться, правильно ли она поступает, но она твердо решила, что не изменит своего решения. – Мы ведь ненадолго? – спросила она, доставая из шкафа норковую шубку. В последний раз Аманда надевала ее на похороны Мэтта, но сейчас она усилием воли заставила себя не думать об этом. – Договорились?

– Я отвезу тебя домой, как только ты захочешь, – торжественно пообещала Джен. – По первому твоему слову.

– Хорошо, – кивнула Аманда. – Ну что, пошли?

В эти минуты Аманда выглядела такой молодой, хрупкой, взволнованной. Выйдя на крыльцо особняка, она быстро обернулась назад, словно прощаясь с кем-то, но прощание это было очень коротким. Потом она резко подняла голову и стала спускаться по ступенькам.

Глава 3

Подготовка к рождественской вечеринке в салоне Джека началась с самого утра. Над входом развесили гирлянды флажков, в витринах – венки из пальмовых веток, а в центре зала установили серебристую красавицу ель, привезенную из Колорадо. Ровно в четыре салон закрылся, и служащие начали украшать елку шарами, золотыми звездами и шелестящим серебряным «дождем».

Джек, спустившийся в зал в начале шестого, был очень доволен.

– Я знаю, – вздохнул он, – что, с точки зрения «зеленых», живая елка – это преступление перед человечеством, но что поделать – я их обожаю. Посмотрите на нее – настоящая красавица! А пахнет-то, пахнет-то как! Чувствуете? Снегом пахнет!

На каждое Рождество его салон превращался в подобие волшебной пещеры Аладдина. Все вокруг сверкало и переливалось, под потолком перемигивались электрические огни, заманчиво поблескивали зеркала трех баров, а в кухне охлаждалось несколько десятков ящиков с французским шампанским. Чтобы создать еще более праздничную атмосферу, Джек нанял небольшой оркестр из четырех музыкантов, хотя танцы программой не предусматривались.

В этот раз он разослал приглашения двумстам двадцати трем своим постоянным клиентам и близким друзьям, однако по опыту прошлых лет можно было предположить, что на самом деле гостей будет около трехсот. Предрождественская вечеринка «У Джулии» была заметным событием в светской жизни Лос-Анджелеса, поэтому в желающих попасть на нее недостатка не было. Среди приглашенных было и несколько звезд самой первой величины, которые, как Джек твердо знал, непременно придут, хотя обычно они показывались на публике не очень охотно. Но прием «У Джулии» не могла пропустить ни одна знаменитость, и вовсе не потому, что побывать на ней было престижно. Просто многие из звезд хорошо знали и искренне любили Джека и не хотели обижать его отказом.

– Ну что, Глэдди, как тебе нравится? – спросил Джек, в последний раз оглядывая убранство зала перед тем, как пойти переодеться. Специально для этой вечеринки Джек купил костюм от Армани, и ему не терпелось взглянуть на себя в новом костюме.

– По-моему, все просто замечательно, – ответила секретарша. – Как всегда, и даже немножечко лучше.

Она тоже очень любила вечеринки Джека. Глэдди было лестно вращаться в таком изысканном обществе, и потом, на приемах «У Джулии» – независимо от повода – всегда было весело.

– Ладно, присмотри тут пока за всем, а я поднимусь к себе и переоденусь, – сказал Джек, скрываясь в лифте. Когда через двадцать минут он вернулся, его можно было снимать для обложки мужского журнала мод. Костюм Джека был темно-синим, но он вовсе не выглядел официальным, отчасти благодаря его полуспортивному покрою, отчасти благодаря умению Джека носить любую одежду так, словно она была сшита специально для него и существовала в единственном экземпляре.

– Вы выглядите шикарно, шеф, – тихо проговорила Глэдди, когда Джек вышел из лифта. – У вас что сегодня, свидание? – добавила она, не скрывая своего любопытства. Кинозвезда, с которой Джек встречался в прошлом месяце, канула в прошлое, и теперь он обхаживал известную топ-модель.

– Да, свидание, – кивнул Джек. – И не одно, а по крайней мере десять. – Он рассмеялся беззаботным смехом. – К сожалению, сегодня утром Эстер уехала в Париж, но она сказала, что пришлет вместо себя сестру.

– Какая неслыханная щедрость с ее стороны... Или глупость, – заметила Глэдди и ухмыльнулась.

– Я думаю, у Эстер в Париже есть приятель, – ответил Джек самым беспечным тоном и рассмеялся. Подобные мелочи не могли отравить ему настроения; он умел радоваться жизни и неизменно пребывал в отличном расположении духа, каковы бы ни были его дела на личном фронте. В данном случае Джек вполне резонно полагал, что на Эстер свет клином не сошелся и что, если он захочет, у него будут десятки других женщин – лучше, ярче, сексуальнее. А в том, что он этого захочет, никаких сомнений быть не могло.

– А Пол и Джулия приедут? – спросила Глэдди, поднося к губам бокал шампанского. В дверях уже появились первые гости, и она решила, что на этом ее обязанности секретарши заканчиваются. Во всяком случае – официально. Когда-то, года четыре назад, впервые приглашая ее на вечеринку, Джек предупредил Глэдди, чтобы она чувствовала себя «просто гостем, облеченным особыми полномочиями», и она действительно отдыхала. Лишь в случае, если возникала какая-то проблема, а поблизости не было никого, кто мог бы ее решить, Глэдди включала свои профессиональные навыки.

– Они сказали, что постараются, – рассеянно отозвался Джек. В зал как раз входили Майкл Джексон, Элизабет Тейлор и Барбара Стрейзанд со своим новым любовником, и Джек поспешил навстречу, чтобы лично приветствовать звезд.

Через полчаса в зале буквально яблоку негде было упасть. Гости шутили и смеялись. Оркестр на эстраде исполнял джазовые вариации Эллингтона, шипело и пенилось шампанское в бокалах, а за широкими стеклянными дверями сверкали голубоватые огни фотовспышек – это репортеры снимали знаменитостей, которые все подъезжали и подъезжали. Пресса в зал не допускалась – Джек сам установил это правило: ему хотелось, чтобы гости чувствовали себя совершенно свободно и непринужденно, не боясь попасть в объектив какого-нибудь папарацци.

Было уже начало восьмого, когда Джен и Аманда подъехали к салону Джека. Оставив автомобиль служителю, чтобы он отогнал его на стоянку, Джен взяла мать под локоть и повела к ярко освещенным дверям салона. Она очень боялась, что в последний момент Аманда может внезапно передумать, и ее опасения были небезосновательны. Толпа фотографов, окружившая их на ступеньках, чуть было не повергла Аманду в панику, однако Джен не растерялась и крепче сжала ее локоть. По лестнице они поднялись так быстро, как только позволяли приличия, однако эта минута стала для Аманды серьезным испытанием. Когда они вошли в салон, она была бледна и слегка задыхалась, но лицо ее оставалось спокойным, и Джен была от души рада, что мать продолжает держать себя в руках.

В зале царила атмосфера настоящего праздника. Откуда-то доносилась негромкая музыка, звенели бокалы, раздавались взрывы смеха и возбужденные голоса. Гостей было очень много – гораздо больше, чем Аманда рассчитывала увидеть, – но, как ни странно, многолюдье ее не смутило. Кроме того, она многих здесь знала и лично, и по фотографиям в журналах, и это тоже подействовало на нее успокаивающе.

Когда они разделись (их шубы принял почтительный седой швейцар), от толпы неожиданно отделились две женщины. Это были известные актрисы, которые когда-то снимались вместе с Амандой. Заключив ее в объятия, они засы́пали Аманду вопросами. Обе были искренне рады снова увидеть свою старую подругу, и им не терпелось узнать, что она делала все это время. Аманда рассказала им о смерти мужа и о том, что это ее первый выход в свет с тех пор, как он умер. Впервые за прошедший год она говорила о смерти мужа спокойно, и Джен, беседовавшая в сторонке с Джулией, сестрой Пола, посматривала на мать с гордостью и интересом.

Джек находился в это время на галерее, проходящей по всему периметру зала, болтая о том о сем со своим старым приятелем. Взгляд его упал на стоящих у входа Джен и Аманду, и он чуть не выронил бокал с шампанским, который держал в руке.

– Не могу поверить! – пробормотал он негромко и, извинившись, поспешил вниз, чтобы приветствовать свою невестку и ее мать.

– Не хочу показаться несдержанным, – шепнул он Джен, исподтишка косясь на Аманду, которая продолжала разговаривать со своими знакомыми актрисами, – но, честно говоря, я потрясен!

– Я, честно говоря, тоже потрясена, Джек, – вполголоса ответила Джен. – И, пожалуй, даже больше, чем ты. Я целый год старалась вытащить ее из дома. Чего я только не перепробовала, и вот на́ тебе! Это ведь первый мамин выход с тех пор, как умер папа, но это еще не все. У меня такое впечатление, что она впервые приехала на подобную вечеринку с... Уж не знаю, с какого времени, Джек, но мне кажется, что я вряд ли ошибусь, если скажу, что после того, как мама оставила кино, она ни разу не бывала на таком празднике.

– Что ж, в таком случае я польщен, – ответил он, и Джен показалось, что Джек говорит совершенно искренне. Во всяком случае, он вежливо ждал, пока Аманда закончит беседу со своими знакомыми, и только потом подошел, чтобы приветствовать ее по всей форме.

– Я очень рад, что ты приехала, – сказал Джек, целуя Аманде руку. – Теперь моя «Джулия» будет настоящим светским салоном. Твое появление придаст моему заведению изыск и шарм, которых ему так не хватало. Спасибо тебе, Аманда!

Он слегка поддразнивал ее, но только чуть-чуть. Джек действительно считал, что, пока такие заметные в обществе женщины, как Аманда, игнорируют его магазин, ему действительно чего-то недостает.

– Я в этом очень сомневаюсь, Джек, – сухо ответила Аманда, качая головой. Ей трудно было сразу победить многолетнюю антипатию, которая существовала между ней и отцом Пола. – Впрочем, – добавила она, не желая показаться невежливой, – я рада видеть тебя. Ты организовал отличный прием, Джек, я уже встретила здесь много старых друзей.

– Я уверен, что они счастливы снова увидеться с тобой. Придется тебе почаще заглядывать к нам, Аманда. Я готов устраивать такие праздники каждый раз, когда ты придешь к нам за покупками.

Судя по всему, у Джека Уотсона было очень хорошее настроение, и Аманда благосклонно кивнула, принимая бокал шампанского от подошедшего к ним официанта. От Джека не укрылось, что рука ее все еще слегка дрожит, однако в остальном держалась она безупречно, так что посторонний человек ни за что бы не догадался, что она нервничает. Ничего удивительного в этом не было: Аманда Роббинс, или Кингстон, была настоящей леди – прекрасно воспитанной, образованной, умеющей владеть собой в любых жизненных ситуациях. К тому же, в отличие от многих актеров своего поколения, с которыми она когда-то снималась, Аманда сумела сохранить свою свежесть и красоту. Джек никак не мог поверить, что ей уже пятьдесят. Даже его искушенный глаз не мог заметить в ней никаких примет возраста; Аманда выглядела лет на тридцать восемь – сорок и могла бы выглядеть еще моложе, если бы не ее чрезмерная худоба и печать усталости на лице.

– Ты очень хорошо выглядишь, Аманда, – сказал он, от души надеясь, что она не сочтет его комплимент за дежурную вежливость. Джек нисколько не кривил душой: даже в такой толпе, как эта, рядом со звездами, имена которых знал весь мир, красота Аманды не могла остаться незамеченной. Да и ее зеленовато-синее платье и сапфировые серьги смотрелись очень изысканно на фоне рождественских блесток, шелка и атласа, в которые вырядились большинство приглашенных женщин.

– Как вообще дела? – вежливо спросил он.

– Спасибо, ничего... Ничего хорошего, – честно ответила она и печально улыбнулась. – Да ты, наверное, знаешь: для меня это был очень тяжелый год. Впрочем, сейчас, кажется, все самое трудное уже позади, хотя я до сих пор удивляюсь, как я смогла пережить все это.

Она действительно верила в то, что говорила, и Джек сочувственно покачал головой.

– Со мной однажды тоже случилось... что-то подобное, – сказал он, имея в виду трагическую гибель Дорианны. Как ни странно, Аманда невольно вот уже во второй раз навела его на мысли о Дори, хотя между ними двумя не было никакого внешнего сходства. Скорее всего во всем были виноваты похожие обстоятельства или что-то еще, недоступное логическому анализу.

– Я думала, что ты разведен, – сказала Аманда, неловко переступая с ноги на ногу. Многие из гостей узнали ее и начали потихоньку перешептываться, поглядывая на нее:

– Смотрите, вон Аманда Роббинс!..

– Неужели это та самая, знаменитая Аманда Роббинс?

– Боже, сто лет ее не видел!..

– Вы не знаете, почему она больше не снимается? Она выглядит просто великолепно!

– Думаете, пластическая операция? Все равно, это просто фантастика!..

Так они переговаривались между собой; от их голосов зал наполнился приглушенным гулом, и Аманда не могла этого не заметить, хотя и делала вид, будто все это относится не к ней.

– Да, с женой мы разошлись, – негромко ответил Джек и ненадолго замолчал, раздумывая, как объяснить Аманде, в чем дело. – Просто тринадцать лет назад погибла женщина, которая была мне очень дорога. Наверное, это не совсем то, что пережила ты, но мне было очень тяжело. Она была... совершенно особенным человеком.

– Мне очень жаль, Джек, – негромко сказала Аманда, склонив голову. – Я ведь ничего не знала об этом, да, честно говоря, и никогда не пыталась узнать.

Их глаза неожиданно встретились, и Джек вдруг испугался, ощутив, как внутри его – словно копна сена, к которой поднесли огонь, – вспыхнуло какое-то новое, незнакомое чувство. Несмотря на свою кажущуюся холодность, Аманда, без сомнения, была очень интересной и незаурядной женщиной, обладающей какой-то особой, притягательной силой. И, как ни странно, сейчас она показалась ему гораздо более живой, чем год назад, когда она еще не стала вдовой.

Джеку захотелось сказать ей какие-то искренние, теплые слова, но его отвлекли. К салону как раз подъехала еще одна звездная пара, которая не числилась в списке приглашенных. Джек поспешил распорядиться, чтобы гостей пропустили, и хотел было вернуться к Аманде, но Глэдди потянула его за рукав, ибо в связи с наплывом гостей у главного повара неожиданно возникли сомнения, хватит ли на всех порционной индейки. Извинившись, Джек быстро последовал за своей секретаршей, а к Аманде подошла Джен.

– Ну, мам, как дела? С тобой все в порядке? – преувеличенно бодро спросила она, не зная, как повлиял на настроение матери разговор с Джеком. Судя по выражению лица Аманды, она была спокойна и даже, кажется, довольна, однако Джен все равно волновалась. Вечеринка была замечательной, но ее мать просто не привыкла к подобному неформальному общению.

– Со мной все отлично, дорогая, – откликнулась Аманда. – Спасибо, что вытащила меня сюда. Я тут встретила своих старых друзей, с которыми не виделась уже бог знает сколько времени. Да и Джек был очень... мил.

– Мил?! – Джен вытаращила глаза. Джек – мил? Да что такое с ее матерью? Еще год назад Аманда ни за что бы не сказала ничего подобного, а сейчас она как будто извинялась за то, что говорила и думала о нем прежде. С другой стороны, сегодня Джек действительно выглядел очень респектабельно, к тому же здесь он был в своей среде и не так выделялся, как прежде, когда оказывался среди чопорных и нудных друзей и родственников Мэтта.

А Аманда и вправду была почти очарована Джеком, хотя ни за что бы в этом не призналась даже самой себе.

– Скажи, когда приедет твой Пол? – спросила она у дочери.

Джен посмотрела на часы.

– С минуты на минуту, – ответила она. – Если только его что-нибудь не задержит.

В этот момент, как будто услышав ее слова, Глэдди позвала Джен к телефону. Звонил Пол. Он сказал, что задерживается ненадолго на переговорах и что постарается приехать сразу же, как освободится.

– Ни за что не догадаешься, кто приехал сегодня к твоему отцу! – с трудом сдерживая торжество, заявила Джен, и Пол рассмеялся. По голосу он понял, что у

Джен отличное настроение, чего с ней не случалось уже довольно давно. Постоянная напряженность в их отношениях начинала действовать ему на нервы, и Пол вздохнул с облегчением.

– Том Круз, – быстро ответил он. – Или скорее Мадонна. Отец давно к ней неравнодушен.

– Не угадал, Пол, не угадал! Сегодня у твоего отца в гостях сама Аманда Роббинс!

Пол негромко присвистнул:

– Значит, тебе все-таки удалось выкурить мать из ее норы? Как ты это сделала? Пустила слезоточивый газ или подожгла дом? Впрочем, я очень рад, Джен, ты просто молодчина. Как она там?

– По-моему, неплохо. – Джен понизила голос и обернулась через плечо, хотя Аманда была далеко. – Во-первых, она здесь почти всех знает. Во-вторых, твой отец ведет себя прилично. Наверное, мама ожидала, что здесь будет что-то вроде оргии, но пока все очень... чинно. Кстати, ты ее просто не узнаешь, мама выглядит совершенно сногсшибательно. Она причесалась, подкрасилась и – опля! – снова стала знаменитой кинозвездой. Это было похоже на волшебство, Пол. Я ей даже завидую – она гораздо красивее меня.

– И все равно я бы выбрал только тебя, моя дорогая, не забывай об этом.

– Спасибо, Пол. Я люблю тебя, – ответила Джен, искренне тронутая его словами. О том, что Пол мог сказать их просто по привычке, она старалась не думать.

– Кстати, если Аманда действительно выглядит так, как ты говоришь, постарайся сделать так, чтобы мой отец держался от нее подальше. Я знаю, это будет нелегко, но... Придумай что-нибудь, Джен, иначе мы оба будем иметь такую головную боль, что и врагу не пожелаешь. В лучшем случае Аманда просто перестанет со мной разговаривать. Да и ты, наверное, тоже.

– Не думаю, что нам это грозит, – со смехом возразила Джен. – Кстати, они уже очень мило побеседовали. Во всяком случае, после разговора с твоим отцом мама решила остаться еще ненадолго. К тому же здесь такая толкотня, что Джеку не до нее. Он ужасно занят – развлекает знаменитостей.

– Знаменитостей женского пола, вероятно, – предположил Пол. – Бедняга, если он не поостережется, они могут сожрать его живьем... как поступают самки богомола. Да, Джен, жизнь трудна и полна опасностей, по крайней мере для таких, как мой отец. Но ты не волнуйся – я постараюсь приехать как можно скорее и спасу вас обеих. Не отходи далеко от телефона – когда я буду выходить, я позвоню еще раз.

– Приезжай скорее, Пол, я тебя очень жду, – ответила Джен и повесила трубку. Она была очень довольна – за прошедшие несколько недель они с Полом впервые поговорили как муж и жена, а не как двое чужих, раздраженных друг другом людей.

Когда Джен вернулась в зал, она увидела, что ее мать разговаривает с Джеком, и решила не мешать им. Ей давно хотелось, чтобы Джек и Аманда перестали относиться друг к другу с враждебной настороженностью и стали друзьями, но она не знала, как это можно сделать. И вот теперь, похоже, все наладилось без ее участия. Слушая Джека, Аманда улыбалась, а он, напротив, был очень серьезен.

Джек действительно рассказывал Аманде о своих поездках в Европу, которые он предпринимал каждый раз, когда чувствовал, что пора обновить ассортимент товаров. Он признался ей, что предпочитает Париж всем другим европейским городам, и это позабавило Аманду. Потом они обменялись впечатлениями о «Клариджез» – лондонском отеле высшего класса, где им приходилось останавливаться в разные годы, и очень скоро, обнаружив значительное сходство взглядов, Джек и Аманда почувствовали себя почти друзьями.

Джен, видя, что мать и Джек мирно беседуют, с легким сердцем присоединилась к группе своих знакомых, которые увлекли ее на другой конец зала. Она неплохо проводила время и не заметила, как прошел целый час. Потом ее снова позвали к телефону.

Это был Пол, но на этот раз его голос звучал устало и раздраженно. Переговоры, на которые он возлагал такие большие надежды, неожиданно застопорились, и за прошедший час участникам так и не удалось сдвинуться с мертвой точки. В конце концов переговоры пришлось отложить на два дня, но на этом неприятности не закончились. Когда Пол спустился на стоянку, он обнаружил, что в его автомобиле сел аккумулятор.

Разумеется, Пол мог бы приехать в салон на такси, но вместо этого он неожиданно попросил Джен заехать за ним. За это он обещал отвезти ее поужинать, и Джен, немного подумав, решила, что в его словах есть свой резон. На вечеринке Пол мог появиться разве что к самому концу.

– А как же мама? – обеспокоенно спросила она. – Не могу же я ее бросить!

– Скажи отцу, пусть он посадит ее в такси и отправит домой. Не исключено, что у него в рукаве спрятана пара-тройка наемных лимузинов. Он всегда заказывает машины для самых дорогих его сердцу или самых нетранспортабельных гостей.

– Хорошо, я спрошу, но... Но если мама не захочет, мне придется самой отвезти ее домой. Если же она не будет иметь ничего против, я заеду за тобой через четверть часа.

– Приезжай, – сказал Пол. – У меня был поганый день, и я очень хочу видеть тебя.

Его идея с ужином где-нибудь в спокойном, тихом месте была очень по душе Джен, и она надеялась, что Аманда не будет возражать против того, чтобы Джек отправил ее домой в лимузине.

Когда она разыскала их в углу зала и объяснила, в чем дело, Аманда чуть не поперхнулась шампанским. Она уже собиралась возразить дочери, но Джек опередил ее.

– Пол совершенно прав, – сказал он Джен. – На сегодня я заказал два лимузина, которые отвезут твою маму домой, как только она захочет. А ты что скажешь? – спросил он, поворачиваясь к Аманде, которая все еще не могла прийти в себя. Поступок Джен сильно смахивал на предательство, но Аманда не хотела мешать дочери.

– Я... – Она судорожно сглотнула. – Я не против. Отсюда до Бель-Эйр совсем недалеко, правда? Я могу даже взять такси, только надо заранее позвонить...

– Нет, – негромко, но твердо проговорил Джек. – Ты поедешь в лимузине. В такой поздний час ездить в такси небезопасно.

Это замечание, да еще высказанное столь решительным тоном, заставило Аманду рассмеяться, однако она была признательна ему за внимание и согласилась отправиться домой в лимузине. Она готова была ехать немедленно, но на лице Джека отразилось такое неподдельное разочарование, что, немного поколебавшись, Аманда решила задержаться в салоне еще на часок. На самом деле ей вовсе не хотелось уезжать. Аманда очень неплохо проводила время, к тому же на такой веселой вечеринке она не была уже бог знает сколько времени. Мэттью терпеть их не мог, и они с ним бывали только на официальных деловых приемах, да и то не часто.

Поцеловав мать на прощание, Джен села в машину и поехала за Полом, а Джек направил все свое внимание на Аманду. С поистине отеческой заботой он следил за тем, чтобы у нее в бокале было шампанское, подносил ей тарелку с канапе и пирожными, знакомил со своими друзьями. С ним Аманде было так хорошо и свободно, что она даже не заметила, как пролетело почти два часа. Когда же она опомнилась, то оказалось, что почти все гости уже разъехались, а часы показывают начало двенадцатого ночи.

– Какой ужас! – воскликнула она. – Мне уже давно пора быть дома. Наверное, я надоела тебе как... как не знаю что! Почему ты не выгнал меня раньше, Джек? – Она протянула руку, чтобы попрощаться с ним, но Джек покачал головой. Он хотел сам отвезти ее домой.

– Какие глупости, Аманда, – сказал он. – Напротив, мне было очень приятно, что ты сумела выбраться. В конце концов, мы все-таки родственники, и я рад, что нам представилась возможность встретиться и поболтать.

Аманде так и не удалось уговорить его отпустить ее домой одну. Отдав Глэдди пару распоряжений, Джек взял Аманду под руку и повел ее к выходу. Вечеринка закончилась, а друзья, с которыми он собирался отправиться в ресторан, отбыли без него минут сорок назад. Джек предупредил их, что, возможно, подъедет позже, но просил не очень на него рассчитывать, так как он мог еще и передумать. Никаких других обязательств у него не было, и Джек чувствовал себя совершенно свободным.

Когда они уже ехали в лимузине по Родео-драйв, Джек неожиданно спросил, не хочет ли Аманда заглянуть в ресторан или хотя бы в пиццерию, чтобы съесть что-нибудь более существенное, чем канапе и салат. Аманда колебалась: время было позднее, и ей уже давно пора было быть дома, однако она подумала, что вполне может позволить себе задержаться еще немного. В конце концов, она не обязана была ни перед кем отчитываться. И потом, ей действительно хотелось есть!

Поэтому она согласилась, решив про себя, что воспользуется этой возможностью, чтобы поговорить о детях. Аманда знала, что в последнее время у Джен и Пола не все благополучно, и ей хотелось знать, что думает по этому поводу Джек, если, конечно, он тоже это заметил. Может быть, подумала Аманда, за этим-то он и пригласил ее в ресторан...

Получив ее согласие, Джек велел водителю отвезти их на бульвар Норт-Робертсон, где находился фешенебельный ресторан под названием «Плющ».

Ресторан был полон, но Джека здесь хорошо знали. Им с Амандой сразу дали столик в укромном уголке, предварительно убрав с него табличку «Только для администрации», и метрдотель лично взялся обслужить гостей.

Они заказали толстые макароны с мясной начинкой, сырники-панцаротти с яйцами и ветчиной, салат из помидоров и сухое вино. Аманда несколько побаивалась неловкой паузы, которая могла возникнуть, пока готовится их заказ, но Джек умело заполнил ее, заговорив о том, о чем они не успели поговорить «У Джулии», – о литературе, живописи, театре. Джек показал себя очень разносторонним человеком, и Аманда с удивлением обнаружила, что и в искусстве он отнюдь не дилетант. Его суждения были выверенными, взвешенными и при этом отличались оригинальностью, которой она никак не могла заподозрить в «торговце с Родео-драйв».

Она чуть было не забыла, о чем хотела побеседовать с ним, но тут подали заказанные блюда, и Джек сам заговорил о Поле и Джен, избавив Аманду от необходимости поднять щекотливую тему.

– Как тебе кажется, они ладят между собой? – спросил он, и на лбу его появилась легкая морщинка, которая недвусмысленно указывала на то, что вопрос задан всерьез. Вместе с тем Джек явно не испытывал никакого смущения и держался так, словно они с Амандой были знакомы тысячу лет. Во всяком случае, она уже успела убедиться в том, что с ним она может свободно говорить на любую тему.

– Не знаю, – честно ответила она. – Раньше мне казалось, что у них все хорошо, но в последний год-полтора я начала беспокоиться. К сожалению, как тебе известно, у меня самой был не самый простой год, и я... – Она не договорила, и Джек с готовностью кивнул. Он понял, что она имела в виду, и Аманда благодарно улыбнулась. – В общем, я не могла помочь Джен, – сказала она. – Я была слишком поглощена собой, а сейчас мне кажется, что я подвела родную дочь. Она во мне нуждалась, а я... я...

– Я думаю, что ты ни в чем перед ней не виновата, – сказал Джек, качая головой. – Этот год... Ты имела право потратить его на себя, и я нисколько не сомневаюсь, что Джен это понимает, она у тебя умница... Надеюсь, мой Пол ее не обижает? В последнее время она выглядит не очень-то счастливой.

– Об этом я и хотела поговорить... – Аманда вздохнула. Ей не очень хотелось делиться с ним интимными подробностями, но ведь это была единственная реальная возможность чем-то помочь дочери! – Дело в том, что... Джен очень расстраивается из-за того, что никак не может забеременеть.

– Я так и думал! – вполголоса воскликнул Джек и виновато посмотрел на Аманду. – Пол никогда ничего мне не рассказывает. Скажи, они действительно... очень старались?

– Насколько я поняла, Джен не предохраняется уже почти два года, но, как она говорит, ничего так и не произошло. Естественно, что девочка подавлена. Это действительно очень печально. Надеюсь, все еще поправимо?!

– Или, наоборот, – весело, смотря откуда посмотреть, – заметил он шутливо, и Аманда невольно рассмеялась, но оба тут же снова стали серьезными.

– Я бы не сказала, что они очень веселятся, хотя сегодня вечером у Джен действительно было неплохое настроение. Я не видела ее такой уже несколько месяцев. Ты заметил, какое у нее стало лицо, когда я сказала, что остаюсь и она может ехать с Полом?

– Может, ей просто было приятно знать, что ты вполне освоилась и прекрасно проводишь время? – деликатно поинтересовался Джек, и щеки Аманды слегка порозовели.

– Конечно, и это тоже, – кивнула она. – Но я тебе

еще не все сказала. Дело в том, что Джен просила Пола сходить к врачу провериться, но он... наотрез отказался.

– Тогда дело гораздо серьезнее, чем я думал. Это не очень приятная новость, Аманда. Может, он передумал?

– Насколько я знаю, он так и не собрался сходить в клинику. А вот Джен сходила...

– И что?

– Я не знаю всех подробностей, – призналась Аманда. – Знаю только, что она до сих пор не беременна. Во всяком случае, я так думаю... – поправилась она.

– Да, если бы что-то было, они бы нам уже объявили. – Джек рассеянно почесал в затылке. – Дело-то, оказывается, нешуточное... А я-то, дурак бесчувственный, еще дразнил его этим! Что, говорю, так и хочешь помереть бездетным... Неудивительно, что Пол старался скрывать от меня, что у него не все благополучно. Захочет ли он теперь говорить со мной откровенно?

И он снова покачал головой.

– Да нет, я думаю, что он не говорил с тобой вовсе не поэтому, – заметила Аманда, которая успела полюбить Пола, как Джек полюбил Джен. – Просто он пока не придает этому значения. Я знаю, что у него не ладится с бизнесом, поэтому в последнее время он гораздо больше беспокоится о своих контрактах, договорах, сценариях, чем...

– ...Чем о собственной жене, – мрачно закончил Джек. – Что вовсе не делает ему чести. Ну, что касается бизнеса, то волноваться ему, я думаю, нечего. Хвалить своих детей в общем-то не принято, но я знаю – у Пола есть талант, и когда-нибудь он будет большим человеком в киноиндустрии. В отличие от своего отца, который снял всего с дюжину посредственных лент. Нет, правда, паршивые были фильмы! Хуже их могут быть только ленты, в которых я сыграл сам... – Джек ухмыльнулся. – Говоря откровенно, заниматься женскими платьями и аксессуарами мне нравится намного больше.

– По-моему, насчет фильмов ты явно поскромничал, – рассмеялась Аманда. – В одном ты прав: с торговлей у тебя получается гораздо лучше. У тебя просто замечательный салон, Джек. Теперь, когда мне что-нибудь понадобится, я пойду только к тебе. Обещаю.

Ей действительно понравилось в салоне, но еще больше Аманде понравился сам Джек. Он оказался вовсе не таким уж разнузданным развратником, каким она его считала. Напротив, он произвел на нее впечатление человека умного, образованного и весьма интересного, с которым приятно и легко общаться. Заболтавшись с ним, Аманда даже не заметила, как пролетел вечер, а сейчас была уже глубокая ночь, но ей по-прежнему не хотелось расставаться с Джеком.

Когда они выходили из ресторана, он пообещал ей серьезно поговорить с Полом и заставить его показаться врачу.

– Я думаю, ему это не очень понравится, – сказал Джек, – но я попробую настоять. В конце концов, каким бы великим продюсером ни был мой Пол, он обязан уважать отца.

– Я была бы тебе очень признательна, Джек, – ответила Аманда. – Меня очень это волнует.

– Я поговорю с Полом в самое ближайшее время и непременно дам тебе знать, чем все кончилось, – пообещал Джек, открывая перед ней дверцу машины. – Только представь себе – если мы сейчас все сделаем правильно, то уже через год мы станем бабушкой и дедом.

После Рождества мне исполнится шестьдесят – это в некотором роде примечательная дата, и мне хотелось бы отметить ее рождением еще одного внука. Для человека такого склада, как я, это важно. Если у Пола никто не появится, моя репутация будет погублена...

Аманде очень понравилось, как он это сказал, хотя прежде она не удержалась бы и непременно прошлась насчет его «репутации». Сейчас же Аманда просто рассмеялась, и Джек улыбнулся в ответ, но сразу стал серьезным. Сев в машину, он снова начал рассказывать Аманде о Дорианне и о том, как много она для него значила.

– Вот почему с тех пор я стараюсь избегать глубоких привязанностей и серьезных отношений, – печально заключил он. – Смерть Дори причинила мне слишком много боли, и я не хочу – да что там, не хочу, панически боюсь повторения. Привязаться к кому-либо всем сердцем, всей душой значило бы для меня сделать расставание мучительным и болезненным, а так... Когда женщина уходит из моей жизни, я просто говорю ей «до свидания» и стараюсь поскорее забыть. Может быть, это дурно, но я считаю, что лучше выглядеть в глазах общества плейбоем, чем оплакивать ушедшую любовь до конца своих дней. Второго такого случая мне уже не пережить. Вот почему единственные люди, которые мне по-настоящему дороги, это Пол и Джулия...

– Может быть, с тех пор в твоей жизни просто не было достойной женщины, – задумчиво сказала Аманда, вспоминая Мэттью. Ей трудно было представить, что после него она сможет полюбить кого-то другого. Так она и сказала Джеку.

– У тебя несколько иная ситуация, – рассудительно сказал он. – Вы были женаты много лет. Ты официально была замужем и никогда не разбрасывалась, как делал это я. Меня же интересовало только удовольствие, и больше ничего. Знаешь, – добавил Джек неожиданно, – мне кажется, что ты еще можешь найти себе кого-то, с кем тебе будет хорошо и спокойно. Тебе нужно только немного успокоиться и оглядеться. Ты еще не привыкла к этому миру, но, мне кажется, он тебе понравится.

Джек думал, что Аманда рассердится, но она только грустно улыбнулась и слегка покачала головой.

– Я в этом сомневаюсь, – ответила она честно. – Во всяком случае, мне очень трудно представить себе, как это я буду снова встречаться с мужчинами... с мужчиной. Ты прав, мы с Мэттом прожили в браке двадцать шесть лет, и я думаю, что начинать все сначала мне уже поздно. Да и невозможно, наверное... Романтические увлечения, вздохи, свидания под луной – все это в прошлом.

– Мне не хотелось бы тебя поучать, – возразил Джек, – но поверь мне: жизнь такая штука, что никогда не знаешь, что с тобой будет завтра и с кем ты можешь встретиться за ближайшим поворотом. Знать наперед, что тебя ждет, разумеется, нельзя. Это может быть и новый драгоценный дар, и очередной пинок в зад... Одно совершенно точно: что бы это ни было, это обязательно будет не то, чего ты ждешь.

Аманда улыбнулась и кивнула. Она была вполне согласна с ним. Не то чтобы она на что-то надеялась – просто в словах Джека были логика и здравый смысл.

– Скажи, – неожиданно спросила она, – какой была мать Пола?

Аманда видела ее всего один раз в жизни – на свадьбе Пола и Джен, но это было так давно, что она уже почти не помнила ее лица, к тому же знакомство было слишком кратким, чтобы она успела разобраться в характере этой женщины. Единственное, что ей запомнилось, были роскошные золотисто-каштановые волосы.

– Барбара? – Джек удивленно приподнял брови. – О, она была настоящей стервой. Откровенно говоря, то, что я так сильно охладел к самому институту брака, – целиком ее заслуга. Впрочем, если бы ты поговорила с ней, она, без сомнения, сказала бы то же самое обо мне. Правда, насколько мне известно, Барбара все-таки вышла замуж во второй раз. К счастью, я уже почти не помню нашей с ней семейной жизни – она ушла от меня девятнадцать лет тому назад. На будущий год я собираюсь отметить двадцатилетие своей свободной жизни.

Аманда весело рассмеялась:

– Джек Уотсон, вы просто несносны! Я уверена, что, как только вам подвернется подходящая женщина, вы тотчас же на ней женитесь. Все дело в том, что вам просто не хватает времени, чтобы ее найти. Вы слишком заняты своими подающими надежды актрисками и знаменитыми манекенщицами.

– Да что вы такое говорите, миссис Аманда? – Джек принял оскорбленный вид, но Аманду ему провести не удалось.

– Я читаю газеты, Джек, – сказала она негромко, и Джек талантливо сыграл смущение.

– Может быть, ты и права, – сказал он игриво. – Но если я встречу мисс или миссис Совершенство, я поднимусь на крышу самого высокого здания и прыгну вниз. Одного урока мне достаточно...

– Обжегшись на молоке, дуешь на воду? – прищурилась она.

– Да нет, я говорю серьезно, – сказал Джек. – Я просто не смогу, я знаю.

– Жизнь такая штука, что никогда не знаешь, с кем ты можешь встретиться за ближайшим поворотом, – ехидно процитировала Аманда его же слова и слегка потрепала его по руке. – Ладно, Джек, не обижайся. Я очень хорошо тебя понимаю, потому что сама чувствую то же самое, хотя и по другой причине. Впрочем, сейчас меня не это заботит, – добавила она с негромким вздохом, когда лимузин затормозил перед дверями ее дома. – Спасибо, Джек, я прекрасно провела время, – проговорила Аманда, прощаясь с ним на крыльце. – Все было просто чудесно! Кроме того, я рада, что мы сумели поговорить о детях...

В ответ Джек улыбнулся и кивнул.

– Я обязательно побеседую с Полом и позвоню тебе, чтобы ты тоже знала, к чему мы пришли, – пообещал он.

Аманда еще раз поблагодарила его и, войдя в прихожую, заперла за собой дверь. Включая свет, она услышала, как отъехал лимузин, и снова подумала о том, как же она заблуждалась насчет Джека. Он, конечно, был изрядным волокитой и не скрывал этого, но теперь Аманда знала, что его душевные качества вовсе не исчерпываются страстью к женскому полу. В его голосе, глазах, манере вести себя было что-то от юноши, который старается скрыть свои истинные чувства за показной бравадой, и Аманда несколько раз ловила себя на мысли, что он ей глубоко симпатичен. Ей даже захотелось обнять его, но...

Тут она почувствовала, как в голове у нее зазвонил тревожный звоночек. Мужчины, подобные Джеку, опасны, напомнила она себе, опасны даже для пятидесятилетних вдов.

И тем не менее Аманда была совершенно уверена, что с его стороны ей ничего не грозит. Джек произвел на нее впечатление достаточно разумного человека, к тому же у него хватало женщин и без нее. Единственное, что объединяло их, была забота о счастье детей, но Аманде казалось, что это не самая подходящая почва для того, чтобы на ней взросло романтическое увлечение.

Но она ошибалась. Возвращаясь на Родео-драйв, чтобы проверить, все ли в порядке в салоне, Джек думал только о ней. Стоило ему прикрыть глаза, и Аманда словно наяву вставала перед его мысленным взором. И Джека влекло к ней с невероятной силой.

Глава 4

После вечеринки прошло несколько дней, но Джен не заезжала и не звонила. И когда наконец раздался звонок, Аманда сразу подумала, что это, наверное, дочь, но это был Джек. Он приглашал ее к себе в салон, чтобы вместе пообедать и поговорить. У него были какие-то новости насчет Пола, и Аманда без колебаний приняла его приглашение. Она ни минуты не сомневалась, что единственной причиной, по которой Джек приглашает ее к себе, была забота о детях. По дороге она волновалась только о том, что новости, которые Джек собирался сообщить ей, могут быть плохими.

Джек встретил Аманду у дверей салона и сразу же провел наверх, в конференц-зал. Там, на накрытом белоснежной скатертью столе, был сервирован обед.

Они ели салат из омаров, устрицы, икру и пили шампанское. Это был очень изысканный ленч, и Аманда призналась себе, что уже давно так вкусно не ела.

– Ты так обедаешь каждый день? – шутливо спросила она, но Джек вполне серьезно ответил, что только в особенных случаях – когда ему хочется произвести на кого-то благоприятное впечатление. – Тогда считай, что ты своего добился, – сказала Аманда, осторожно промокая губы салфеткой. – Я уже не помню, когда в последний раз ела омаров. Обычно я питаюсь йогуртом, который Джен покупает мне упаковками.

– Что ж, похоже, йогуртовая диета себя оправдывает. У тебя просто замечательная фигура, Аманда.

От этих его слов она невольно вспыхнула и поспешила перевести разговор на детей. Джек рассказал ей, что на днях обедал с Полом и попытался деликатно, насколько это было возможно, поговорить с ним на эту щекотливую тему. Он начал с того, что поинтересовался у сына, «не намечаются ли в перспективе внуки», и если нет – то почему. («Ничего себе – деликатно!» – подумала про себя Аманда.) Как показалось Джеку, Пол говорил с ним достаточно откровенно, но то, что он рассказал отцу, почти ничего не добавило к тому, что Аманда уже знала. Свое нежелание сходить к врачу и провериться Пол никак не объяснял, но Джеку путем осторожных расспросов удалось выяснить, что он считает этот шаг унижающим его достоинство. По мнению Пола, обращение к врачу ставило под вопрос саму его мужественность, однако после долгого разговора с Джеком он все же согласился «что-нибудь предпринять», хотя и продолжал держаться мнения, что ему это «совершенно не нужно». Самым же главным результатом беседы отца с сыном было то, что Пол обещал сразу после рождественских каникул сходить с Джен к ее врачу.

– Итак, – заметил Джек, лукаво улыбаясь, – мы свое дело сделали. Думаю, что первый этап операции «Внук» можно считать успешно завершенным. Ну а что будет дальше – посмотрим.

Услышав эти обнадеживающие новости, Аманда заметно приободрилась. Но еще больше ее обрадовал тот факт, что Джек не только не забыл об их разговоре, но и исполнил свое обещание так быстро. Откинувшись на спинку стула, она широко улыбнулась и сказала:

– Ты молодец, Джек, просто молодец! Я не верю своим ушам! Бедняжка Джен почти целый год уламывала Пола пойти с ней, но он никак не соглашался, а ты решил этот вопрос за один раз. Не иначе, у тебя есть какой-то секрет!

– Просто Пол меня боится, – откликнулся Джек. – Я пригрозил, что, если он не пойдет к врачу, я лишу его наследства.

И он тоже улыбнулся, притворяясь, будто не видит в этом ничего особенного. На самом деле благодарность Аманды была ему приятна.

– Нет, Джек, серьезно, ты просто не представляешь, как я тебе признательна. Джен так хочется ребенка! Она, бедняжка, совсем извелась.

– Как ты думаешь, – неожиданно спросил Джек, – что будет, если по какой-либо причине она так и не сможет забеременеть?

Его лицо сделалось серьезным, и Аманда тоже нахмурилась. Со слов дочери она знала, что Пол категорически против усыновления, и это тревожило ее. Для

Джен, во всяком случае, дело могло кончиться серьезной моральной травмой.

– Я думаю, – ответила она, – что об этом пока рано беспокоиться. Пусть врач сначала посмотрит их обоих. Если у них действительно есть какие-то серьезные проблемы, то в крайнем случае они всегда могут обратиться за разрешением об усыновлении. Но я сомневаюсь, что до этого дойдет. Во-первых, насколько мне известно, в наши дни бесплодие успешно лечится. Я мало что понимаю во всех этих новейших методах, которые используют в клиниках, но мне кажется, что врачи сумеют помочь Джен. Ну а во-вторых, они оба просто должны быть здоровыми, коль скоро никаких наследственных причин для бесплодия ни у Джен, ни у Пола, насколько мне известно, нет... – Тут она с улыбкой кивнула Джеку. – Им нужно просто быть терпеливее и побольше стараться.

– Да, мир здорово переменился с тех пор, как я был подростком, – проговорил Джек, улыбаясь. – В мое время девчонки залетали буквально от ветра. Стоило только поцеловаться с ней на заднем сиденье отцовского автомобиля, и – хлоп! – готово... Она беременна, а ты по уши в дерьме. Сейчас же у меня складывается такое впечатление, что каждая вторая женщина лечится от бесплодия, а дети из пробирок появляются на свет гораздо чаще, чем те, которых зачали и выносили естественным путем. Пожалуй, скоро дойдет до того, что детей начнут выращивать в пробирке, и тогда женщины смогут вообще обойтись без мужчин. Согласись, в таких условиях поневоле начнешь дорожить каждым свиданием.

Слушая его, Аманда не сдержала смеха, хотя и понимала, что в том, что он говорит, смешного мало. Она в свое время очень хотела сына, но так и не смогла забеременеть в третий раз, хотя, будучи замужем за Мэттом, почти не предохранялась. Теперь ей оставалось только надеяться, что Джен и Полу повезет и они окажутся способны произвести на свет сына или дочь.

– В общем, если я услышу что-нибудь новенькое, я тебе сообщу, – пообещал Джек. – И ты тоже держи меня в курсе, ладно?

Аманда кивнула, и Джек предложил ей посмотреть магазин. Прогуливаясь по торговому залу, Аманда неожиданно захотела примерить кое-что из вещей, и Джек оставил ее, предварительно пригласив двух своих лучших продавщиц, чтобы они помогли ей.

Ровно через два часа Аманда снова поднялась к нему в кабинет, чтобы поблагодарить за внимание.

– Ну как, тебе понравилось? – спросил Джек, вставая ей навстречу. Впрочем, по лицу ее было видно, что Аманда вполне довольна собой и всем миром.

– Очень, Джек, – призналась она. – Я набралась мужества и сделала целую кучу замечательных приобретений. Кстати, твои пляжные гарнитуры просто великолепны! Я купила себе целых три комплекта разных цветов. Теперь остается только дождаться лета. Откровенно говоря, ничего подобного я давно не видела.

Кроме купальников, Аманда купила себе семь ночных рубашек из тончайшего полотна, новое платье из шелкового трикотажа и вечернюю сумочку из черной крокодиловой кожи.

– В общем, я скупала все, что только попадалось мне на глаза, – закончила она несколько смущенно. – И, как ни стыдно мне в этом признаться, получила огромное удовольствие. Я даже не знала, что это может быть так интересно!

Ее лицо было таким живым и таким красивым, что Джек невольно залюбовался ею. «Как здорово, – подумал он про себя, – что мне удалось вытащить ее на обед!»

– Как ты относишься к тайской кухне? – спросил он неожиданно.

– Неужели ты торгуешь и продуктами? Как это я пропустила твою гастрономическую секцию! Судя по тому, что я видела в галантерейном отделе, в твоем гастрономе должны быть нектар и амброзия!

Она слегка поддразнивала его, но Джек и не думал обижаться. Аманда выглядела такой счастливой, такой беззаботной и юной, что у него сладко защемило сердце.

– И нектар, и амброзия, и немного тайской кухни, – рассмеялся Джек. – Я обязательно устрою тебе небольшую экскурсию в этот рай чревоугодников и гурманов. К сожалению, этот отдел находится в другом здании, так что, если ты не имеешь ничего против, я отвезу тебя туда прямо сейчас.

– Какой же ты плутишка, Джек Уотсон! – Аманда озорно погрозила ему пальцем. – Я знаю – ты хочешь похитить меня, чтобы потребовать выкуп.

– Неплохая идея! Как это она не пришла мне в голову первому?! – притворно огорчился Джек. – Впрочем, поправить дело еще не поздно. Итак, есть у меня шанс умыкнуть красавицу или нет?

– Сейчас? – переспросила Аманда, поглядев на золотые наручные часики. Времени было уже половина шестого, но в канун Рождества все магазины работали допоздна, и салон Джека не был исключением. – Ты уже накормил меня обедом, Джек, так что требовать с тебя еще и ужин было бы просто непорядочно. Давай лучше сделаем вот как: ты приедешь сегодня ко мне, а я что-нибудь приготовлю. Конечно, это будет не тайская кухня, но – уверяю тебя – у меня в холодильнике есть не только йогурт. Ты заставил Пола пойти с Джен к врачу, и за это я должна накормить тебя как следует.

– Спасибо, я приеду в семь, – немедленно согласился Джек. – Не рано? Я мог бы помочь тебе в меру сил...

– В самый раз, – ответила Аманда. На самом деле она рассчитывала, что к семи успеет справиться со всем сама.

И Аманда ушла. Джек немного подумал, потом придвинул к себе телефон и, сославшись на простуду, отменил свидание, которое сам назначил на сегодняшний вечер недели две тому назад.

Но женщина, которой он звонил, только посмеялась над ним. Ей, в общем-то, было все равно, приедет Джек или нет, просто она знала его гораздо лучше, чем он мог предположить.

– Как ее зовут, твою простуду? – спросила она, не в силах справиться с соблазном немного поддеть его.

– Почему ты решила, что тут замешана какая-то женщина?

– Потому что ты не гомосексуалист и потому что у тебя, наверное, не было простуды с тех пор, как ты ходил в школу. Да и голос у тебя довольно бодрый... Ладно, Джек, кто бы она ни была, желаю удачи.

С этими словами она повесила трубку, и Джек почувствовал, что благодарен ей, хотя и знал, что замена ему будет найдена в течение ближайших двух часов.

К особняку Аманды он приехал ровно в семь, прихватив с собой на всякий случай бутылку дорогого красного вина. Аманда сама открыла ему. На ней были мягкие серые слаксы и светло-голубой джемпер с высоким воротом, поверх которого она надела нитку крупного жемчуга. Если бы не фартук, она была бы похожа на юную принцессу на каникулах.

– Как ты чудесно выглядишь, – заметил он, входя в прихожую. – Очень уютно, совсем по-домашнему.

Аманда рассмеялась:

– Неудивительно, ведь я двадцать шесть лет была домашней хозяйкой.

– Я почему-то никогда не думал о тебе в этом качестве, – признался Джек, идя вслед за ней на кухню. Бутылку вина он вручил Аманде, и она приняла ее с радостью. Вино действительно было из самых лучших.

– Думаю, что нет. Для тебя я была мегерой... – Аманда улыбнулась, повернувшись к нему, и Джек слегка покраснел.

– Нет, просто... просто для меня ты всегда была кинозвездой. Я никак не могу забыть, кем ты была прежде. Ты и сейчас выглядишь почти так же... Мысленно я всегда называю тебя Амандой Роббинс, и почти никогда – Амандой Кингстон.

– Мэтт терпеть не мог мою прежнюю фамилию и все, что было с ней связано, – просто ответила она. – Об этом многие знали...

– Именно поэтому ты так и не вернулась в кино?

– Вероятно, да. Думаю, что Мэтт не позволил бы мне этого ни при каких условиях. Перед тем как пожениться, мы с ним много говорили об этом. Я пробыла звездой не очень долго, и я была молода... Должно быть, поэтому была готова оставить карьеру в кино ради чего-то большего, лучшего... ради человека, которого любила, и ради семьи.

– И... ты была счастлива? Или, наоборот, разочаровалась? – спросил он, пристально глядя на нее.

– Мне нравилось быть с Мэттом и возиться с детьми, – уклончиво ответила Аманда. – Ну, во всяком случае, жаловаться было бы грешно.

Она на мгновение задумалась, и лицо ее стало строгим и печальным.

– Мне до сих пор трудно поверить, что все кончилось, Джек. Все произошло так быстро и так внезапно. Только утром он взял свою теннисную ракетку, полотенце, сумку и пошел на корт, а уже через два часа мне позвонили и сказали... Уже скоро год, как он умер, но я никак не могу с этим смириться.

– Быть может, это прозвучит банально, но к смерти трудно привыкнуть. К тому же он, видимо, совсем не страдал. Эта мысль должна тебя утешить в какой-то степени.

– Да, он совсем не мучился, зато страдали мы. Я оказалась совершенно не готова к... Это было как гром с ясного неба. Он казался мне совсем молодым. Мы даже никогда не говорили о том, что будет, если один из нас умрет раньше. У нас не было времени ни подумать об этом, ни поговорить. Мы... – Голос ее дрогнул, и она поспешно отвернулась, стараясь спрятать от него выступившие на глазах слезы.

В следующее мгновение она почувствовала на своих плечах теплые руки Джека.

– Не надо, пожалуйста... – прошептал он. – Я знаю, я все знаю. У меня с Дори было так же. Она разбилась на машине, когда ехала ко мне. Лобовое столкновение...

Должно быть, она даже не поняла, что ее ударило. Зато я знал... Я чувствовал себя так, словно этот проклятый грузовик проехался по мне всеми своими колесами, и еще долго, очень долго я хотел, чтобы так и было на самом деле. Я жалел, что не погиб вместо нее, вместе с ней. Это чувство вины... О, мне часто казалось, что я не выдержу – так тяжел был этот груз.

– Да, я тоже чувствую себя виноватой, – проговорила Аманда, поворачиваясь к нему.

У Джека были добрые темно-карие глаза и теплый, сочувственный взгляд, от которого ей сразу стало легче. Волосы у него были светло-каштановыми, и в них кое-где виднелась седина. Он был чертовски хорош собой, но его красота почему-то больше не казалась ей опасной.

– В последний год, – сказала она, – я часто думала о том, как несправедливо обошлась со мной судьба. Я тоже хотела умереть вместо Мэтта, но теперь я рада, что этого не случилось. Я как будто очнулась и вспомнила, что у меня есть дети, которые меня любят и которых я люблю, да и жизнь, которая казалась мне такой жестокой, оказывается, полна маленькими радостями, которые могут сделать тебя почти счастливой. Надо только уметь радоваться им, и тогда все изменится как по волшебству. Для меня все и изменилось...

Джек серьезно кивнул в ответ и, сняв с вешалки один из ее фартуков, повязал его поверх своих черных джинсов и серого свитера.

– О'кей, мадам, хватит на сегодня о высоких материях. Что у нас на ужин? Я умею пользоваться электромясорубкой, грилем и кофеваркой, так что располагайте мной, как вам будет угодно. Или вы предпочли бы, чтобы я тихонечко напивался в уголке и не путался под ногами?

С ним было так хорошо и легко, что Аманда не выдержала и рассмеялась.

– Я предпочла бы, чтобы ты сел и отдохнул, – сказала она. – Все уже почти готово.

С этими словами она налила ему бокал вина и включила духовку. Через полчаса у них уже был готов отличный ужин, состоящий из салата, бифштексов и печеного картофеля. Чтобы не ходить лишний раз на кухню, они решили устроиться тут же, за кухонным столом, и незаметно для себя проговорили почти два часа подряд. Потом Аманда пригласила Джека в гостиную, чтобы показать семейные фотографии, и Джек вынужден был признать, что Аманда с Мэттом были очень красивой и представительной парой. Правда, перед объективом мистер Кингстон держался неестественно прямо, словно штык проглотил, зато Аманда была просто очаровательна. Впрочем, чего же еще было ожидать от кинозвезды?

– И ты, и твои девочки – просто красавицы, – заметил он, и Аманда кивнула.

– Твои дети тоже удались на славу, – ответила она комплиментом на комплимент, и Джек рассмеялся.

– Здесь, в Лос-Анджелесе, просто не бывает некрасивых людей. У меня сложилось впечатление, что мэрия ведет специальную селекционную работу и выселяет всех, кто не соответствует стандарту, в другие города или в другие штаты. А может, их под покровом темноты нелегально вывозят за границу. Сначала их собирают в одном месте, потом быстренько грузят на суда или самолеты и – пуф! – Джек помахал рукой в воздухе. – Нет больше некрасивых! Вот почему лосанджелесцы – это особая порода людей.

Ему нравилось шутить с ней, время от времени слегка поддразнивая, и, глядя на него, Аманда поняла, почему он пользуется таким успехом у женщин.

– Скажи, ты не устал от всего этого? – спросила она напрямик, когда они пересели на диван. Аманда чувствовала, что теперь, когда они определенно стали друзьями, она может спрашивать его о чем угодно. – Я имею в виду – от женщин, – пояснила она. – Мне кажется, что это очень нелегко с эмоциональной точки зрения. Ведь каждый раз, когда ты встречаешься с новым человеком, тебе приходится к нему приспосабливаться, притираться. Я, например, не могу представить себя на твоем месте, а ведь я совсем не нелюдима и не склонна к уединению. Начинать все сначала, задавать одни и те же вопросы, вести банальные разговоры – все это...

– Стоп, стоп, стоп!.. – Джек поднял руки и выставил перед собой ладони, словно защищаясь. – Этак ты развеешь по ветру всю мою жизненную философию! Возможно, мой способ существования выглядит со стороны достаточно неприглядно, но он гарантирует меня от слишком глубоких чувств и слишком серьезных привязанностей. Я не хочу, чтобы история с Дори повторилась и чтобы мне снова было больно. Кто может бросить в меня за это камень?

– Ну, я бы на твоем месте предпочла, может быть, читать книги или смотреть телевизор. – Аманда смущенно рассмеялась. Ей было очень неловко оттого, что она снова затронула его больное место, и она стремилась вернуть разговор в более легкое русло.

– Смотреть телевизор?! – Джек расхохотался. –

Знаешь, наверное, в этом и заключается главное различие между мужчинами и женщинами. До сих пор, если бы меня заставили выбирать между чтением, телевизором и женщинами, я, несомненно, предпочел бы последних. Но ты заставила меня серьезно задуматься, так что, возможно, уже завтра я куплю себе новый телевизор.

– Ты безнадежен, Джек! – воскликнула Аманда, впрочем, без особенной досады. Ей очень импонировала его манера даже о самых серьезных вещах говорить со своеобразным мягким юмором, благодаря которому любая проблема, любое препятствие переставали выглядеть устрашающими и непреодолимыми.

– Так оно и есть – я совершенно безнадежен и неисправим, только вот не знаю, недостаток это или достоинство. Когда-то это качество помогало мне очаровывать женщин, но сейчас, как мне кажется, оно начинает мне мешать. Впрочем, все это пустяки, так что, если не возражаешь, давай не будем на этом особенно задерживаться, ладно?

Аманда не возражала, и они заговорили о другом – о своих родителях, о детских мечтах и юношеских желаниях, о начале взрослой профессиональной жизни и карьеры. В конце концов разговор снова вернулся к детям, и Аманда посетовала, что отношения между Джен и Луизой оставляют желать много лучшего. Джек искренне ей посочувствовал и даже попытался дать какой-то совет. Совет был дельным, но Джек опоздал с ним лет на двадцать, и он сам это понял. В подобных делах у него не было опыта, ведь Пол и Джулия всегда неплохо ладили.

Потом они пили кофе и снова разговаривали, и вечер пролетел совершенно незаметно. Когда Джек ушел, на часах было начало первого ночи, но уже в девять утра он позвонил ей, чтобы поблагодарить за чудесный ужин. Аманда еще спала и не сразу поняла, кто это.

– Алло, Аманда, я тебя разбудил? – удивленно спросил Джек, почувствовав, что она не очень внятно отвечает на его вопросы. Сам он был «жаворонком» и всю жизнь вставал очень рано. Аманда обычно тоже не испытывала никаких трудностей, если ей нужно было встать спозаранок, – просто вчера она долго не ложилась: когда Джек ушел, она пыталась читать, а потом, уже погасив свет, долго думала о нем.

– Н-нет, совсем нет!.. – ответила она и, не удержавшись, сладко зевнула. – Я почти уже встала.

Она посмотрела на часы и ужаснулась – на десять у нее был назначен визит к дантисту. Если бы Джек не разбудил ее, она наверняка бы проспала.

– По-моему, ты врешь, – заметил он, и по его голосу Аманда поняла, что Джек улыбается. – Ты сладко спала, а я тебя разбудил. Вот они, преимущества, которые дает человеку богатство! Я-то уже давно на рабочем месте...

Сегодня Джек приехал в салон в половине восьмого, так как ему надо было позвонить в Европу, разница во времени с которой составляла девять часов. Но все это время он думал об Аманде и в конце концов, поддавшись внезапному импульсу, набрал ее номер. Теперь же Джек неожиданно почувствовал себя неуверенно.

– Как насчет того, чтобы поужинать вместе сегодня вечером? – спросил он без всяких предисловий.

Аманда ответила не сразу. В первое мгновение ей даже показалось, что она не расслышала его слов или не так их поняла.

– Сегодня вечером? – переспросила она наконец. На сегодняшний вечер у нее не было запланировано никаких важных дел. Правда, завтра утром ей предстояло идти на рождественский прием в мэрию, но завтра – это не сегодня.

– А ты... не боишься, что я тебе скоро надоем? – спросила она.

– Не думаю, чтобы это было возможно, – быстро ответил он. – К тому же нам надо наверстывать упущенное, не так ли?

– Что ты имеешь в виду?.. – Аманда откинулась на подушку и сладко потянулась, с удовольствием вспоминая его спортивную, подтянутую фигуру и правильные, мужественные черты.

– Я имею в виду твою жизнь и мою. За все время, что наши дети женаты, мы встречались от силы пять-шесть раз и никогда не общались накоротке. Это серьезное упущение, которое нужно исправить как можно скорее. Вчера мы сделали хороший задел, но ведь это только начало. А иначе я буду считать, что упустил в жизни что-то важное, честное слово!

– Ах вот как ты это делаешь! – улыбнулась Аманда. – Капелька лести, ложечка раскаяния и море личного обаяния. «Жизнь прошла впустую»... Мне бы такое и в голову не пришло... – Она немного подумала. – Ладно, Джек, если ты так ставишь вопрос, то мне придется протянуть тебе руку помощи. Куда бы ты хотел пойти? В «Плющ»? Мне там очень понравилось.

– Как насчет того, чтобы поужинать в «Л'Оранжери́»? – предложил Джек. – На мой взгляд, там еще лучше, так что, если ты ничего не имеешь против, я заеду за тобой в половине восьмого.

– Конечно, я не имею ничего против. Приезжай, я буду готова.

Она сказала это спокойно и приветливо, но, опуская трубку на рычаги, Аманда почувствовала, как ее охватывает паника. Сев на кровати, она спустила ноги на пол и огляделась. Это ее дом, ее спальня, а вот – ее кровать, которую она на протяжении двадцати шести лет делила с любимым мужем. С чего это ей вздумалось кокетничать с Джеком Уотсоном? Уж не сошла ли она с ума?.. Или, может быть, она просто дура?

Аманда потянулась к телефону, чтобы перезвонить ему и отменить встречу. Ей ответила Глэдди, она сказала, что Джек только что уехал на переговоры. Разумеется, Аманда могла попросить секретаршу передать Джеку ее извинения и отказ, однако это показалось ей невежливым. Поэтому она лишь сказала, что перезвонит позднее.

В начале первого Джек сам перезвонил ей. Голос у него был встревоженный.

– Глэдди сказала мне, что ты звонила... – начал он. – Что-нибудь случилось? Ты не заболела?

От этих вопросов Аманда почувствовала себя еще более неуютно. Можно было подумать, что ему действительно не все равно.

– Да нет, я в порядке, – ответила она, слегка запинаясь. – Я просто подумала... О, Джек, я просто не знаю! Наверное, я просто глупая, но... В общем, мне не хотелось бы, чтобы обо мне говорили. В конце концов, я замужняя женщина... То есть продолжаю чувствовать себя таковой, и мне очень не по себе. Я не понимаю, что за игру мы затеяли и чем все это кончится. Я никак не могу заставить себя снять с пальца обручальное кольцо, а сама ужинаю с тобой чуть ли не каждый вечер. И вообще, Джек... – Она замолчала, чувствуя себя опустошенной, выжатой, растерянной. От того, что она выговорилась, ей нисколько не полегчало. Подсознательно Аманда ждала и надеялась, что он успокоит ее и даст какой-нибудь совет.

– Я тоже не знаю, чем все это кончится и куда это нас приведет, – спокойно ответил Джек, хотя никакого спокойствия он на самом деле не чувствовал. – Если хочешь, я куплю себе обручальное кольцо и начну его носить. Тогда по крайней мере мы будем в одинаковом положении. Люди будут думать, что каждый из нас изменяет своей половине, и осуждать нас обоих. Но это так, глупая шутка... Я знаю только одно, Аманда: мне хочется видеть тебя, разговаривать с тобой, просто сидеть рядом. Такого со мной не было уже очень давно, может быть – никогда. Больше того: после того как я лучше узнал тебя, жизнь, которую я вел на протяжении последних двадцати лет, стала казаться мне пустой, идиотской шуткой вроде тех, которые печатаются на последней странице «Плейбоя». Теперь мне стыдно, что я был таким, каким был, и я хочу скорее исправиться. И не просто исправиться – я должен стать таким человеком, чтобы ты гордилась мною и не стеснялась показаться на людях в моем обществе. Что касается меня, то я ужасно горжусь тем, что меня видят рядом с тобой. Ты, наверное, не поверишь, но это... поднимает меня в моих собственных глазах.

– Но я еще не готова к тому, чтобы заводить роман с кем бы то ни было, – возразила Аманда. – И не хочу даже пробовать, во всяком случае – пока. Прошел всего год с тех пор, как я потеряла Мэтта. Он слишком много для меня значил, чтобы я могла так легкомысленно отнестись к его памяти. В общем... мне не хотелось бы тебя обидеть, Джек, но нам не следует встречаться так часто.

Мне тоже нравится говорить с тобой, и я рада, что после стольких лет наши отношения наконец наладились, но... Что скажешь, Джек? Может быть, нам не стоит встречаться хотя бы сегодня?

В ее голосе звучало такое глубокое беспокойство и смятение, что Джеку захотелось просто обнять ее и прижать к себе. Это был бы самый лучший способ успокоить ее, но, увы, по телефону Джек этого сделать не мог.

– А когда? – спросил он. – Завтра?

– Может быть... – неуверенно произнесла Аманда.

– Тогда какая разница? Что изменится? Или, извини за резкость, до завтра память о Мэтте потускнеет? – спросил он и, когда Аманда ничего не ответила, продолжил мягко, но убедительно: – Не волнуйся, Аманда, все будет в порядке, просто ты еще не привыкла... Ведь мы не делаем ничего такого, чего бы ты могла стыдиться. Мы просто отдыхаем, разговариваем о наших детях – в этом нет ничего предосудительного. Возможно, наши отношения никогда не пойдут дальше этого...

Ему пришлось сделать над собой усилие, чтобы выговорить эти последние слова, но Джек прекрасно понимал, что только так он может успокоить Аманду. Кроме того, он прекрасно понимал, что в данном случае все будет зависеть не столько от него, сколько от Аманды, от ее решения, и он ужасно боялся напугать ее неосторожным словом или слишком поспешным шагом. Еще страшнее была мысль о том, что он может потерять ее, потерять навсегда еще до того, как завоюет ее расположение. Дружба Аманды значила для него так много, что Джек готов был на очень большие жертвы, лишь бы не быть отвергнутым. Он отчаянно искал, что бы еще сказать, и неожиданно его осенило.

– Может быть, – предложил он, – нам лучше пойти не в «Л'Ора́нжери́», а в какое-нибудь другое, не столь людное местечко?

В самом деле, «Л'Оранжери́» был самым известным рестораном в городе, и там они наверняка встретили бы кого-то из его или ее знакомых.

– Как насчет какого-нибудь маленького бистро или кафе?

Аманда как будто даже обрадовалась.

– Это предложение нравится мне гораздо больше, – сказала она, не скрывая своего облегчения. – И... извини меня, ладно? Я знаю, что вела себя не очень умно́, но, надеюсь, ты простишь меня. Для меня все это очень неожиданно. Еще совсем недавно я и подумать не могла о том, что мы с тобой когда-нибудь станем друзьями, да еще так быстро. В общем, ты понимаешь... – Она нервно рассмеялась, и Джек поспешил успокоить ее.

– Решено: едем в пиццерию, – сказал он твердо. – Я знаю одно приличное, но довольно малолюдное местечко. Если хочешь, можешь появиться там даже в джинсах.

– Договорились. До вечера, Джек.

Когда в четверть восьмого он заехал за ней, то оказалось, что Аманда поймала его на слове. Она действительно надела узкие светлые джинсы, которые превосходно сидели на ее безупречной фигуре. Белая шелковая блузка и розовая кофта из пушистой ангорской шерсти делали Аманду похожей на девушку. Она выглядела совершенно сногсшибательно, и Джеку очень хотелось сказать ей об этом, но он по-прежнему боялся смутить или напугать ее.

Джек повез ее в Синьегу и остановил машину перед

крошечным ресторанчиком, где Аманда никогда не бывала и о существовании которого даже не подозревала. Джек, напротив, был здесь уже несколько раз и очень хвалил здешнюю кухню.

Войдя в зал, Аманда огляделась по сторонам и вдруг схватила его за руку.

– Пойдем отсюда! Скорее!.. – прошептала она в ужасе и потащила Джека обратно к выходу.

– Что случилось? – забеспокоился Джек.

Аманда вела себя так, словно вдруг увидела в зале собственного мужа, да еще с другой женщиной, хотя это, разумеется, было совершенно невозможно. В ресторане вообще никого не было, кроме молодой пары, сидевшей в самом дальнем углу, но Аманда уже выскочила за дверь, и ему пришлось последовать за ней.

– Что случилось? Кого ты там увидела? – спросил он удивленно.

– О, Джек! – Аманда прижала руку к сердцу, которое, казалось, готово было выскочить из груди. – Неужели ты не узнал их? Это же моя дочь Луиза и ее муж Джерри.

– О боже!.. – Джек сразу успокоился. – Ну и что здесь такого? Разве мы не можем поужинать вдвоем? Помоему, не будет ничего страшного, если мы сейчас вернемся в зал, поздороваемся с Луизой и сядем за отдельный столик. В конце концов, мы оба вполне одеты...

Он пытался обратить все в шутку, но у Аманды сделалось такое лицо, словно она каждую секунду готова была обратиться в бегство, а Джеку совсем этого не хотелось. Поэтому он взял ее под руку и усадил в свою машину, где они оба были в безопасности.

– Так ты думаешь, нам стоит поискать другое место? – спросил он, усаживаясь на водительское сиденье.

– Пожалуй, да. – Аманда виновато потупилась. – Если Луиза увидит нас вместе, она... этого не поймет.

– Но ведь она взрослая замужняя женщина. Кроме того, неужели твои дочери хотят, чтобы их мать оставалась одна? В конце концов, я не какой-нибудь жиголо с бульвара – я свекор Джен и как мужчина совершенно безопасен для тебя.

При этом у него на лице появилось кроткое, ангельски-невинное выражение, и Аманда рассмеялась.

– Это ты-то безопасен? Ну уж нет!.. И вам, мистер, это отлично известно. Что касается моих детей, Джек, то они считают тебя плейбоем, волокитой, донжуаном – кем угодно, только не невинной овечкой.

– ...Развратником, бабником, чичисбеем, – продолжил Джек. – Мило, ничего не скажешь. А я-то надеялся, что по крайней мере Джен... Впрочем, теперь это уже неважно. Я действительно был таким, так что обижаться не на что. Честно говоря, я даже опустил пару эпитетов из соображений приличия, но главное не в этом. Главное, что я вовсе не безнадежен, я могу исправиться! Разве это не считается?

– Нет. Во всяком случае – не сегодня. – Аманда нервно повела плечами. – Знаешь, Джек, я, пожалуй, лучше поеду домой.

– У меня есть предложение получше, – поспешно сказал Джек. – Едем к «Джо Ракете»?

Аманда фыркнула. Так назывался безалкогольный бар, куда любили ходить подростки и студенты, потому что там подавали дешевые молочные коктейли и гамбургеры. Она и сама частенько захаживала туда лет тридцать назад.

– Хорошо, – согласилась она. – Там по крайней мере нам нечего опасаться знакомых.

В «Ракете» они сели у стойки и заказали по порции жареного картофеля и по молочному коктейлю. К тому моменту, когда Джек заказал кофе, Аманда настолько успокоилась, что смогла даже посмеяться над своей трусостью.

– Слушай, я не очень глупо выглядела, когда выскочила оттуда как ошпаренная? – спросила она, вспоминая инцидент в ресторане.

Она действительно выглядела как подросток, который, совершив faux pas[1], бежит прочь из боязни, что его поймают, но Джек находил это очаровательным, а отнюдь не глупым.

– Ты выглядела как замужняя женщина, которая пришла на свидание к любовнику и вдруг наткнулась на мужа, – сказал он.

– Примерно так я себя и чувствовала, – созналась Аманда и вздохнула. Потом она подняла глаза и посмотрела прямо на него. – Нет, Джек, я, наверное, так и не смогу победить себя. Честно... И мне кажется, будет лучше, если ты вернешься к своим... поклонницам. По крайней мере, с ними ты будешь чувствовать себя свободно.

– Нет уж, позволь мне самому решать, что для меня лучше, – ответил он уверенно и вдруг, совершенно неожиданно для Аманды, спросил, как она планирует провести Рождество.

– Ну, я не знаю... – растерялась Аманда. – В сочельник ко мне, наверное, приедут дочери с мужьями, при-

---

[1] Faux pas (*фр.*) – оплошность, ложный шаг. (*Здесь и далее – прим. пер.*)

везут внуков. Во всяком случае, так всегда было. А в само Рождество мы все поедем в гости к Луизе. А что ты будешь делать? Как ты обычно встречаешь Рождество?

– Обычно я встречаю Рождество в постели. Один... – поспешно добавил он, заметив, как поползли вверх брови Аманды. – Да-да, я просто сплю и, наверное, даже храплю. Для нас, торговцев и мелких лавочников, Рождество всегда оборачивается сущим кошмаром. В канун Рождества магазины работают до полуночи, чтобы все лентяи, лежебоки и прочие мужья-растяпы успели купить подарки, несмотря ни на что. Нет, правда, можно подумать, что мужская половина населения дружно теряет календари где-то в середине декабря и спохватывается только двадцать четвертого, часов этак после шести. Самый большой наплыв покупателей бывает у нас в сочельник около девяти вечера. – Джек закатил глаза в притворном ужасе. – Ох уж мне это Рождество! Накануне я обычно выхожу в вечернюю смену, а потом двое суток отсыпаюсь. Впрочем, я не о том. Я, собственно, хотел узнать, не согласишься ли ты слетать со мной в Колорадо или Вермонт, чтобы покататься на лыжах? Разумеется, мы будем жить в отдельных номерах, и все такое...

Аманда покачала головой:

– Не думаю, что это будет возможно. В Колорадо и Вермонте отдыхают зимой много моих знакомых. Что, если кто-то увидит меня... нас? Ведь еще не прошло и года с тех пор, как...

– Когда исполнится год? – поинтересовался Джек. Он действительно не помнил.

– Четвертого января, – негромко ответила Аманда. – Кроме того, я не умею кататься на лыжах.

– Я просто подумал, что немного свежего воздуха и

перемена обстановки тебе не повредят, – пояснил Джек. – Не хочешь кататься на лыжах, можно съездить на озеро Тахо или прошвырнуться во Фриско.

– Может, когда-нибудь... – ответила она с сомнением, и Джек кивнул. Он чувствовал, что чуть было не перегнул палку. Аманда действительно была еще не готова.

– Ладно, не думай об этом, – сказал он великодушно. С его стороны это была большая жертва. – Потом – так потом. Может, тогда ты просто заглянешь ко мне в салон? Я всю неделю буду на работе, так что приходи в любое время – я угощу тебя настоящей русской икрой; мы получили большую партию специально к Рождеству.

В ответ Аманда улыбнулась и кивнула. Несмотря на его скандальную репутацию, Джек ей нравился, хотя она старалась об этом не думать. Со своей стороны он, похоже, отлично понимал ее чувства и старался сделать все, чтобы Аманда чувствовала себя как можно естественнее в его обществе. «В мире с собой и с людьми», – сказал он как-то, и Аманде казалось, что она понемногу начинает успокаиваться. Боль, которую причинила ей ее потеря, никуда не делась, она была тут, рядом, но Аманда научилась жить с нею, и все это благодаря ему.

Да, в его лице она открыла для себя поистине неисчерпаемый источник человеческого тепла, заботы, участия, и это открытие застало ее врасплох. Она даже растерялась и не знала, как ей держать себя с Джеком. Порой простую благодарность Аманда принимала за какие-то иные, более сложные чувства и в страхе отшатывалась, но уже в следующее мгновение ей становилось ясно, что она ошиблась, и тогда, в приливе раскаяния забывая о благоразумии и элементарной осторожности, Аманда снова возвращалась к нему.

Но, пожалуй, больше всего ее поражало его жизнелюбие, неутомимая энергия и умение шутить в любых обстоятельствах. Джек был на два года старше ее Мэтта, а казалось, что на двадцать лет моложе. Когда Джек был с ней, он буквально лучился счастьем, и Аманда вынуждена была признаться себе, что и ей приятно видеть его, разговаривать с ним.

Когда Джек вез ее из «Ракеты» домой, Аманда нашла в себе мужество и поделилась с ним этими своими мыслями. В ответ Джек признался, что когда-то он тоже считал ее суровой, чопорной, даже слегка угрюмой женщиной и был немало удивлен, когда оказалось, что за внешней надменной холодностью скрывается добрая и нежная душа, способная к самым глубоким переживаниям и потому – чувствительная и ранимая. Должно быть, заключил он серьезно, именно этим можно объяснить, что в нем постоянно возникает подсознательное желание помогать и защищать ее.

– Скажи, смог бы ты быть моим другом, просто другом? – напрямик спросила Аманда. – По крайней мере сейчас. Я не знаю, что будет с нами дальше, и не хочу загадывать, – добавила она. – Я только чувствую, что пока не готова к тому, чтобы устанавливать с кем бы то ни было близкие отношения. Возможно, этого вообще не произойдет. Никогда.

– Я и не требую от тебя немедленного решения, серьезно ответил Джек, и Аманда сразу успокоилась. Ощущение неловкости и вины оставили ее, и она почувствовала себя настолько спокойно, что отважилась пригласить его в дом. Они пили мятный чай на кухне, а потом Джек затопил в кабинете камин, и они долго сидели у огня и вели неспешный разговор о многих вещах, которые казались им важными.

Он уехал от нее в два часа ночи, и Аманда, проводив Джека, снова спросила себя, как она могла не заметить, что прошло так много времени. Когда они были вдвоем, часы словно превращались в минуты и секунды.

На следующий день с утра Джек был занят в магазине, а Аманда хлопотала по дому, готовясь к Рождеству. Приходящая прислуга убрала все комнаты и установила заранее купленную елку, но украсить ее у Аманды не дошли руки. Только вечером она достала с антресолей коробки с украшениями и электрическими гирляндами, но тут позвонил Джек.

– Хотел бы я знать, чем ты занимаешься? – спросил он, и, хотя голос его звучал достаточно непринужденно, Аманда сразу поняла, что он бодрится. Джек провел на рабочем месте не меньше двенадцати часов, наверное, и смертельно устал.

– Украшаю елку, – ответила она печально.

Аманда только что поставила на стереопроигрыватель свою любимую пластинку. Это были «Времена года» Чайковского в исполнении Лондонского симфонического оркестра, но знакомая музыка, которая всегда настраивала ее на лирический лад, сейчас напоминала ей только о том, что это ее первое Рождество без Мэтта и что она уже год вдова.

– Если хочешь, я мог бы заглянуть к тебе ненадолго, – предложил Джек. – Я уеду из магазина примерно через полчаса и по дороге могу заглянуть к тебе. Мне хотелось бы повидаться с тобой.

– Я думаю, это не самая лучшая идея, – честно сказала Аманда. Сегодня она определенно была не готова видеть Джека, все ее мысли были заняты воспоминаниями о муже. Поэтому Аманда позволила себе только немного поболтать с Джеком по телефону и вскоре с облегчением повесила трубку.

Что касалось Джека, то ему этот разговор не принес никакого облегчения. Напротив, он почувствовал себя бесконечно одиноким, заброшенным и никому не нужным. Джек всерьез сомневался, сможет ли Аманда когда-нибудь забыть своего Мэтта. Даже не забыть, а хотя бы просто перестать жить с оглядкой на то, что он мог бы сказать или подумать. Увы, стены, которыми она отгородилась от всех и вся, по-прежнему оставались целы и невредимы, и Аманда пока не собиралась пускать посторонних в сокровенный сад своего сердца.

Правда, за недолгое время их близкого общения она несколько раз забывалась, и тогда Джеку открывалась чистая, любящая душа Аманды, но стоило ему только протянуть к ней руки, и створки ее раковины снова плотно смыкались. Она по-прежнему боялась его, и в моменты отчаяния Джек начинал думать, что ничего не изменится и что они навсегда останутся даже не близкими друзьями, а просто знакомыми.

По пути домой Джек притормозил возле особняка Аманды. В окне гостиной, где стояла елка, перемигивались разноцветные огоньки электрогирлянд, но самой Аманды не было видно. Даже ее силуэт ни разу не промелькнул за стеклом, и он, вздохнув, поехал дальше.

А Аманда в это время сидела, запершись в спальне, и горько плакала. Ей казалось, что она влюбляется в Джека, и это пугало Аманду. Она не хотела этой любви! Она не хотела предать Мэтта, который подарил ей двадцать шесть лет безоблачного, тихого счастья. Уж, наверное, ему бы не понравилось, что меньше чем через год его жена бросилась на шею мужчине, каким бы обаятельным он ни был. Конечно, Мэтт всегда желал ей добра и, наверное, не стал бы возражать, если бы по прошествии некоторого времени Аманда нашла себе спутника жизни, с которым ей было бы спокойно и комфортно, но ведь... Тут Аманда в ужасе прижала к губам мокрую, соленую ладонь. Но ведь она могла запросто оказаться семьсот сорок седьмым номером в списке побед любвеобильного Джека. Тогда она предала бы не только Мэтта, но и себя, не получив взамен ничего.

Нет, решила Аманда, она не должна этого допустить. Хотя бы ради себя.

Добравшись до дома, Джек снова позвонил Аманде, но она не стала брать трубку. Какое-то шестое чувство подсказало ей, что это он, а ей не хотелось говорить с ним сейчас. Аманда приняла твердое решение покончить с этой опасной ситуацией, пока она не вылилась во что-нибудь серьезное.

Ложась спать, Аманда оставила проигрыватель включенным. Торжественные и чуточку печальные звуки разносились по комнате, а Аманда горько рыдала, уткнувшись лицом в подушку. В этой музыке была почти божественная гармония, но в душе ее царили хаос и мрак. В эти минуты Аманда оплакивала двух мужчин – одного, которого она любила столько лет, и другого, которого ей не суждено было даже узнать. Прощаться и с тем и с другим было одинаково больно, и Аманда в этот момент вряд ли могла бы сказать, к кому из них она привязана больше. Но принять решение было необходимо – иного выхода у нее не было.

Глава 5

На протяжении следующих нескольких дней Джек позвонил Аманде всего один или два раза. Он почувствовал, что́ с ней происходит, и старался без особой нужды не напоминать ей о своем существовании, хотя сдерживаться ему было очень и очень трудно. Джек знал, что праздники станут для нее серьезным испытанием, но, взвесив на весах здравого смысла свое стремление быть с ней и ее желание самостоятельно разобраться в своих чувствах, он скрепя сердце решил дать Аманде полную свободу.

Тем не менее утром в канун Рождества он отправил ей подарок – гравюру восемнадцатого века с изображением ангела, которая так понравилась Аманде, когда она осматривала салон. Гравюра была совсем небольшой, но очень милой, и Джек решил, что это будет самый подходящий подарок. Вместе с гравюрой он послал ей и коротенькую записку, в которой выражал надежду, что этот ангел будет хранить ее не только в грядущем году, но и всегда.

Он подписался просто «Джек», и Аманда была тронута чуть ли не до слез. Она позвонила ему и поблагодарила за подарок, и Джеку показалось, что голос ее звучит спокойнее. Было совершенно очевидно, что Аманда нашла какой-то компромисс. Джек был искренне рад этому звонку, но сумел ничем не выдать себя, чтобы не напугать Аманду излишней фамильярностью. Она ничем не обнадежила его, и Джеку пришлось удовлетвориться лишь ее теплыми словами благодарности.

Между тем Рождество оставалось Рождеством, и все время и силы Джека были поглощены магазином. Как водится, в последнюю неделю рождественской распродажи возникло сразу несколько проблем, которые ему предстояло распутывать. Во-первых, служба безопасности задержала в салоне мелкого воришку, и теперь Джеку нужно было выступать свидетелем в суде. Кроме того, вчера, незадолго до закрытия, у одного из покупателей случился острый сердечный приступ, едва не закончившийся трагедией. Все это – плюс небольшая армия потерявшихся детей, каждого из которых надо было утешить, накормить и передать полиции, — Джек вынес на своих плечах. Ничего нового в этом не было – нечто подобное происходило каждое Рождество, однако от этого Джеку было не легче. Несмотря на самоотверженную помощь Глэдди, он совершенно выбился из сил и едва не сорвался, когда в салон позвонила известная кинозвезда и капризным голосом спросила, почему ей до сих пор не доставили роскошное атласное платье с золотыми блестками, которое она заказывала две недели назад.

Разумеется, звезда была совершенно ни при чем. Просто в предпраздничной суматохе присланное из Парижа платье куда-то задевалось, и найти его удалось лишь благодаря объединенным усилиям всех служащих. Джек не стал никого наказывать, по своему обыкновению приняв всю вину на себя, но не успел он вздохнуть свободно, как в секции косметики случился новый скандал. Две очень известные и солидные клиентки поссорились из-за мужчины. Дело чуть не дошло до приемов «дамского карате» – вырывания волос и расцарапывания лиц, и Джеку пришлось употребить все свои дипломатические способности, чтобы успокоить женщин и не допустить рукопашной.

Иными словами, праздники прошли интересно и были насыщены самыми разнообразными событиями, но

Джек не роптал. Ему нравилось решать проблемы, улаживать конфликты, заботиться о том, чтобы все было в порядке. Именно это он и называл «работать». Ему не хватало только одного...

– Надеюсь, тебе не будет скучно и ты отлично проведешь сегодняшний вечер, – сказал он осторожно в ответ Аманде. – Впрочем... Тебе, наверное, непросто встречать Рождество без Мэтта.

– Да. Он всегда разделывал индейку, – отозвалась Аманда. У нее был такой голос, что Джек невольно подумал о маленькой девочке, которая старается казаться взрослой и говорит о взрослых проблемах так, как это делают дети – серьезно, но ничего в них не понимая. Вместе с тем он был далек от мысли, что Аманда притворяется. «Кто будет разделывать индейку?» – кому-то этот вопрос мог показаться пустячным, но Джек хорошо знал, что порой именно на таких мелочах держится семья, да и весь мир. Все зависело от точки зрения.

– Пусть ее разделает Пол, если они с Джен еще не уехали куда-нибудь развлекаться, – сказал Джек. – Он должен неплохо справиться – в свое время я научил его всему, что умею сам. Что касается индеек, разумеется, а не женщин...

– Хорошо, обязательно. – Аманда улыбнулась шутке и, в свою очередь, спросила, нет ли каких-нибудь новостей насчет главной проблемы Пола и Джен.

– Насколько мне известно, – Джек понизил голос, хотя в этом не было никакой надобности, – насколько мне известно, они записались на прием на двадцать девятое число. Надеюсь, все будет в порядке...

– Я тоже надеюсь, – сказала Аманда, и Джеку неожиданно захотелось, чтобы она пригласила его на праздничный ужин, но он понимал, что это невозможно. Ведь там будут и Джен с Полом, и Луиза с ее Джерри. Они непременно удивятся его появлению и будут изводить себя вопросами, что привело его в дом и почему Аманда его пригласила. Ему-то самому было на это наплевать, но он щадил чувства Аманды.

Аманда тоже подумала о приглашении, но она знала, что Джек не придет. Во-первых, он не мог оставить магазин, а во-вторых, понимала она, Джек не станет компрометировать ее перед детьми. Поэтому Аманда даже не стала заговаривать об этом. Что толку? В конце концов, она же приняла вполне определенное решение. Лучше всего было, конечно, прекратить с ним всяческие отношения, пока это не кончилось бедой. Но, понимая это, Аманда чувствовала, что уже не может поступить так, как подсказывали ей осторожность и здравый смысл.

Джек, внимательно прислушивавшийся к интонациям ее голоса и жадно ловивший малейшие изменения, сразу же догадался, какое решение приняла Аманда. Да, она была спокойна, но от ее голоса веяло холодком, и Джек понял, что она пытается сознательным усилием воли отдалиться от него. Что ж, не беда, подумал он, мысленно перебирая в памяти имена женщин, которым он мог бы позвонить, чтобы вместе встретить праздники. Но вот странно – впервые в жизни Джек не хотел ни видеть кого-то, ни тем более общаться. Правда, он давно уже запланировал себе поездку на озеро Тахо, но сейчас ему стало ясно, что скорее всего он отправится туда один.

– Счастливого Рождества, Аманда, – сказал он на прощание и, после того как она повесила трубку, еще долго сидел в кабинете и думал о ней. Такой женщины, как Аманда, у него еще никогда не было и никогда не будет – Джек знал это совершенно твердо.

Накануне Рождества Джек оставался в салоне до самого закрытия. Он часто выходил в торговый зал, чтобы помочь своему менеджеру и продавщицам, но мысли его были далеко. На самом деле он постоянно думал об Аманде и ее детях, представлял, как они садятся за стол и едят праздничную индейку, как зажигают елку и обмениваются подарками, и впервые ему стало ясно, какой пустой и бессмысленной была его собственная жизнь. Подсознательно Джек всегда понимал это и стремился заполнить окружающую его пустоту удовольствиями различного свойства. Последние десять лет он только и делал, что коллекционировал самые пышные бюсты и самые сексуальные задницы, упакованные в тесные джинсы, но что это ему дало? Ровным счетом ничего.

– У вас такой вид, шеф, словно вы не рады празднику, – заметила Глэдди, когда, перед тем как уйти домой, заглянула к нему в кабинет. – Что-нибудь случилось? Может, я могу помочь?

Она заботилась о нем совершенно искренне, а вовсе не потому, что на Рождество Джек подарил ей роскошную кофту и выписал чек на весьма значительную сумму в качестве премии. Глэдди было известно, что на данный момент у Джека нет любовницы, которая могла бы его утешить и приласкать, и ее преданное секретарское сердце болело за шефа. В чем здесь может быть дело, Глэдди пока не догадывалась, а Джек ничего ей не говорил, хотя и знал, что может положиться на умение своей секретарши держать язык за зубами. Правда, Глэдди заметила, что в последнее время шеф часто звонит своей свояченице – Аманде Кингстон, но решила, что, должно быть, у Пола и Джен что-то не ладится в семейной жизни.

– Да нет, я в порядке, – солгал Джек, вставая ей навстречу. – Все просто отлично, Глэд.

«Если не считать того, – добавил он мысленно, – что я впустую растратил свою жизнь. Тринадцать лет назад я потерял свою единственную любовь, а сейчас лучшая из женщин, которых я с тех пор встречал, твердо решила похоронить себя в одной могиле вместе с мужем. Но это, разумеется, пустяки. Все остальное просто прекрасно. Поистине, Рождество – самое веселое изобретение человечества!»

– Наверное, я просто устал, – добавил он и вздохнул. – Рождество – это настоящий кошмар розничного торговца. Иногда мне кажется, что ад, в который попадает каждый владелец магазина, уставлен рождественскими елками и украшен шарами и мишурой.

Глэдди рассмеялась.

– Каждый год я говорю себе, что мы не переживем рождественской распродажи, но все как-то обходится, – заметила она. – А уже через два дня мне начинает казаться, что дело того стоило.

В самом деле, в финансовом отношении этот год стал для фирмы Джека одним из самых удачных, причем львиную долю годовой прибыли дала именно рождественская распродажа.

– Что ты делаешь сегодня вечером? – с наигранной веселостью спросил Джек, подавая Глэдди пальто.

– Сплю с мужем. Причем в буквальном смысле слова – сплю. В последние полтора месяца я отключаюсь, стоит мне только добраться до кровати, и это будет продолжаться, наверное, еще неделю, пока я не отосплюсь. Бедный Гарри, как он только меня выдерживает!

– Как он только выдерживает без тебя, – уточнил Джек и улыбнулся такой обезоруживающей улыбкой, что Глэдди просто не могла на него сердиться.

– Именно это я и имела в виду, – кивнула она.

– Неплохо бы тебе взять пару выходных, – добавил Джек. – Честное слово, ты этого заслужила.

– Может быть, я так и поступлю, – задумчиво ответила Глэдди. – Отдохну, пока вы будете в Тахо. Если ничего не имеете против...

Но Джек знал, что она все равно не возьмет ни одного отгула – тем более пока он будет в Тахо. Казалось, Глэдди вообще никогда не отдыхает. Из всех, кого он знал, она была единственным человеком, который работал больше его самого.

Наконец Глэдди ушла, а Джек остался до самого закрытия, как он делал каждый год. Был ровно час ночи, когда в торговом зале погасли последние огни и охранник запер за Джеком входные двери.

– Счастливого Рождества, мистер Уотсон, – сказал он, звеня ключами.

– Спасибо, Грег. И тебе того же. – Джек махнул охраннику рукой и, пройдя на стоянку, не торопясь сел за руль «Феррари». Глаза у него слипались, а челюсти сводила зевота, но, когда Джек добрался домой, выяснилось, что он настолько устал, что не может спать. Тогда он налил себе немного виски в стакан и некоторое время тупо смотрел на экран телевизора, раздумывая, кому он может позвонить и стоит ли вообще это делать. Потом часы на каминной полке пробили три, и Джек понял, что звонить все равно уже поздно, и вовсе не потому, что среди его знакомых женщин не было никого, кто мог бы примчаться к нему по первому звонку.

Дело было совсем в другом. Джек не мог бы сказать – почему, однако ему казалось, что беззаботные и пустые дни, когда он мог позволить себе спать с кем попало, безвозвратно ушли в прошлое и уже никогда не вернутся. В мире не было больше таких ног, такой груди и такой попки, которые могли бы его возбудить. Незаметно для себя он стал совершенно другим человеком. Джека больше не интересовали самые соблазнительные женские прелести, и в первые минуты это даже напугало его.

– Господи, кажется, я умер и стал ангелом! – произнес он вслух и, смеясь, отправился в ванную. Глядя на себя в большое зеркало, Джек неожиданно подумал, что Аманда, возможно, здесь вовсе ни при чем. Возможно, все дело в том, что ему уже шестьдесят, а это, что ни говори, довольно почтенный возраст.

«Хуже дурака может быть только старый дурак», – с неожиданной горечью подумал Джек, рассматривая в зеркале свое усталое, но все еще моложавое лицо. Эта пословица имела к нему самое непосредственное отношение.

На следующий день Джек проснулся в двенадцать часов и сразу же подумал о том, чтобы позвонить Аманде, но когда он набрал номер, то оказалось, что дома никого нет. Только потом Джек вспомнил, что в первый день Рождества Аманда собиралась в гости к Луизе. Значит, подумал он, сейчас она у дочери, ест другую индейку.

Продолжая раздумывать об этом, Джек быстро оделся, сел в машину и поехал в северный Лос-Анджелес. Там – в пику всем – он заглянул в китайский ресторан и плотно позавтракал, потом вернулся домой и долго сиделпередвключеннымтелевизором на своей незастеленной кровати. Посмотрев пару спортивных передач, Джек перенес на кровать телефон и позвонил двум-трем знакомым женщинам, чтобы пригласить кого-нибудь из них вечером на ужин, но никого не застал и неожиданно для себя самого испытал чувство облегчения.

Джек знал, что вечером Аманда скорее всего будет дома, но звонить ей не стал. Что он мог ей сказать? Похоронила ли она наконец своего мужа? Перестала ли она тосковать о нем? Не надоело ли ей еще преданно чтить его светлую память?

Да, сейчас каждое сказанное им слово могло привести к полному и окончательному разрыву. Джек хорошо это понимал, но желание снова услышать ее голос было слишком сильным. Ему пришлось собрать всю свою волю, чтобы удержаться от соблазна; Джек даже накрыл телефон подушкой, но легче от этого не стало. Полночи он безостановочно ворочался с боку на бок, думая о ней и о том, что можно сделать, чтобы Аманда перестала его бояться, но так ничего и не придумал.

На следующий день, проснувшись с первыми лучами зари, Джек почувствовал, что больше не может выносить неизвестности. К тому же во второй половине дня он должен был ехать в Тахо, а это означало, что он не увидит ее еще несколько дней. Поэтому, когда Аманда взяла трубку, Джек не нашел ничего лучшего, кроме как спросить напрямик, нельзя ли ему зайти к ней на чашечку кофе.

Его просьба удивила и встревожила Аманду, но она не сумела – или не захотела – отказать ему. В конце концов, думала она, пытаясь задним числом оправдать свой опрометчивый поступок, не исключено, что у Джека есть какие-то новости относительно Пола и Джен и он хочет поделиться ими с нею. В глубине души она, однако, знала, что их дети здесь ни при чем, и это снова повергло Аманду в смятение. «Зачем он приедет? – в ужасе думала она. – Зачем я ему позволила?!»

Когда примерно в час дня Джек позвонил у ее дверей, Аманда сразу поняла, что Джек явился сюда вовсе не для того, чтобы говорить о детях.

– Ты выглядишь усталым, – сказал она, пропуская его в прихожую.

– Так и есть, – согласился он. – В довершение всех неприятностей, которые некоторые почему-то окрестили рождественскими праздниками, я начал страдать бессонницей – вот уже третью ночь я почти не сплю. Оказывается, – добавил он, растерянно улыбаясь, – шестьдесят лет – это не так просто. Наверное, это первые признаки надвигающейся старости?..

– Это не твой случай, – успокоила Джека Аманда, провожая его на кухню и усаживая за стол. Кофейник только что вскипел, и она налила ему чашку кофе и поставила тарелку с бисквитами.

Джек поднес чашку к губам, но, не отпив ни глотка, поставил обратно на блюдце.

– Я веду себя не очень-то вежливо, не так ли? – спросил он прямо. – Негативный раздражитель – так, кажется, это называется в психологии? Что ж, я думаю, от такого, как я, не следует ожидать, что он станет в любых обстоятельствах вести себя, словно образцовый джентльмен. Извини, если я доставил тебе несколько неприятных минут. Просто я немного перенервничал...

На его лице появилось выражение искреннего раскаяния, которое неожиданно сделало его на много лет моложе. Аманда видела, что Джека действительно снедает какая-то тревога, но она даже не представляла себе, что могло с ним случиться.

А Джек на самом деле чувствовал себя так, словно снова стал пятнадцатилетним юнцом, пришедшим к однокласснице, чтобы раз и навсегда выяснить, почему она не хочет «гулять» с ним.

– Прости меня, Аманда, – снова сказал он. – Я знаю, что тебе сейчас нелегко, и мне не хотелось бы отягощать тебя еще больше своими проблемами, но...

– Ничего страшного, Джек, – ответила она мягко. Одновременно Аманда взглянула ему прямо в глаза, и Джек понял, что ей действительно очень тяжело. Пожалуй, даже еще тяжелее, чем он мог предположить.

Аманда и вправду была на грани отчаяния, ее раздирали противоречивые чувства, и она не знала, какому из них ей последовать.

– Наверное, мне не следовало этого говорить, – добавила Аманда, – но мне... тебя не хватало, Джек.

Джек почувствовал, как при этих ее словах его сердце совершило бешеный скачок.

– Правда? – спросил он. – Ты правда скучала? Когда?..

– Ну, в последние дни. Мне хотелось увидеть тебя и просто поговорить. Я... я не знаю, что со мной происходит, но это так.

– Я тоже не знаю, что со мной творится, – с горячностью произнес Джек. – В последние несколько дней я чувствовал себя полным дураком, занудой, навязчивым, невоспитанным типом. Ты хотела, чтобы я оставил тебя в покое, и я знал это, но все равно не смог ничего с собой поделать.

– Да, я этого хотела, – негромко согласилась Аманда, но в ее голосе было что-то такое, отчего в груди Джека снова вспыхнула искорка надежды.

– А теперь? – спросил он.

– Я не знаю. – Она посмотрела на него своими удивительными аквамариновыми глазами, и Джек Уотсон почувствовал, как его сердце сжимается от сладостной муки. Больше всего ему хотелось поцеловать ее, но он не смел даже пошевелиться.

– Не спеши, – произнес он неожиданно севшим голосом. – Не решай ничего сгоряча, дай себе время. Я подожду, сколько потребуется, я никуда не денусь и всегда буду поблизости. Тебе нужно будет только сказать слово, и я...

Тут он вспомнил про свою поездку на озеро Тахо и усмехнулся:

– Я готов примчаться к тебе даже из Тахо.

– Ты едешь отдыхать? Когда? – Аманда улыбнулась. Что ни говори, а с ним ей было легко, как ни с кем.

– Сегодня вечером. Правда, мне еще нужно собраться, уложить лыжный костюм и все остальное. Конечно, надо было собраться вчера, но вчера я был совершенно разбит.

Она кивнула, и через несколько минут они снова мирно беседовали. Аманда даже рассмеялась, когда Джек рассказал ей, как у него в салоне две очень известные актрисы едва не подрались из-за своего кавалера.

– Можешь себе представить, как расписали бы газетенки эту историю? – спросил Джек. – А если бы репортеры что-то пронюхали, эти две дамы, несомненно, обвинили бы нас в том, что мы должным образом не заботимся о своих клиентах. На самом деле бабенки, конечно, этого заслуживали...

Тут Джек вздохнул. Он не назвал никаких имен, и Аманда даже не спрашивала – она поняла, что Джек все равно не скажет. Во всем, что касалось бизнеса, он был на удивление скрытным человеком. Когда его спрашивали о чем-то, что имело отношение к салону или – в особенности – к его клиентам, Джек предпочитал отшучиваться.

– Итак, какие же у тебя все-таки планы на эту неделю? – спросил он.

– Честно говоря – никаких, – ответила Аманда. – Может быть, я навещу Джен и Луизу, если, конечно, они не будут особенно заняты. Там будет видно.

– Понятно... – Джек кивнул, но повторять свое приглашение съездить вместе на озеро не стал. Он понимал, что Аманда еще не готова к тому, чтобы принять его.

– Может быть, что-нибудь придумаю, – вдруг добавила Аманда. – А ты? Ты едешь один или с... с кем-то?

Она все еще пыталась убедить себя, что они просто друзья и что ее не должно волновать, поедет ли он один, с друзьями или с женщиной, но в последний момент голос ее предательски дрогнул. Аманда почти не сомневалась, что Джек едет с женщиной, и это неожиданно больно укололо ее.

Джек улыбнулся:

– Нет, я еду один. Когда рядом со мной никого нет, я не так стесняюсь вставать на лыжи...

Неожиданно он почувствовал, что ему больше не хочется шутить с ней, и он порывисто взял ее руку в свои и сжал в ладонях.

– Я буду скучать по тебе, – сказал он негромко.

В ответ Аманда лишь кивнула и посмотрела на него таким взглядом, словно хотела растворить его в себе, в своем сердце.

– А как ты собираешься встречать Новый год? – спросил он с интересом, и Аманда рассмеялась.

– Наверное, как и всегда. Мэттью терпеть не мог Новый год; он его и за праздник-то не считал, поэтому мы никак его не встречали. Тридцать первого декабря мы обычно ложились спать в начале одиннадцатого и спокойно спали до утра. Утром Мэттью поздравлял меня с Новым годом и шел на корт, на работу или куда-нибудь еще, а я занималась домашними делами.

– Что ж, по крайней мере вы были оригинальны, – с усмешкой заметил Джек.

– А ты? Как ты встречаешь Новый год? – спросила она.

– Я? Этот Новый год я, наверное, встречу точно так же, как и ты. Возможно, я останусь в Тахо, а может быть, вернусь в Лос-Анджелес. – Он посмотрел на нее и вдруг почувствовал себя последним тупицей. – Знаешь, Аманда, – предложил он, – я мог бы остаться в городе, и мы провели бы эту неделю вдвоем. Как друзья. Мы ходили бы вместе в кино, ужинали в ресторанах, смотрели бы телевизор. В магазине у меня нет никаких дел, так что я буду полностью в твоем распоряжении...

Джек просительно заглянул ей в глаза и добавил негромко:

– Ведь нет же такого закона, который запрещает нам быть друзьями, верно?

– А как же твои планы? Ну, насчет лыж и всего остального?

– У меня все равно проблемы с коленной чашечкой. –

Джек хмыкнул. – Мой лечащий врач только поблагодарит тебя, если ты сумеешь отговорить меня от столь опасного времяпрепровождения.

– А что потом? – с тревогой спросила Аманда. – Я имею в виду, после того как мы...

Этот вопрос все еще пугал ее, и Джек решил ответить честно. Хитрить и лавировать ему не хотелось, к тому же с Амандой говорить откровенно было и приятнее, и проще.

– Как мне кажется, об этом нам не надо думать. Но если хочешь знать мое мнение, я тебе скажу: каждый из нас имеет право поступать так, как ему хочется, и никто не может осудить нас, если мы захотим быть вместе и в праздничную неделю, и после нее. Да, каждый из нас может запереться в четырех стенах и носа на улицу не высовывать, но что и кому мы этим докажем? Мы не обязаны отчитываться ни перед друг другом, ни перед нашими детьми, ни перед Мэттом, наконец. В конце концов, он умер год назад, и свой долг перед ним ты исполнила. У тебя есть право жить нормальной человеческой жизнью, и никто его у тебя не отнимет, если ты сама этого не захочешь.

Он перевел дух и улыбнулся:

– В кино, во всяком случае, мы вполне можем сходить вместе. В зале темно, и никто нас не увидит. Из всех развлечений это – самое безопасное.

– В кино? С тобой? – переспросила Аманда. – Пожалуй, на такой подвиг я еще не могу отважиться.

– Если хочешь, я буду сидеть на последнем ряду и даже не подойду к тебе, – предложил Джек.

– Ты сумасшедший. – Аманда покачала головой и посмотрела на него. У нее было такое лицо, словно она всеми силами пыталась заставить себя сказать ему «нет». Больше того, Аманда знала, что должна это сделать, но... не могла. Джек был так чертовски обаятелен и с такой покорностью ждал приговора, что отказать ему у Аманды просто не повернулся язык.

– Не далее как вчера, – сказал он торжественно, – я пришел к аналогичному заключению. Я понял, что я действительно сумасшедший. И, представляешь, я даже слегка забеспокоился...

– Я тоже беспокоюсь. – Аманда снова рассмеялась. – Все, что есть в тебе, – все меня беспокоит, тревожит, даже пугает. Если бы у меня была хоть капелька здравого смысла, я бы уже давно сказала тебе, что больше не желаю тебя видеть. По крайней мере до тех пор, пока не придет пора крестить первого ребенка Пола и Джен.

– Боюсь, что этого придется ждать как минимум девять месяцев. Это слишком долго – человек не должен на столько времени отрываться от культуры. Так как насчет кино, Аманда?

– Поезжай лучше на свое озеро Тахо и спокойно отдыхай, – посоветовала она. – И... позвони мне, когда вернешься, ладно?

– О'кей, договорились. – Джек был достаточно опытен, чтобы видеть, что в этот раз ему своего не добиться, и не упорствовать напрасно. Ему не хотелось расставаться с Амандой, но он заставил себя встать из-за стола.

– Счастливого Нового года, – промолвил он и, на прощание поцеловав ее в макушку, шагнул к дверям кухни.

Она что-то сказала ему вслед, Джек не расслышал и, остановившись на пороге, обернулся.

– Что?..

У нее был такой взгляд, что на мгновение Джек замер, словно обратившись в соляной столп. Аманда казалась испуганной, но в лице ее читалась такая решимость, какой он никогда прежде у нее не видел. Она смотрела ему прямо в глаза и молчала.

– Ты что-то сказала? – повторил Джек.

– Я сказала, что в «Беверли-Центре» идет фильм, который я давно хотела посмотреть. Сеанс – в четыре, так что, если хочешь, можешь пойти со мной.

– Правда?.. – Его голос прозвучал не громче шепота. – Ты действительно считаешь, что я... Что мы можем...

– Да. По крайней мере, мне так кажется... – Аманда ненадолго задумалась. – Мне бы хотелось, – добавила она. – Ох, Джек, ничего я еще не знаю. – И Аманда сокрушенно покачала головой.

– Тогда я заеду за тобой в половине четвертого, – решительно сказал Джек. – И приготовься – после сеанса я поведу тебя ужинать в тайский ресторан. Договорились?

Аманда кивнула, и на его губах заиграла робкая, несмелая улыбка. Потом, словно боясь, что она передумает, Джек сорвался с места и бросился прочь. Он спешил домой, чтобы переодеться и сдать билеты до Тахо.

Глава 6

Следующие пять дней были наполнены настоящим волшебством. Джек и Аманда как будто очутились в какой-то фантастической вселенной, где время остановилось. Они ходили в кино, гуляли в парке, болтали обо всем, что приходило в голову, а иногда просто сидели рядом и молчали, чувствуя себя совершенно свободно и раскованно. Никакие мысли не смущали их, никакие заботы не тревожили. Правда, пару раз Джек звонил в магазин, чтобы удостовериться, что там все в порядке, но Глэдди, которая так и не решилась взять отгулы, ответила, что справится со всем и без него и что он может спокойно отдыхать. Джек знал, что он может с легким сердцем оставить на нее магазин – Глэдди действительно способна была самостоятельно справиться с большинством проблем, – однако впервые в жизни ему было наплевать, что будет с его салоном. Джеку хотелось только одного – быть с Амандой, а магазин пусть проваливается ко всем чертям. Между тем они почти не говорили на серьезные темы, ни о чем друг друга не спрашивали и ничего друг другу не обещали. Они просто проводили время вдвоем – день за днем, час за часом, и это было именно то, чего хотел и в чем больше всего нуждался каждый из них.

С каждым днем Аманда чувствовала себя все лучше и лучше. В молчании Джека, в его надежном присутствии как будто была заключена какая-то целительная сила, и она чувствовала, как ее рана затягивается, а на смену боли приходят покой и уверенность в себе.

Что касалось Джека, то и с ним происходило что-то странное. Рядом с Амандой он как будто сбросил десятка полтора лет и снова стал таким, каким был когда-то давно, с Дорианной, только лучше. Он был старше и мудрее, но за последние тринадцать лет он слишком много времени потратил зря. Аманда же сумела остаться цельной, неизбалованной, чистой, и в ее присутствии Джеку начинало казаться, что вся его прошлая жизнь не имеет больше значения. Все, что было с ним раньше, как будто принадлежало другому Джеку Уотсону; он же словно начинал жизнь заново, с чистого листа.

Правда, время от времени Аманда заговаривала о муже, а один раз даже всплакнула, однако Джек чутко уловил перемену. Теперь Аманда воспринимала свою потерю гораздо спокойнее. Она наконец-то осознала, что Мэтт умер, и почти перестала чувствовать свою вину перед ним за то, что осталась жива. Аманда даже сняла обручальное кольцо и спрятала в шкатулку, в которой лежали все ее украшения. При этом она плакала, но ей почему-то казалось, что продолжать носить его было бы неправильно. Решение далось ей нелегко, но она сумела справиться с собой и сразу почувствовала облегчение.

На следующий день они ужинали вместе, и Джек сразу заметил, что Аманда сняла кольцо, но ничего не сказал. Это был важный шаг, но Аманде он дался нелегко, и Джек дипломатично промолчал.

На протяжении всей святочной недели они часто выбирались пообедать или поужинать, стараясь находить небольшие, скромные рестораны, в которых их не мог бы увидеть никто из знакомых. Они смотрели все фильмы подряд и потом от души смеялись над ними, потому что по-настоящему хороших фильмов было мало. Каждый день Джек отвозил Аманду домой, и они долго стояли на ступенях ее особняка и болтали, не в силах расстаться друг с другом. К себе Джек возвращался далеко за полночь и, счастливый, засыпал, зная, что завтра все повторится вновь.

Их отношения оставались чисто дружескими, и только тридцатого декабря, за день до Нового года, когда Аманда готовила ужин для двоих, Джек, повинуясь внезапному порыву, неожиданно привлек ее к себе и крепко поцеловал в губы. Он уже давно хотел сделать это, и, только когда он отнял свои губы от ее губ, к нему пришел страх, что он может снова напугать, оттолкнуть ее от себя. Но когда Аманда подняла на него глаза, она вовсе не выглядела испуганной. Она только смущенно улыбалась, и у Джека сразу отлегло от сердца. С его стороны это был рискованный шаг, но он оказался правильным.

Они ничего не сказали друг другу по этому поводу, но позже, когда они, держась за руки, сидели перед огнем в полутемной гостиной, Джек снова ее поцеловал, и Аманда снова не отстранилась и не прогнала его.

В половине первого Джек уехал домой. Едва войдя в свою квартиру, он сразу же позвонил ей.

– Я чувствую себя так, словно снова стал молодым, – сказал он, и его голос прозвучал одновременно и нежно, и сексуально.

– Я тоже, – ответила она. – Спасибо, Джек, что ты не торопился и не подгонял меня. Эта неделя... она была просто волшебной! Теперь я понимаю, что мне нужно было что-то в этом роде. Я и сама хотела провести с тобой несколько дней, и это стало для меня лучшим рождественским подарком.

Потом они немного посмеялись по поводу двух или трех звонков, раздавшихся в особняке Аманды, пока они ужинали и сидели в гостиной. Скорее всего это были ее дочери, но Аманда не взяла трубку – она хотела, чтобы эти несколько часов принадлежали только ей... и ему. Дочери – да и Мэтт тоже – уже получили свою порцию заботы, внимания и любви, и Аманда считала, что теперь настала ее очередь. Впервые за много лет у нее была своя собственная тайная жизнь, о которой никто не знал, включая Джен и Лу. И, как ни странно, Аманде это нравилось. Она понимала, что имеет право быть счастливой.

Завтра они с Джеком собирались покататься на коньках и, может быть, посмотреть еще один дурацкий фильм. Вечером они решили никуда не ходить. Аманда сказала, что хочет приготовить праздничный ужин и что им надо будет постараться не заснуть до полуночи, когда можно будет поднять бокалы с шампанским.

– Мне иногда бывает неловко, что из-за меня ты не поехал на курорт в Тахо, – сказала она, и Джек рассмеялся.

– А вот я нисколько об этом не жалею, – ответил он. – По-моему, мы проводим время намного лучше. Знаешь, иногда мне кажется, что за всю жизнь у меня еще никогда не было таких романтичных каникул, и я не променял бы их ни на какой другой отдых на лучших курортах мира.

Потом Джек попрощался с Амандой и повесил трубку, жалея, что не может еще раз поцеловать ее.

На следующий день с самого утра они отправились на каток и прекрасно провели время. Джек давно не вставал на коньки и все время падал, когда пытался продемонстрировать Аманде какой-нибудь замысловатый пируэт. Аманда заразительно смеялась, хотя тоже не каталась уже лет двадцать и чувствовала себя на льду не очень-то уверенно. Впрочем, она не стремилась поразить Джека, поэтому ни разу не упала; к тому же, стоило ей только покачнуться, как Джек оказывался рядом, чтобы бережно поддержать ее. В кино они так и не пошли. Наскоро перекусив в какой-то пиццерии, они накупили в ближайшем супермаркете продуктов и поехали к Аманде, чтобы приготовить жареную утку с рисом, салат и суфле на десерт.

Ужин получился таким вкусным, что они сами не заметили, как съели все до крошечки. В начале одиннадцатого они снова сидели у огня в гостиной, и Джек пылко целовал ее, а Аманда ему отвечала. Прежде чем уйти из кухни, он налил себе и ей по бокалу шампанского, но они выпили его гораздо быстрее, чем собирались. От вина, от тепла, от распространявшегося по комнате смолистого запаха пылающих в камине кедровых поленьев, его поцелуи казались особенно крепкими, головокружительно сладкими, и оба пребывали словно в забытьи, не замечая течения времени.

Джек понятия не имел, который сейчас час, когда, на мгновение оторвавшись от ее горячих губ, он признался Аманде, что любит ее. Она ничего не ответила – только крепче обняла его и согласно кивнула. Аманда уже давно хотела его – хотела так сильно, как еще никогда никого не хотела, поэтому, встав с кресла, она взяла его за руку и повела за собой в спальню.

Лишь на мгновение Джек задумался о том, не пожалеет ли Аманда об этом впоследствии. Для него этот вопрос был неуместен. Он давно хотел ее, и сейчас, когда этот момент был так близок, Джек не мог думать ни о чем, кроме предстоящего блаженства.

То, что открылось ему потом, наполнило Джека трепетом и благоговением. У Аманды было безупречное молодое тело. Ни роды, ни годы не оставили на нем ни малейшего следа. Аманда была словно юная девушка. Тело у нее было упругим, стройным и гибким, кожа – гладкой и теплой, а груди – мягкими и полными, и Джек не мог налюбоваться Амандой и ласкал, ласкал ее без конца. В момент наивысшего блаженства их близости Аманда прошептала, что тоже любит его, и у Джека от счастья перехватило дыхание.

А Аманда ни о чем не жалела. Ощущения, которые подарил ей Джек, были такими глубокими и сильными, что ей казалось – еще немного, и она потеряет сознание. Ничего подобного Аманда не испытывала ни с мужем, ни с теми двумя мужчинами, которые были до него, и даже не представляла, что подобное возможно. Она была не слишком искушенной в этих делах, что было особенно удивительно, учитывая, что в Голливуд она попала неопытной и наивной восемнадцатилетней девушкой. Однако сейчас ни ей, ни Джеку не было дела до прошлого. Они наслаждались настоящим, своей близостью и своей страстью, и, когда наконец наступила долгожданная разрядка, Аманде показалось, будто Вселенная вокруг нее разлетелась вдребезги и исчезла в мощной, ослепительной и жаркой вспышке.

Потом они долго лежали рядом и отдыхали, и Аманде нравилось ощущать тепло его сильного тела. Ей нравилось в нем буквально все: как он ласкал ее, какие слова говорил, как он медленно входил в нее и надолго задерживался внутри, отчего ее плоть начинала гореть, словно в огне. Аманда чувствовала, что теперь она принадлежит ему, но ни о чем не жалела и ни в чем не раскаивалась. Ей было так хорошо и спокойно, что, сама не заметив как, Аманда уснула в его объятиях и проспала до самого утра.

Она проснулась оттого, что Джек нежно ласкал ее груди. Лениво потянувшись, Аманда открыла глаза и увидела, что уже рассвело и утреннее солнце, врываясь в спальню сквозь окно, квадратами ложится на постель, которую она когда-то делила с мужем. И Аманда лежала на ней голая, поскольку вчера они даже не потрудились достать одеяло.

А рядом с ней лежал мужчина.

Аманда долго оставалась неподвижной и смотрела в потолок, не зная, плакать ей, смеяться или снова заняться с ним любовью. На самом деле ей хотелось и того, и другого, и третьего, но вместо этого она осторожно соскользнула с кровати и направилась к ванной. В дверях Аманда остановилась и обернулась, и Джек подумал, что сейчас она напоминает лань – грациозную и напряженную, изящную и пугливую.

– Все в порядке? – спросил он, внимательно наблюдая за ней. В нем снова проснулось желание, но он сдерживал себя. За ночь с Амандой что-то произошло. Она казалась ему совсем другой.

– Я не знаю, – негромко ответила она и вдруг опустилась в кресло, нисколько не стесняясь своей наготы. Аманда никак не могла понять, то ли она окончательно сошла с ума, то ли абсолютно счастлива. – Мне просто не верится, что я... что мы занимались этим, – чуть слышно промолвила она наконец.

Джек тоже все время спрашивал себя, уж не приснилось ли ему все, что между ними было. Еще никогда в жизни он не чувствовал себя таким счастливым и боялся, что сейчас они могут вдруг расстаться. Теперь Джек точно знал, какая она – Аманда Кингстон; она была нужна ему, и он не собирался отпускать ее от себя просто так. К тому же она сказала, что любит его...

– Только не говори, что я подпоил тебя, – сказал Джек. – Меня это убьет.

– Ты вовсе не напоил меня. – Она бросила на него

быстрый взгляд из-под своих длинных и густых ресниц. — Разве я была похожа на пьяную?

Ее лицо чуть заметно дрогнуло, и Джек поспешил Аманду успокоить:

— Что ты, нет... Совсем нет! Да и потом, ты выпила всего два бокала.

— Теперь мне кажется, что я выпила двадцать, — сказала она, качая головой. — Это все огонь в камине, и тепло, и ты... Ты так меня целовал, что я совсем потеряла голову...

— Аманда, прошу тебя, не надо! — Джек даже привстал на кровати. — Перестань мучить себя. Ты же ни в чем не виновата.

Он соскочил на пол и, подойдя к ней, опустился перед креслом на одно колено. У него было поджарое, стройное, совсем не старческое тело, и Аманда стыдливо потупилась.

— Я... я занималась с тобой любовью на той самой кровати, где когда-то спала с мужем, — проговорила она и покраснела. Глаза ее наполнились слезами, но, когда Аманда посмотрела на Джека, она увидела, что он не разделяет ни ее сожаления, ни стыда. — Я не могу поверить, что совершила это... кощунство, — добавила она. — Боже мой, Джек, что я за человек такой?! Я двадцать шесть лет была замужем за Мэттом, и вот теперь я занимаюсь сексом в той же самой постели с другим мужчиной.

С этими словами она вырвалась от него и, встав с кресла, заходила по комнате из стороны в сторону.

Джек изо всех сил старался держать себя в руках.

— Послушай, Аманда, — как можно убедительнее произнес он. — Разве это преступление? Или мы должны были снять номер в мотеле? В конце концов, мы же взрослые люди, и я... – Он перевел дух и провел языком по пересохшим губам. – Я люблю тебя, Аманда. Скажу тебе честно: я уже лет двадцать не чувствовал себя таким молодым и таким счастливым. И мне почему-то кажется, что ты тоже начинаешь возрождаться. Вчера ты наконец вспомнила, что жизнь может быть прекрасна, и в тебе проснулась надежда на счастье. Не надо с этим бороться, нужно только немного помочь себе!

В этот момент зазвонил телефон, но Аманда даже не повернулась в ту сторону. Ей сейчас было абсолютно неважно, кто звонит и зачем. Единственное, о чем она могла думать, это о том, как она предала память о собственном муже, свою любовь нему.

– Это его постель, – сказала она. – Наша постель...

Теперь она плакала уже в открытую, и Джек мог только беспомощно следить за ней. Ему хотелось утешить ее, но он боялся прикоснуться к ней. Казалось, Аманда с каждой минутой нервничает все больше.

– Как мы могли? – всхлипнула она. – Как я могла?!

– Тогда купи себе новую кровать! – взорвался он неожиданно. – А эту сдай в музей, и пусть ее там под стекло поставят! В следующий раз мы займемся сексом на полу или где-нибудь еще. Например, у меня.

– Чтобы я легла в твою кровать? Да никогда! Прежде тебе придется продезинфицировать ее как следует, а лучше – пригласить священника, чтобы он изгнал из матраса всех бесов, которые развелись там за двадцать лет!

Услышав такой ответ, Джек расхохотался, но тотчас же снова стал серьезным.

– Родная моя, успокойся!.. Ну пожалуйста... Я все очень хорошо понимаю. Это случилось в первый раз, поэтому нет ничего удивительного, что тебе немного не по себе, однако... Не знаю, как ты, а я никогда не получал такого удовольствия. В конце концов, мы же любим друг друга. Мы провели вместе чудесную неделю, и я без ума от тебя. И ты тоже, я знаю!.. Так чего же мы ждем, Аманда? Мы пересмотрели все фильмы в нашем городишке, побывали во всех парках и во всех ресторанах. Может, нам объявить о помолвке? Ты этого хочешь?

– Может быть, – ответила Аманда. – Не забывай, Джек, – через три дня годовщина смерти Мэтта. Еще и года не прошло с тех пор, как он умер, но я не смогла выдержать даже этот короткий срок!..

Она снова бросилась в кресло и расплакалась, как ребенок, и Джек рискнул подать ей салфетку. Но вместо того чтобы вытереть глаза, Аманда лишь нервно комкала ее в руках.

– Я знаю, – сказал он негромко. – Что ж, давай подождем. Давай и дальше делать вид, что между нами ничего не было.

– Я согласна, – всхлипнула Аманда. – Мы снова станем друзьями и будем продолжать ходить в кино. Но никакого секса! Никаких поцелуев. Никогда!..

Аманду охватила неподдельная паника. Ей очень хотелось вернуться во вчерашний день, чтобы все изменить, чтобы повернуть все так, как ей казалось правильным, но это было невозможно. Да и Джек, прекрасно понимавший, о чем она сейчас думает, ни за что не допустил бы этого. Он слишком любил ее, и она нужна была ему вся, целиком, со всеми недостатками и со всеми достоинствами.

В особенности с теми, что открылись ему вчерашним вечером. Джек был от них просто без ума.

– Только не надо делать из этого трагедию, – сказал он спокойно. – Давай лучше примем душ, выпьем по чашечке кофе и пойдем погулять. Вот увидишь, все грустные мысли исчезнут!

Он постарался вложить в свои слова максимум убедительности, но они не возымели своего действия. Аманда горестно покачала головой и воскликнула с отчаянием в голосе:

– Я просто шлюха, Джек! Такая же, как и все девчонки, с которыми ты спишь. Я ничем не лучше их...

В это время снова зазвонил телефон, но и на этот раз они не обратили на него ни малейшего внимания.

– Ты не шлюха, – возразил Джек. – И потом, если хочешь знать, я не буду больше встречаться ни с кем, кроме тебя. Ты понимаешь, что это значит? С тех пор как ты пришла на вечеринку в моем магазине, я ни разу не взглянул на другую женщину. Ты перевернула всю мою жизнь, Аманда, и теперь я уже не могу с тобой расстаться. В конце концов, мы любим друг друга, и я имею на тебя такое же право, как и ты на меня. Мы можем быть счастливыми и будем. Я, во всяком случае, твердо обещаю, что не позволю тебе изуродовать свою и мою жизнь из-за глупости, из-за дурацкого каприза. Надеюсь, тебе это понятно?

– Но это не значит, что я могу спать с кем попало в постели мужа, – упрямо возразила она, и Джек почувствовал, что снова начинает терять терпение. Глубоко вдохнув воздух, он медленно сосчитал про себя до десяти, потом шагнул к ней и, крепко взяв за руку, заставил подняться.

– Пошли, выпьем кофе, – сказал он миролюбиво. –

И поговорим. Вот увидишь, после завтрака все будет выглядеть иначе.

– Пока я вижу только одно: вам, сэр, не мешало бы прикрыться. – Аманда было нахмурилась, но тут же фыркнула. Она тоже не потрудилась накинуть на себя ни халата, ни ночной рубашки, но, как ни странно, нисколько не стыдилась этого. Можно было подумать, что они уже давно живут, словно муж и жена, и привыкли видеть друг друга без одежды.

– Хорошо, дорогая... – Джек рассмеялся и, взяв ее за руку, потащил за собой на кухню. Там он быстро сварил кофе и, наполнив им самую большую чашку, протянул ее Аманде. Кофе был очень крепким и горячим, словно расплавленный свинец. Первый глоток едва не обжег ей горло, но, отдышавшись, Аманда сразу почувствовала себя спокойнее. Усевшись напротив Джека на табурет – Аманда по-прежнему была без всего, а Джек повязал фартук, – она потягивала маленькими глотками кофе и внимательно смотрела на него.

– Не хочешь взглянуть на утренние газеты, дорогой? – самым светским тоном осведомилась Аманда, и Джек тупо кивнул, чувствуя себя совершенно сбитым с толку. Только что она не знала, куда деваться от стыда и острого чувства вины, а теперь сидит перед ним голышом и как ни в чем не бывало предлагает ему газету.

– Конечно. Я очень люблю читать газеты по утрам.

– Хорошо, я сейчас принесу.

Держа в руках чашку с кофе, Аманда вышла в прихожую и, открыв парадную дверь, присела, чтобы взять с крыльца газеты. Дверь особняка совершенно не просматривалась с улицы, поэтому она не боялась, что ее могут увидеть. Но не успела она выпрямиться, как вдруг раздался шум автомобильного мотора, и Аманда, подняв голову, с ужасом увидела на подъездной дорожке машину Джен. Джен и Пол смотрели на нее, разинув рты, и Аманда, схватив газеты, торопливо юркнула в дом. Захлопнув дверь, она ринулась обратно на кухню, пролив по дороге кофе.

Когда Аманда вбежала в кухню, Джек удивленно воззрился на нее.

– Что случилось? – спросил он спокойно.

– Ты должен немедленно уйти!

На лице Аманды был написан такой ужас, что Джек тоже невольно взволновался.

– Сейчас? – переспросил он.

– Да-да, сейчас... То есть нет, нельзя. Они ведь там!.. Лучше всего через черный ход. Дверь там, в коридоре, сразу же за кладовкой. Иди же!

И Аманда в панике взмахнула рукой, указывая ему, в какую сторону следует бежать.

– В таком виде?! – изумился Джек. – Или, может быть, я все-таки могу сначала одеться?

Аманда не успела ответить. Зазвонил звонок у входной двери, и Аманда подпрыгнула чуть не на целый фут.

– О боже!.. – ахнула она и побледнела. – Это они! Что делать, Джек?.. Что мы им скажем?!

Она снова готова была заплакать, но Джек только расхохотался.

– Кто это – «они»? – спросил он. – Проповедники-адвентисты или коммивояжеры? Гони их в шею! В конце концов, сегодня Новый год, и никто не имеет права...

– Это наши дети! – взорвалась Аманда. – Они видели меня, когда я поднимала газеты.

– Какие дети?

– Наши, наши дети! Пол и Джен. О боже, должно быть, они подумали, что я спятила!

– Что ж, если они и ошиблись, то совсем немного. Хочешь, я пойду открою им?

– Нет, я хочу, чтобы ты как можно скорее ушел. Или нет... Лучше поднимись наверх и спрячься в одной из гостевых спален.

– Успокойся, родная, не надо так волноваться. Просто скажи им, что ты занята и не можешь их принять. Пусть приедут в другой раз.

– Ты думаешь?.. – Она с сомнением посмотрела на него. – Хорошо, я попробую. Но ты все равно спрячься.

Джек послушно встал со стула и скрылся в спальне. Аманда закрыла за ним дверь и, поборов в себе желание запереть ее на ключ, пошла к парадному входу, на ходу натягивая халат. Приоткрыв дверь ровно на два дюйма, она выглянула в щель и улыбнулась стоявшей на пороге Джен.

– Привет, – сказала Аманда. – С Новым годом!

– Мама!.. С тобой все в порядке?

– Н-нет... То есть – да. Со мной все в порядке, только я очень занята. У меня... у меня голова болит. Должно быть, с похмелья. Вчера вечером я выпила два бокала шампанского, и вот результат. Должно быть, у меня на него аллергия.

– А почему ты... Почему ты выходила на крыльцо голая? Ведь тебя могли увидеть!

– Никто меня не видел.

– Мы видели.

– Ну, извини... Я же не знала, что вы приедете. Спасибо, что заглянули, но мне действительно не до гостей. Может быть, вы оба заедете попозже? Скажем, сегодня вечером? Или завтра? Это было бы просто великолепно...

Аманда тараторила, не переставая, и Джен посмотрела на нее с удивлением.

– Разве нам нельзя зайти сейчас? – спросила она, но Пол, деликатно стоявший вне поля зрения Аманды, дернул жену за рукав. Он уже понял, что они приехали некстати. Еще когда они пытались дозвониться в особняк, чтобы предупредить Аманду о своем визите, он сказал Джен, что раз никто не подходит, значит, ее либо нет, либо у нее какие-то дела, но Джен, разумеется, настояла, что они непременно должны заглянуть к матери и поздравить ее с Новым годом.

И вот чем это обернулось.

– Нельзя, потому что... потому что у меня болит голова. Я сплю. То есть спала...

– Ничего ты не спала. Ты вышла за газетами! Что происходит, мама?!

– Ничего, Джен. Абсолютно ничего. Мне очень приятно, что вы приехали навестить меня, но вам, право, следовало сначала позвонить. Даже к родной матери не следует являться... без предупреждения. Но я все равно рада, что вы... В общем, поговорим после.

И, помахав Джен рукой, Аманда захлопнула парадную дверь прямо перед ее носом.

Джен и Пол еще некоторое время постояли у двери, потом вернулись к машине. На их лицах сменяли друг друга удивление, недовольство и тревога, но, только когда они снова сели в машину, Джен с беспокойством спросила у Пола:

– Как ты думаешь, может быть, мама... пьет?

– Разумеется, нет, – ответил Пол раздраженно. –

Просто мы приехали слишком рано, и она не хочет никого видеть. Говорил я тебе, надо было сначала дозвониться. А может... может, у нее роман. Аманда совсем еще не старая, да и выглядит она потрясно, так что все возможно. В любом случае, у нее есть на это право, ведь уже прошел почти год с тех пор, как твой отец... Я думаю, мы просто застали ее с любовником – вот почему она не захотела впустить нас в дом.

И Пол улыбнулся. Он явно гордился своей догадкой, но Джен была в ярости.

– Что за чушь ты несешь?! Любовник?.. У моей матери?! Да ты просто спятил. Ты что, и правда думаешь, что она способна на такое? Знаешь, что я тебе скажу, Пол: то, что твой отец в шестьдесят лет продолжает трахаться со всеми девчонками подряд, вовсе не значит, что и моя мать должна будет вести себя подобным образом. Это... это просто отвратительно!

– Ну, в жизни случается еще и не такое, – примирительно сказал Пол, трогая машину с места. – Не сердись, Джен. Подумай лучше, куда мы поедем теперь.

– Домой, – отрезала Джен, глядя прямо перед собой.

Дождавшись, пока машина отъедет, Аманда вернулась в спальню. За время ее отсутствия Джек успел принять душ и теперь вытирал голову ее махровым полотенцем. Увидев входящую Аманду, он отложил полотенце в сторону и усмехнулся.

– Ну, что ты им сказала? – спросил он. – Ты передала Полу от меня привет?

Затворив за собой дверь, Аманда привалилась к ней спиной и с облегчением выдохнула воздух.

– Ф-фу! Еще никогда в жизни мне не было так стыдно, – сказала она. – Мне пришлось врать своей собственной дочери. Джен никогда мне этого не простит.

– Чего именно? Того, что ты их не впустила? Надо было сначала позвонить, а потом – ехать, – рассудительно заметил Джек.

– Они наверняка звонили, но ведь мы не брали трубку.

– Тогда нечего было приезжать, – отрезал Джек. – Ничего, вперед будут умнее. Хочешь принять душ?

– Я хочу умереть. – Оттолкнувшись от двери, Аманда сделала несколько шагов вперед и ничком бросилась на кровать. Джек сел рядом и посмотрел на нее с любовью и сочувствием.

– Надо было сказать им, что у тебя мужчина, только и всего, – сказал он негромко. – Они бы все равно не поверили, а твоя совесть осталась бы чиста. Впрочем, знаешь, что я тебе скажу? По-моему, ты сама создаешь себе трудности, а потом мучаешься.

– И поделом мне! – воскликнула она плачущим голосом. – О, Джек, я скверная женщина, и когда-нибудь мои дочери узнают об этом...

Она неожиданно пошевелилась и, повернув к нему голову, спросила севшим от страха голосом:

– Ты ведь не скажешь Полу, правда?.. Если он узнает – он скажет Джен, а она расскажет Луизе...

– А потом все это появится в газетах, – закончил за нее Джек. – Представь себе, дорогая, Пол и я имеем привычку обсуждать женщин, с которыми я сплю. Этого ты мне не можешь запретить, иначе он начнет думать, что я слишком стар и что моя штука уже не стоит как следует.

– Тогда лучше убей меня! – в отчаянии бросила

Аманда и, снова отвернувшись от него, уткнулась лицом в подушку.

Джек улыбнулся и, спустив с ее плеч халат, стал целовать Аманду в спину, постепенно спускаясь вниз. Дойдя до самой поясницы, он таким же манером поднялся обратно, а потом стал осторожно щекотать ей шею кончиками пальцев. Через несколько минут Аманда перевернулась на спину, и Джек увидел в ее глазах такое же выражение, какое было у нее предыдущим вечером. Этот взгляд подействовал на него мгновенно и сильно, словно мощный наркотик. Наклонившись вперед, Джек прильнул к ее губам, а она, не говоря ни слова, обхватила его обеими руками за шею.

Он хотел ее, хотел сильно, как никогда, и Аманда вдруг почувствовала, что изнемогает от страсти.

– Я люблю тебя, глупенькая, – шепнул Джек.

Для обоих сегодняшнее утро было не самым легким, но он верил, что теперь все или почти все трудности остались позади.

– Я тоже, – шепнула она в ответ и потянула его на себя, но Джек не поддался.

– Постой, постой, – сказал он, упираясь рукой в матрас. – Может быть, мы все-таки перейдем в другую комнату или по крайней мере покинем эту кровать? Как ты смотришь, если мы совершим это на кушетке или в ванне?

С этими словами он провел рукой по ее груди, потом его ладонь медленно поползла вниз.

– Ничего, здесь тоже неплохо. – Аманда улыбалась, и Джек негромко рассмеялся.

– Ты уверена? А что ты скажешь потом?

– Не знаю. – Аманда лукаво посмотрела на него. –

Возможно, у меня снова начнется истерика, и, чтобы успокоить меня, тебе придется заняться со мной любовью еще раз. Это очень успокаивает нервы.

Она с неожиданной силой прижала его к себе и поцеловала так крепко, что Джек невольно застонал от наслаждения.

– Я люблю тебя, Джек, – прошептала Аманда, на мгновение оторвав губы от его губ.

– Я тоже тебя люблю, – ответил он.

Потом ревущий, пенный вал любовного безумия захлестнул их. Он совершенно уничтожил все воспоминания об утренних неприятностях, оглушил, завертел, закружил обоих и наконец выбросил на берег – потных, задыхающихся и счастливых.

Глава 7

Остаток дня прошел вполне благополучно. Правда, после обеда снова позвонила Джен, но Аманде удалось убедить дочь в том, что ничего страшного с ней не случилось. Потом Аманда сама позвонила Луизе, чтобы поздравить с Новым годом и вторую дочь. Джек тоже позвонил детям, сначала – Джулии, потом – Полу и Джен.

Они так никуда и не пошли, хотя и собирались в кино. Во второй половине дня они снова занимались любовью, а ближе к вечеру поехали в Малибу, чтобы переночевать в летнем домике Джека, на который Аманде очень хотелось взглянуть.

Это был небольшой, но очень уютный коттедж, комнаты которого были полны не новых, но дорогих его сердцу вещей. Здесь стояли потертые, но очень мягкие и удобные кожаные кресла, резные столики красного дерева были завалены редкими книгами, а на стенах висели картины в позолоченных рамах. Конечно, это было типично холостяцкое жилье, но, как ни странно, Аманда с первых же минут почувствовала себя здесь как дома. Она сразу же решила, что в гостиной не мешает прибраться, и Джек с готовностью помогал ей. Потом из продуктов, которые они захватили с собой, Аманда приготовила легкий ужин, который они съели на открытой веранде, выходившей к морю, а после ужина сразу отправились в постель, ибо никак не могли насытиться друг другом.

На следующий день они долго гуляли по берегу, держась за руки и разговаривая о детях. Аманда очень переживала за Джен и надеялась, что все как-нибудь обойдется и она сможет зачать.

– Если этого не случится, бедняжка просто не переживет, – сказала она с тревогой. Сама Аманда жила делами своих детей и считала, что семья без детей – не семья. Именно поэтому она лучше, чем кто бы то ни был, представляла себе, как будет страдать Джен, если останется бездетной.

– А как насчет тебя? – негромко спросил Джек, когда, пообедав в прибрежном ресторанчике, они возвращались в коттедж.

– Что – насчет меня? – не поняв, переспросила Аманда.

– Мне бы не хотелось, чтобы ты забеременела, – честно признался он. – Мне кажется, что для нас это все еще актуально.

Джек знал, что к пятидесяти годам женщины, как правило, утрачивают способность к деторождению, но Аманда выглядела не по годам молодо, и было вовсе не исключено, что ее организм еще не перестроился окончательно. Вчера Джек предпринял все меры предосторожности, правда – несколько по иной причине. Учитывая тот свободный образ жизни, который он вел до недавнего времени, Джек вполне мог оказаться носителем вируса СПИДа, и ему не хотелось заразить Аманду этой ужасной болезнью. И не имело никакого значения, что вот уже довольно давно – отчасти в силу обстоятельств, отчасти из-за Рождества, когда работы в салоне стало невпроворот, – он не встречался со своими прежними подружками. Поэтому Джек не хотел отказываться от презервативов до тех пор, пока не сдаст ВИЧ-тест. Потом, когда он будет уверен, что с ним все благополучно, они смогут не прибегать к контрацепции, тем более что с тех пор, как Джек встретил Аманду, другие женщины перестали его интересовать. Таким образом «залет» был единственной грозившей им опасностью, и Джек решил переговорить на эту тему с Амандой.

– Я об этом не думала, – ответила Аманда, с удивлением глядя на него. – Знаешь, Джек, по-моему, в моем возрасте беременности уже не боятся. Ты думаешь, это возможно?

Она действительно не думала. Они с Мэттом никогда не предохранялись, и Аманда успела к этому привыкнуть. И дело было даже не в том, что она была верна мужу все двадцать семь лет – с тех пор как вышла за него и вплоть до позавчера. Проблема не стояла перед ней совсем по другой причине. После выкидыша, который случился у Аманды, когда Джен была еще совсем маленькой, в ее организме, очевидно, что-то нарушилось, и она так и не забеременела в третий раз, хотя ей всегда очень хотелось иметь сына.

Но сейчас, в пятьдесят лет, мысль о том, что она может случайно забеременеть, казалась ей нелепой, и Аманда заявила об этом Джеку.

– Не такая уж она и нелепая, – возразил он. – Мне вовсе не улыбается укрываться от отцовства на старости лет и бежать под покровом ночи куда-нибудь в Бразилию или наниматься матросом на какой-нибудь сухогруз, который годами болтается в дальних морях.

Тут Аманда весело рассмеялась, ибо очень живо представила себе Джека – босиком и со шваброй в руках – стоящим на палубе какого-нибудь парохода, но ему самому было не до веселья. На протяжении последнего десятилетия он слишком часто сталкивался с женщинами, которые на полном серьезе утверждали, будто они от него беременны, или звонили ему с утра пораньше и в панике сообщали о задержке или о том, что накануне забыли принять таблетку. Проблема нежелательной беременности была для него постоянным источником головной боли, и оттого Джек никогда не относился к мерам предосторожности спустя рукава.

Аманда заметила мрачное выражение его лица и не сдержала улыбки.

– Потерпи немного, – сказала она. – Я думаю, скоро все изменится.

Она имела в виду возрастные изменения, о которых она, впрочем, имела довольно смутное представление. Ее врач сказал, что они могут наступить и через месяц, и через год или даже больше, однако Аманда была уверена, что ничем не рискует. Мысль о том, что она может залететь в пятьдесят лет, казалась ей совершенно абсурдной, к тому же Аманда помнила про свой выкидыш. До того как с ней случилось это несчастье, она – в отличие от Джен – способна была забеременеть буквально от ветра. Но после того как она выкинула, желанная беременность так и не наступила, и со временем Аманда отвыкла даже думать о необходимости предохраняться.

– Долгонько придется ждать, – ответил Джек с улыбкой, но в глубине души он был с ней согласен. С точки зрения чистой теории, Аманда все еще вполне могла забеременеть, но слышать о том, чтобы пятидесятилетняя женщина оказалась в подобной ситуации, ему еще не приходилось.

Вечером Джек сам приготовил роскошный ужин на двоих, и они съели его, сидя возле камина и любуясь поднявшейся над океаном луной. В доме Джека Аманда чувствовала себя свободно и непринужденно, потому что здесь ничто не напоминало ей о Мэтте. И вдруг странная мысль пришла ей в голову: а ведь с Джеком Уотсоном она может начать новую, совсем другую жизнь.

Сначала эта мысль испугала Аманду: неужели это она после года траура, когда решила, что жизнь кончена, еще может думать о подобных вещах, но ведь она действительно ощущала себя совсем другой – обновленной, непохожей на себя прежнюю. Ей даже стало казаться, что они с Джеком с самого начала были предназначены друг для друга, но эта мысль показалась ей совсем уж крамольной, и Аманда с негодованием отогнала ее от себя.

Одно было ей совершенно ясно. Вне зависимости от того, правильно ли она поступала или нет, повернуть назад Аманда уже не могла. Это было выше ее сил. Она сама хотела быть с ним, и ей оставалось только пройти этим путем до конца.

И, вопреки здравому смыслу, как ни странно ей было об этом думать, Аманде почему-то казалось, что впереди ее ждет много-много счастья.

Но вскоре рождественские каникулы закончились, и Джеку пришлось вернуться к делам. Теперь он каждое утро уезжал на работу, и Аманда чувствовала себя очень одиноко. Она буквально места себе не находила, все валилось у нее из рук, и единственное, что она могла делать, это сидеть перед телевизором и ждать его звонка.

А Джек звонил ей чуть не каждые полчаса. В обеденный перерыв он обязательно приезжал к ней, чтобы заняться любовью или просто посидеть с ней возле камина. Когда же он снова возвращался в салон, Аманда находила тысячу и один повод, чтобы позвонить ему и спросить о каком-то пустяке.

– Я тебе еще не надоела? – спросила она однажды, набрав его номер в третий раз за полтора часа.

В этот день они собирались ужинать в недавно открывшемся тайском ресторанчике, который идеально подходил для их тайных встреч. Он располагался довольно далеко от центра города, и они почти не рисковали наткнуться там на кого-то из знакомых. В особенности не хотелось Аманде попасться на глаза своим дочерям.

– Нисколько. Я люблю разговаривать с тобой, – ответил Джек, откидываясь на спинку своего кресла и забрасывая ноги на стол, на котором стояла только что принесенная Глэдди чашка кофе. – Знаешь, у меня появилась отличная идея. Почему бы нам не съездить на выходные в Сан-Франциско? Я давно собирался открыть там свой филиал, но только на днях мне предложили перспективный участок в районе Пост-стрит. Надо его посмотреть, так что лететь в Сан-Франциско все равно придется. Зато если участок хороший, открою там шикарный салон и назову его «У Аманды». В честь тебя!

– Перестань, Джек! – воскликнула Аманда и даже слегка покраснела, хотя на самом деле ей было очень приятно. – Что касается первой твоей идеи, то она мне очень нравится. Ты хотел бы поехать на этой неделе или на следующей?

– Конечно, на этой! – откликнулся Джек. – И на следующей тоже.

Когда Аманда положила трубку, Джек тут же вызвал из приемной Глэдди. Секретарша вошла, как обычно, через считанные секунды, держа наготове блокнот для записей. Лицо ее, однако, показалось Джеку озабоченным, даже хмурым.

– Что-нибудь случилось, Глэд? – спросил он. – У нас опять какие-то проблемы?

На прошлой неделе товар, который они должны были получить, по непонятным причинам застрял на таможне, и Джеку пришлось приложить немало усилий, чтобы вызволить его оттуда.

– Извините, шеф, если я лезу не в свое дело, – ответила Глэдди, – но я давно хотела спросить... Скажите, у ваших детей... все в порядке?

– Насколько я знаю – да. А что? – удивился Джек. – Почему ты спрашиваешь?

– Я заметила, что в последнее время вам часто звонит миссис Кингстон. Вот я и подумала, что Пол и Джен... Что у них, возможно, что-то не ладится.

Лицо Глэдди пылало от волнения. Ей и правда было очень неловко, но она не сумела справиться с любопытством. Джен и Пол поженились уже больше трех лет назад, но у них до сих пор не было детей, и по городу распространились самые разные слухи. И когда Аманда Кингстон начала по нескольку раз на дню названивать ее шефу, Глэдди сразу поняла, что с Полом или с Джен что-то неладно.

– Да нет, у них все нормально, – ответил Джек, но как-то не очень убедительно. К тому же Джек поспешно отвел взгляд в сторону, и Глэдди сразу насторожилась. Если у Пола и Джен все нормально, тогда почему Джеку каждый день звонит Аманда? Кроме того, она заметила, что шеф уже давно – примерно с Рождества – не общается со своими прежними подружками. Если кто-то из них звонил в офис, Джек, как правило, просил Глэдди передать «девочкам», что он занят и не может подойти.

О боже! Неужели...

Глэдди была совсем не глупа, и ей потребовалось меньше минуты, чтобы оценить ситуацию. Мысль о том, что Джек сумел окрутить Аманду, неожиданно привела ее в хорошее настроение. Больше того, она почти гордилась своим шефом. На ее взгляд, ни одна из любовниц Джека не могла бы сравниться с бывшей кинозвездой Амандой Роббинс. И все же Глэдди трудно было в это поверить, поскольку она была хорошо осведомлена о том, что, даже будучи свояками, Джек и Аманда с трудом выносили друг друга.

Что ж, как говорится: век живи, век удивляйся.

– Понятно, – сказала она и глубокомысленно кивнула. – Никогда бы не подумала, шеф...

Выражение ее лица не укрылось от Джека, и он погрозил Глэдди пальцем.

– Смотри не проболтайся. Мы пока не хотим, чтобы дети узнали, – предупредил он.

– У вас это так серьезно? – не смогла удержаться

Глэдди. Личные дела шефа никогда не были для нее тайной, и она считала себя вправе задать Джеку подобный вопрос. В конце концов, она уже давно работала с ним и была близка к нему настолько, насколько могут быть близки начальник и его личный секретарь.

Джек ответил не сразу.

– Может быть... – проговорил он наконец, но, посмотрев на Глэдди, решил ответить честно. Джек был без ума от Аманды – это было ясно даже ему самому. С тех пор как погибла Дорианна, он не испытывал ничего подобного ни к одной женщине. Впрочем, Глэдди не знала Дори, зато она видела табуны юных красавиц, которые проходили через его постель и – одни раньше, другие позже – одна за другой исчезали без следа. – Да, очень, – сказал он и, подняв голову, кивнул, а Глэдди поразилась, каким молодым и счастливым выглядит ее шеф. Таким она не видела его никогда.

– Так это же здорово, шеф! – воскликнула она. – И дети будут рады за вас. Уверена, они поймут.

– Я тоже так думаю, но Аманда сомневается. Вот почему мы решили немного подождать и посмотреть, как оно все будет складываться. И если все будет благополучно, тогда мы им откроем наш секрет.

– Ну что ж, вы, как всегда, правы, шеф, – кивнула Глэдди, чувствуя своего рода признательность к Джеку за то, что он так заботится о чувствах Аманды.

Потом Джек попросил Глэдди зарезервировать для них президентский номер в отеле «Фермонт» в Сан-Франциско и договориться о встрече с представителем риэлторской фирмы, предложившей на Пост-стрит земельный участок для строительства нового салона.

В Сан-Франциско они вылетели в пятницу днем.

Увидев роскошные апартаменты, которые Джек снял для них в лучшем отеле города, Аманда долго не могла прийти в себя. Она ходила из комнаты в комнату, любовалась роскошным видом из окна и думала про себя, что все это очень похоже на настоящий медовый месяц. В первый вечер они ужинали во «Флер де лез», и Аманда снова была ошеломлена царившей вокруг роскошью, хотя и старалась не показать своего удивления. Ей вдруг стало обидно, что Мэтт никогда не водил ее по ресторанам и никуда не возил на уик-энды. Дело, разумеется, было совсем не в деньгах – и Мэтт, и Аманда были хорошо обеспечены, чтобы позволить себе все самое лучшее. «Просто Мэтт был совсем другим человеком», – подумала Аманда в его оправдание, и ей сразу стало легче.

Тем не менее в субботу они по настоянию Аманды обедали у себя в номере, а потом отправились на Пост-стрит, чтобы осмотреть предлагаемый участок земли. Он был таким большим и так удобно расположен, что Джек пришел в настоящий восторг. Разумеется, стоил он недешево, даже Аманда это понимала, однако Джек как-то сразу забыл о своих сомнениях относительно того, стоит ли ему расширять дело. Мысль о том, что его магазин будет стоять в таком удачном месте, на одной из самых красивых улиц Сан-Франциско, казалась ему настолько привлекательной, что он не думал даже о всех хлопотах, связанных со строительством здания, его оборудованием и организацией торговли на новом месте.

Так он и сказал Аманде.

– Должно быть, – заявил Джек, – я просто сошел с ума. В моем возрасте нужно больше отдыхать, а я сам себе изобретаю лишнюю головную боль, но соблазн чересчур велик. Уж больно сто́ящее дело...

Впрочем, в последнее время он чувствовал себя так, словно ему было не шестьдесят, а по крайней мере вдвое меньше. И все благодаря Аманде. С тех пор как Джек встретил ее на предрождественской вечеринке в своем салоне, он словно на крыльях летал и любые препятствия казались ему несущественными.

И весь вечер он, не переставая, рассказывал Аманде о том, каким будет этот новый магазин снаружи и внутри, как он будет украшен, что за товары будут здесь продаваться и чем этот новый супермаркет будет отличаться от его лос-анджелесского салона. Решение расширяться Джек почти что принял. Он хорошо знал и любил Сан-Франциско и был уверен, что успех ему обеспечен.

Не исключено, правда, что для организации работ Джеку придется на некоторое время переехать сюда, но он не имел ничего против, в особенности если Аманда захочет к нему присоединиться. Об этом они говорили на обратном пути, когда возвращались в отель. Улица, по которой они шли, круто поднималась в гору, и, подойдя к отелю, они совсем запыхались, однако оба были настолько счастливы и возбуждены, что не чувствовали усталости. Настроение у обоих было отличным и оставалось таким до позднего вечера, когда после бурных ласк они уснули в объятиях друг друга.

Выходные пролетели как одно мгновение. Аманде ужасно не хотелось уезжать из Сан-Франциско. Но делать было нечего — в Лос-Анджелесе Джека ждали дела, да и сама Аманда собиралась назавтра встретиться с обеими дочерьми. Впрочем, они постарались взять билеты на один из последних рейсов и все воскресенье гуляли по городу. В Лос-Анджелес они вернулись, когда уже стемнело, и прямо из аэропорта поехали к Аманде, где допоздна предавались безумствам страсти.

С дочерьми Аманда встречалась в бистро. Луиза выглядела неплохо, но Джен казалась подавленной и молчаливой, и Аманда сразу же встревожилась, готовясь выслушать плохие новости. Но прежде чем она успела спросить Джен, в чем дело, обе ее дочери в один голос заявили, что она выглядит просто великолепно и что они очень рады происшедшей с ней перемене.

– Нет, правда, мам, ты как будто сбросила лет двадцать, – уверяла Джен смутившуюся Аманду. Все это время она очень беспокоилась о матери, особенно после того, как в Новый год Аманда не приняла их с Полом. А эта ее выходка, когда она голышом выскочила на крыльцо за газетами? Конечно, рассуждала Джен про себя, у матери могло быть просто плохое настроение, однако в тот день она вела себя очень, очень странно.

– Спасибо, милая, – кивнула Аманда. – Ты тоже выглядишь очень неплохо. На месте Пола я никуда бы не отпускала тебя одну...

Но, сказав так, она покривила душой. Джен была бледна, под глазами у нее залегли темные круги, да и взгляд был рассеянным и печальным. Аманда, однако, решилась заговорить о причинах этого далеко не сразу. Они почти покончили с обедом и собирались пить кофе, когда Аманда, откинувшись на спинку кресла и промокнув губы салфеткой, в упор посмотрела на младшую дочь.

– Ну что, Джен, какие у тебя новости? – спросила она.

Джен сразу поняла, что имеет в виду мать. Ей и самой хотелось поговорить с ней о том, что ее тревожило, но она не знала, с чего начать, да и присутствие старшей сестры смущало ее.

– Пол был у врача, – негромко сказала Джен и замолчала. Глаза ее наполнились слезами, и несколько соленых капелек упало на скатерть, оставив на ней серые мокрые пятнышки.

Аманда наклонилась вперед и похлопала дочь по руке, подбадривая ее. Даже Луиза вопреки обыкновению посмотрела на сестру с сочувственным любопытством.

– И что? – спросила она. – О господи! Неужели Пол импотент?

– Представь себе, нет! – ответила Джен, с негодованием глядя на сестру. – С ним все в порядке. Так, во всяком случае, сказал врач. Но ведь и я тоже здорова! – Она покачала головой. – В общем, никто не знает, почему я никак не могу забеременеть. Они сказали... Они сказали, что на это может потребоваться довольно много времени. Возможно, я никогда не смогу иметь детей от Пола. «Медицине известны случаи, – добавила она гнусавым голосом, явно кого-то копируя, – когда совершенно здоровые люди не имеют детей и прекрасно живут вместе». Почему? Этого никто не знает. Должно быть, судьба за что-то наказывает меня...

Слезы ручьем текли по ее щекам, и Аманда поспешно достала из сумочки платок. Джен вытерла глаза и громко высморкалась.

– Может быть, у нас никогда не будет детей, – продолжила она. – Я... я снова говорила с Полом насчет усыновления, но он об этом и слышать не хочет. Он сказал, что лучше вообще никаких детей, чем чужие. Ему нужен только такой ребенок, который был бы частицей его самого... чисто в биологическом смысле. Если так смотреть на вещи, тогда, конечно, о том, чтобы взять ребеночка из приюта, не может быть и речи.

Джен больше не плакала, но на лице ее отразилось такое отчаяние, что у Аманды от жалости едва не разорвалось сердце.

– Может, он еще и передумает, – мягко сказала она. – И потом, не исключено, что ты все-таки сумеешь забеременеть. Может, это будет не сразу, но будет. Главное – не отчаивайся. Иногда для того, чтобы обзавестись потомством, людям приходится ждать очень долго. А потом... потом у тебя может быть четыре ребенка подряд, так что в конце концов ты сама захочешь, чтобы эти постоянные беременности наконец прекратились.

И Аманда, и Луиза старались как могли успокоить Джен, но все было тщетно. Она уже утратила надежду на перемены и не верила никаким словам.

Когда вечером Аманда рассказала об этом разговоре Джеку, он тоже очень огорчился.

– Бедные дети! – вздохнул он. – Это такое несчастье. А я-то, старый дурак, еще дразнил Пола! Удивительно, как он меня не пристукнул?!

– Я почему-то уверена, что Пол не так остро переживает это, – заметила Аманда. Она очень сочувствовала дочери, которая показалась ей отчаявшейся и бесконечно несчастной.

– Может, если они на время забудут об этом, все как раз и случится? – предположил Джек.

– Может быть, да, а может быть, и нет, – ответила она. – Джен, во всяком случае, подобными рассуждениями уже не успокоишь. И потом, я не представляю себе, как это она сумеет «не думать» об этом, если ее только это и волнует. Я знаю, что говорю, – у меня были знакомые, которые прошли через нечто подобное. Для женщины это очень тяжело, Джек, почти невыносимо.

Джек кивнул, и они заговорили о другом. У каждого из них было много такого, чем им хотелось бы поделиться. Джек много думал о своем магазине и часто советовался с Амандой по поводу коллекционной одежды класса «хай-энд», которую он планировал приобрести для салона. У Аманды был хороший вкус и острый глаз; она уже дала ему несколько очень ценных советов по улучшению ассортимента товаров, которые продавались в салоне, и Джек хотел знать ее мнение по поводу белья и платьев, которые он собирался закупать для филиала в Сан-Франциско. Правда, до его открытия оставалось еще как минимум года полтора, но Джеку не терпелось начать что-то делать, и Аманда порекомендовала ему приобрести несколько образцов и «обкатать» их в его лос-анджелесском салоне.

Интересуясь его делами, Аманда вовсе не притворялась. Ей действительно очень нравилось то, чем занимался Джек. Довольно часто Аманда заходила навестить его в салон на Родео-драйв и даже успела подружиться с Глэдди, на которую произвела прекрасное впечатление. Аманда была не просто очень красивой женщиной – она оказалась очень внимательным и отзывчивым человеком, и они с Глэдди часто болтали о том, о чем мужчинам, как правило, слушать неинтересно. И, разумеется, Глэдди очень льстило, что и Джек, и Аманда посвятили ее в свою тайну. Роль доверенного лица казалась ей очень привлекательной и к тому же возвышала Глэдди в собственных глазах.

Так пролетел почти целый месяц. После Сан-Франциско они провели несколько уик-эндов в Палм-Спрингс, а в начале февраля Джек повез Аманду в Аспен – кататься на лыжах. Они чудесно отдохнули, и Аманда получила истинное удовольствие, которое не мог испортить даже тот факт, что в Аспене они встретили множество знакомых Джека.

Их появление произвело в курортном местечке настоящий фурор. Аманду узнавали, несмотря на лыжный костюм и темные очки, которые она почти не снимала. К счастью, их знакомые были воспитанными людьми и не задавали вопросов, однако Джек и Аманда были, несомненно, в центре всеобщего внимания. В местной газетке даже появилась посвященная им крошечная заметка, по поводу которой Аманда ужасно переживала.

– Надеюсь, до Лос-Анджелеса это не дойдет! – воскликнула она. – Что я скажу детям?!

– Детям надо говорить правду, – ответил Джек в своей обычной полушутливой манере. – И мне кажется, что нам необходимо сделать это как можно скорее, не дожидаясь, пока они узнают о наших отношениях от кого-то постороннего. Нет, разумеется, не сейчас, не завтра, – добавил он поспешно, заметив, что Аманда слегка побледнела от испуга. – Скажем, недели через две...

К этому времени Джек и Аманда были вместе уже почти два месяца, однако, несмотря на то что они почти не расставались, им каким-то чудом удалось не стать объектом интереса местных газетчиков. Правда, они благоразумно избегали мест и мероприятий, на которых репортеры дежурили постоянно, однако вечно так продолжаться не могло, и в конце концов Аманда тоже пришла к выводу, что сказать детям правду надо, иначе она рисковала оказаться в крайне неудобном положении.

Однако, когда некоторое время спустя Аманда снова обедала с дочерьми, она так и не решилась рассказать им о происшедших в ее жизни переменах. У нее просто не повернулся язык – Джен выглядела такой угнетенной и расстроенной, что Аманда сочла неуместным хвастаться перед нею собственным счастьем. Кроме того, в ней снова проснулись серьезные сомнения относительно того, что ее новости будут выслушаны благожелательно или хотя бы с пониманием, ибо за все время обеда Джен слегка развеселилась только тогда, когда речь зашла о Джеке.

– Пол говорит, что его отец серьезно влюбился. В последнее время он остепенился и совершенно перестал интересоваться смазливыми девицами, – сказала она. – При этом Пол утверждает, что Джек выглядит так, словно сбросил лет двадцать или даже тридцать. И он все время улыбается, как чеширский кот... Нет, кто она, я не знаю. Должно быть, какая-нибудь девятнадцатилетняя красотка с непомерным сексуальным аппетитом. Но, кем бы она ни была, Джек, похоже, вполне счастлив и доволен.

– Ну, судя по тому, что я о нем слышала, – вставила Луиза, – там не одна девчонка, а по меньшей мере пять. И он принимает их одновременно.

– Но-но, девочки, перестаньте, – нервно сказала Аманда. – В конце концов, у Джека... у мистера Уотсона есть право на личную жизнь.

– С каких это пор ты его защищаешь? – удивилась Луиза, и Аманда не нашлась что ответить.

К счастью для нее, Джен снова заговорила о своем, но Аманда все равно чувствовала себя так, словно проглотила салфетку. «Как я скажу им?» – думала она, глядя на дочерей.

Вечером Аманда пересказала Джеку весь разговор, и он хохотал до слез.

– Пять девчонок – это надо же! – восклицал он. – Вот, оказывается, какая у меня репутация! А что, я правда все время улыбаюсь как идиот? Надо с этим как-то бороться, иначе на нас станут коситься. – Он утер слезу согнутым пальцем и добавил уже более серьезно: – Не беспокойся, Аманда, они поймут... Может быть, не сразу, но поймут. И не бойся их шокировать. Ведь Джен и Луиза знают – не могут не знать! – что ты давно не девственница. Твое поведение естественно, а что естественно, то не...

Аманда вздохнула:

– Да, я не девственница. Я – их мать, а это еще хуже. Это значит – никаких мальчиков, никаких свиданий, никаких поцелуев. Динь-динь можно делать только с папочкой, и ни с кем больше.

– Они обе взрослые замужние женщины, они поймут, – повторил Джек.

– Вряд ли, – с сомнением ответила Аманда. Его аргументы нисколько ее не убедили. Она знала своих дочерей лучше, чем он, и не питала на их счет никаких иллюзий.

Между тем ранняя калифорнийская весна стояла уже у самого порога. С каждым днем солнце грело все жарче, и Аманда проводила в коттедже Джека в Малибу все больше и больше времени. Ей там очень нравилось, к тому же у себя дома она по-прежнему ощущала некоторую неловкость, особенно когда они занимались любовью на супружеской постели. У Джека же она чувствовала себя намного свободнее и раскованнее. Каждый день она готовила ему завтрак, а когда он уезжал на работу – шла гулять по пляжу. Иногда эти прогулки бывали довольно продолжительными.

Однажды – за неделю до Дня святого Валентина – Джек вышел на кухню, где Аманда готовила для него яичницу с беконом, и с удивлением увидел, что лицо у нее расстроенное и глаза на мокром месте.

– Что случилось? – спросил он с тревогой. Обычно по утрам Аманда была беззаботна и весела, как птичка, и ее пасмурное настроение было для него неожиданностью. Отложив в сторону папку с документами, которую он держал под мышкой, Джек подошел к Аманде и, взяв за руки, поцеловал. – Так что случилось, котенок?

– Я не знаю... Честное слово, не знаю. Просто... просто мне нездоровится.

Вчера у нее действительно болела голова, а сегодня она с трудом встала с постели. Ее слегка подташнивало, но горло не болело, да и температура была нормальной. Потом Аманде пришло в голову, что это, наверное, наступили те самые возрастные изменения, о которых предупреждал врач. Очевидно, это было только начало, так как признаки происходящей в ее организме перестройки были еще довольно слабыми, но не настолько, чтобы она их не заметила.

Но Аманда предпочла не упоминать об этом. Улыбнувшись Джеку, она слегка покачала головой.

– Не целуй меня... пока. У детей Луизы грипп, а я как раз на днях заезжала к ней. Ничего страшного, Джек, я это переживу.

– Надеюсь, что так! – Джек успокоился и тоже улыбнулся. Выпустив ее руки, он сел за стол, и Аманда положила яичницу и налила ему кофе. Тосты с сыром были уже давно готовы, и, чтобы они не остыли, Аманда накрыла их перевернутой суповой миской. Пока Джек с аппетитом уплетал свою яичницу, она заварила себе мятный чай и, придвинув тосты к себе, сняла крышку, но скопившийся внутри аромат расплавленного сыра, укропа, базилики и специй был таким плотным, что лишь колоссальным усилием воли Аманде удалось справиться с подкатившей к горлу тошнотой.

– Да что с тобой? – снова встревожился Джек, заметив, как она побледнела.

– Ничего, – с усилием ответила Аманда. – Просто запах слишком сильный. Должно быть, я переложила укропа. Да и сыр какой-то не такой... Он что, несвежий?

– Да нет, я купил его недавно. – Джек покачал головой и, достав из холодильника початую головку сыра, нашел на упаковке срок годности. Потом он внимательно осмотрел сыр со всех сторон и понюхал срез. – Вполне нормальный сыр, – сказал он. – Я всегда покупаю именно «Гауду», и как раз потому, что он не такой острый, как «Бри». Мне казалось, что «Гауда» тебе всегда нравился...

Его лицо разочарованно вытянулось. Джек любил доставлять Аманде удовольствие и в малом, и в большом, и вот теперь оказалось, что она не любит этот сорт сыра!

– Так оно и есть, – кивнула Аманда. – Должно быть, я все-таки заболеваю. Не волнуйся, Джек, приму аспирин, и все пройдет.

Но аспирин не помог, хотя Аманда приняла сразу четыре таблетки. После того как Джек уехал на работу, она сразу легла и провалялась в постели около двух часов.

Только когда часы на камине пробили четверть одиннадцатого, она поехала домой, но тошнота не проходила.

В двенадцать ей позвонил Джек. Он хотел вытащить ее куда-нибудь пообедать, но Аманда сказала, что хочет поспать, чтобы избавиться от головной боли. Она так и поступила, и вечером, когда Джек заехал за ней, она чувствовала себя намного бодрее. На следующий день симптомы не повторились, и это убедило Аманду в том, что с ней действительно приключилось что-то вроде легкой простуды. Ни кофе, ни сыр (другой, потому что «Гауду» Джек безжалостно отправил в мусорный бак) не вызвали в ней никаких неприятных ощущений, и Аманда решила, что своевременно принятый аспирин помог ей справиться с начинающейся простудой.

В этой приятной уверенности она пребывала до самого Валентинова дня, когда Джек преподнес ей пятифунтовую коробку шоколада.

– Боже мой! – воскликнула Аманда, когда увидела у него в руках конфеты. – Ты представляешь, сколько я буду весить, если съем все это?

– Вот и хорошо, тебе нужно немного поправиться, – отозвался Джек, сияя от счастья. Еще утром он прислал ей две дюжины свежих роз, а вечером они собирались поужинать в «Л'Оранжери́». «Мне плевать, кто нас там может увидеть, – заявил он в ответ на ее слабые возражения. – Хоть твои дети, хоть мои. Мы же не заговорщики, чтобы прятаться по темным углам. Я счастлив и хочу, чтобы все знали, как я счастлив».

Он помог ей открыть шоколад. Это были ее любимые конфеты, но, как только Аманда положила одну из них в рот, ей сделалось так скверно, что она едва не потеряла сознание.

– Что с тобой? Опять плохо? – встревожился Джек, увидев, что Аманда буквально позеленела. Всю неделю он исподтишка наблюдал за ней, но она чувствовала себя прекрасно, и вот – на́ тебе!

– Н-нет, ничего... – ответила Аманда слабым голосом и, собрав волю в кулак, проглотила конфету. Но когда вечером в ресторане он заказал для нее икру, Аманда снова побледнела и решительно отодвинула от себя фарфоровый судок, хотя икру она всегда любила.

– Знаешь, – решительно сказал Джек. – Я считаю, что тебе надо показаться врачу.

Он выглядел очень обеспокоенным. Аманда, насколько он знал, всегда отличалась отличным здоровьем, и то, как она выглядела сейчас, пугало его гораздо больше, чем он готов был себе признаться.

– Это все пустяки, – с трудом проговорила Аманда. – Дети Луизы болели почти три недели, прежде чем окончательно поправились. Нет, Джек, серьезно, я уверена, что это ерунда...

Но он отнюдь так не считал. Аманда была бледна как смерть, на лбу ее выступили мелкие бисеринки пота, к тому же она почти не притронулась ни к одному из блюд.

Но, несмотря на ее необъяснимое недомогание, вечер все-таки удался. И Джек, и Аманда получили настоящее удовольствие от общения друг с другом и покинули ресторан в самом радостном настроении. Из ресторана они сразу поехали к ней. Там они занимались любовью, и Аманда несколько раз думала о том, что это самый счастливый Валентинов день в ее жизни.

А утром следующего дня, когда они сидели в кухне и

завтракали, она наконец согласилась рассказать детям всю правду.

– Почему бы нам не поделиться с ними своим счастьем? – спросил Джек. – Если они не сумеют радоваться вместе с нами, значит, мы их плохо воспитали, только и всего.

То, что связывало их с Амандой, казалось Джеку настоящим чудом, и он очень хотел поделиться своей радостью с самыми близкими людьми – с Полом, Джулией, Джен и Луизой.

– Возможно, ты и прав, – согласилась Аманда. – Они достаточно взрослые, чтобы понять нас правильно. По крайней мере пусть попробуют.

– Пусть только попробуют не понять! – сказал Джек воинственно. – Дети, которые отказывают родным отцу и матери в праве на личную жизнь, заслуживают самой серьезной взбучки.

После обеда Джек позвонил Джулии, а Аманда связалась с Джен и Луизой и пригласила их с мужьями в гости. Она собиралась приготовить роскошный ужин, а потом, за бокалом шампанского, открыть детям правду. Это стоило сделать хотя бы для того, чтобы, как справедливо заметил Джек, со спокойной совестью появляться вместе в общественных местах, не боясь попасться на глаза знакомым. Кроме того, им обоим уже давно хотелось рассказать кому-то о своей любви, и Аманда считала, что их дети имеют право первыми узнать обо всем.

Правда, один пункт программы продолжал смущать Аманду. Они с Джеком еще ни разу не говорили о браке, и она просто не знала, как ей следует отвечать, если кто-то из детей поинтересуется их дальнейшими планами. Обращаться же с этим вопросом к Джеку Аманда и не хотела, и боялась – она и так слишком хорошо знала, как он относится к браку. Первая жена привила ему стойкое отвращение к семейной жизни, и с тех пор он взял себе за правило исчезать в облаке поднявшейся пыли, лишь только в отдалении раздастся звон обручальных колец.

День, на который они назначили совместный ужин, неожиданно устроил всех. Даже Джерри, у которого в преддверии семейных торжеств обязательно находились срочные дела, и тот сказал, что у него неожиданно образовалось «окно» и что он будет рад прийти. Джек обещал купить шампанское, и Аманда увлеченно занималась меню, чуть ли не ежедневно изменяя и обновляя его. Несмотря на то что предстоящий разговор или, вернее, объяснение с детьми продолжали пугать ее, в подготовке к ужину она находила что-то очень трогательное и милое. Не могла Аманда не думать и о Мэтте, и каждый раз, вспоминая его, она удивлялась тому, как изменилась ее жизнь за какой-нибудь месяц. Аманда любила мужа, в этом не было никаких сомнений, но он умер, а она – нет. Ее жизнь продолжалась, и, как ни трудно ей было в это поверить, теперь она любила Джека Уотсона.

Всю неделю Аманда трудилась не покладая рук, закупая необходимые продукты и складывая их в холодильники и кладовки. К назначенной дате она так вымоталась, что едва держалась на ногах, но, когда Джек приехал и привез вино, стол был уже накрыт, в кухне подходило горячее, а Аманда, раскрасневшаяся и взволнованная; выглядела очаровательно.

– Мне очень не хочется говорить тебе подобные вещи, – заметил Джек, целуя ее, – но ты вовсе не похожа на чью-либо мать. Во всяком случае, не на мать двух взрослых дочерей. Это я тебе точно говорю.

– Спасибо, Джек, – ответила Аманда, целуя его в ответ. Она так тесно прижалась к нему, что в какой-то момент почувствовала его желание и со смехом отстранилась.

Джек посмотрел на часы, потом – вопросительно – на нее.

– Ты настоящий маньяк, Джек. У нас же нет времени!

– Зато, если ты снова откроешь им голышом, нам вообще не придется ничего объяснять, – парировал он.

– Как-нибудь в другой раз я так и сделаю, – пообещала Аманда и снова поцеловала его. От ее прикосновения Джек невольно вздрогнул – сама близость Аманды сводила его с ума.

Джулия, Луиза и их мужья прибыли точно в назначенный час, а буквально через несколько минут подъехали Джен с Полом. Гости были веселы и оживленны, даже Джен пребывала в приподнятом настроении, что в последнее время случалось с ней не часто, и сразу заметили, как светло и празднично в доме. Повсюду стояли вазы с живыми цветами, мебель сверкала, старинный хрусталь в буфете играл разноцветными бликами, а в комнатах витала торжественная атмосфера.

– Разве у нас праздник? Какой? – с порога спросила Джен, но Аманда только покачала головой. Она тоже не знала, будет ли у них сегодня праздник.

Присутствие Джека неприятно удивило и Джен, и в особенности Луизу. Когда, откупоривая на ходу бутылку шампанского, он вышел к ним из кухни и, непринужденно приветствовав все три семейные пары, поцеловал Джен и Джулию, у Луизы сразу сделалось кислое лицо, словно она ожидала какого-то подвоха. Что касалось Джен, то она просто растерялась.

Только Джулия, похоже, была удивлена несколько меньше, чем сестры. О многом она уже догадывалась, а когда неделю назад отец пригласил ее в дом Аманды, она сразу поняла, кто та таинственная любовница, которая на протяжении последних двух месяцев занимала все время и все помыслы Джека. Единственное, что ее интересовало, это собираются ли отец и Аманда пожениться, или же они будут просто встречаться, никак не оформляя свои отношения. Но торопить события Джулия не стала – она решила подождать и посмотреть, что будет дальше.

А дальше все пошло из рук вон плохо. Джен держалась с Джеком довольно прохладно, Луиза же была почти груба. Одна только Джулия, которую всегда отличал трезвый взгляд на вещи и простая, но мудрая жизненная философия, суть которой можно было бы выразить одной фразой – «живи сам и давай жить другим», оставалась спокойной. У нее был любимый муж и очаровательные дети, к тому же она всегда любила отца и считала, что он имеет право поступать так, как хочется. Тот образ жизни, который до недавнего времени вел Джек, уже давно перестал ее шокировать.

Иное дело – Пол. Он всегда относился к Джеку излишне критично и строго, и Джулии иногда казалось, что брат на самом деле завидует отцу. И для этого у него были основания. По складу характера Пол был гораздо более мягким и не очень-то решительным человеком. Правда, он тоже был довольно хорошо сложен и обладал мужественными чертами лица, но ему не хватало изюминки, которая делала Джека таким привлекательным в глазах женщин. Быть может, это был какой-то особый шик, или манера держаться, или даже юмор и бесшабашная смелость, с какой Джек расточал комплименты, – Джулия затруднялась сказать, в чем тут дело, однако факт оставался фактом. Пол уступал отцу именно в характере и сам чувствовал это. Возможно, именно по этой причине он чрезвычайно ревниво относился ко всему, что говорил или делал его отец.

Вот и сейчас, не успел Пол войти, как его лицо сделалось недовольным, почти сердитым. Переглянувшись с Джен, он с подозрением покачал головой и, едва ответив на приветствие отца, сразу направился в гостиную.

Минут через двадцать Аманда пригласила всех к столу, но разговор не клеился, хотя угощение было отменным, да и в шампанском недостатка не было. Очень скоро Аманде стало ясно, что назревает скандал, и она сразу сникла, хотя Джек изо всех сил старался подбодрить ее. Он держался весело и непринужденно, шутил и пытался вызвать гостей на откровенность, однако это было не легче, чем тащить по болоту концертный рояль. Поэтому, не дождавшись десерта, Джек налил всем по полному бокалу шампанского и объявил, что они с Амандой хотят сообщить одну очень важную новость.

– Ну, наконец-то, – проворчала Луиза. – Просто не верится, что мы дождались...

– Почему бы вам не дать мне договорить? – самым светским тоном осведомился Джек, и она метнула на него злобный взгляд.

Луиза никогда не любила Джека, и сейчас ей хотелось напомнить матери, что когда-то и она была далеко не в восторге от этого пошлого типа.

– Ваша мать и я, – продолжил Джек, бросив быстрый взгляд сначала на Джен и Луизу, потом – на своих собственных детей. – Я и Аманда вот уже некоторое время... встречаемся. Нам очень нравится быть вместе – можно даже сказать, что мы счастливы вдвоем, и нам хотелось бы, чтобы вы об этом знали. Собственно говоря, это все. Просто мы решили, что вы должны быть в курсе наших отношений. Мы оба, – тут Джек улыбнулся Аманде, женщине, которая подарила ему столько счастья всего за два месяца, – мы оба совершенно уверены, что поступаем правильно, и не сомневаемся, что вы будете рады за нас.

– И совершенно напрасно вы не сомневаетесь, – сварливо возразила Луиза. – Это же просто смешно! Неужели вы собрали нас здесь, чтобы сообщить нам, что вы... Что вы спите вместе и что вам это нравится? Что нам теперь – поздравить вас с этим или как? Что касается меня, то я считаю, что все это просто мерзко. Мерзко и дико!

Услышав эти слова, Аманда невольно вздрогнула. Она с самого начала знала, что дочери не поймут и осудят ее, и в меру сил старалась к этому подготовиться, и все же такого резкого неприятия она не ожидала.

– Ах вот как ты считаешь, Лу, – сказала Аманда неожиданно твердым голосом. – Что ж, спасибо за откровенность, хотя, как мне кажется, ты могла бы выбирать выражения. Грубить было вовсе не обязательно.

И она виновато улыбнулась Джеку, как бы извиняясь перед ним за резкие слова дочери.

– Ты полагаешь, что я груба? – воскликнула Луиза, уже не скрывая своей ярости. – А вот я считаю бесстыдством собрать нас в доме нашего отца, чтобы сообщить нам, что у тебя интрижка с этим... с этим... Неужели в тебе не осталось ни капли порядочности, ни капли уважения к памяти папы?

– Значит, ты считаешь меня непорядочной? – спросила Аманда, глядя прямо в лицо дочери. – Ты считаешь, что я предала Мэтта? Так вот: я любила вашего отца, и ты прекрасно это знаешь. Но он умер, Луиза. Это было настоящим потрясением для всех нас, но для меня – особенно. Всего несколько месяцев назад мне казалось, что я не переживу этой потери. Больше того – порой мне самой хотелось наложить на себя руки, потому что я не хотела без него жить. И если бы не Джек, я, наверное, так и поступила бы. Благодаря Джеку я поняла, что моя жизнь еще не кончена, что я могу начать все сначала, что могу снова полюбить. – Тут она взяла Джека за руку и пожала ее. Джек выглядел очень расстроенным, и Аманда почувствовала, что ее долг – подбодрить его. – Так вот, – сказала она, в упор глядя на дочь. – Джек – очень хороший и добрый человек. Он снова сделал меня счастливой, и мне казалось, что ты должна радоваться этому.

– Счастье, любовь, радость!.. – передразнила Луиза. – Почему бы тебе не перестать рассуждать о высоких материях и не рассказать о ваших сексуальных привычках? Хотела бы я знать, как давно вы встречаетесь... Может быть, это у вас началось еще до того, как умер папа? Или все-таки нет?

– Как ты смеешь говорить подобные вещи, Луиза! – возмутилась Аманда. – Ты же прекрасно знаешь, что это неправда! Я... Мы начали встречаться с Джеком после того, как накануне Рождества я побывала у него в салоне на вечеринке. Помнишь, Джен, ты пригласила меня? Пол тоже должен был подъехать, но он тогда не смог, и ты...

– О боже! – ахнула Джен. – Не могу поверить!.. Как ты могла?!

Она посмотрела на мать и заплакала, а Пол бросил на отца мрачный и гневный взгляд. Джерри, муж Луизы, сосредоточенно разглядывал свою пустую тарелку, словно надеялся обнаружить там что-нибудь интересное, и думал о том, как было бы хорошо, если бы он мог оказаться в другом месте. Все происходящее его не особенно трогало; кроме того, Джерри всегда считал, что проблемы семьи его жены никакого отношения к нему не имеют.

Что касалось мужа Джулии, то его как будто и вовсе не было в комнате.

– Почему бы нам не успокоиться и не вспомнить, что все мы взрослые люди? – Голос Джулии, как всегда, был голосом здравого смысла, и Аманда испытала признательность к дочери Джека, хотя едва ее знала.

– Я думаю, это хорошая мысль, – вставил Джек, воспользовавшись тем, что Джен и Луиза обескураженно молчали. – Давайте-ка лучше выпьем еще шампанского, – может быть, это поможет нам собраться с мыслями.

В мертвой тишине он разлил вино и, подняв свой бокал, повернулся к Аманде.

– За тебя, дорогая, – сказал он. – И спасибо за угощение! У тебя получился отличный ужин!

Аманда благодарно кивнула, но в глазах у нее стояли слезы. Кроме Джека и Джулии, никто больше не притронулся к своим бокалам.

– Так когда вы поженитесь? – спросила Луиза, глядя на мать и Джека с откровенной неприязнью. – Или вы всем на посмешище так и будете изображать из себя тайных любовников?

– Мы не собираемся вступать в брак. Во всяком случае – официально, – ответил Джек, и Аманда с удивлением посмотрела на него. Она не ожидала, что он хотя бы мысленно может допустить, что их отношения могут быть похожи на брак, пусть и на неофициальный. С его стороны это, безусловно, было большой жертвой. – Нам это не нужно, поскольку мы как-никак старше вас. Кроме того, мы не собираемся заводить детей... – («Слава богу! Спасибо и на этом», – вполголоса пробормотала Луиза.) – Поэтому мы прекрасно сможем жить вместе и без оформления наших отношений.

Тут Джулия не сдержала улыбки. Она хорошо знала, как Джек относился к браку. Оформить отношения официально – для него не могло быть ничего хуже этого.

– Что касается вас, – продолжал Джек, – то мы решили, что никто из наших детей от этого не проиграет и не потеряет в деньгах. Если, разумеется, именно это вас волнует... – прибавил он, не скрывая своего раздражения, и Аманда поняла, что Джек тоже начинает злиться. – Нам казалось, – добавил он, сделав над собой усилие, чтобы удержать свои эмоции под контролем, – что вы обрадуетесь счастью своего отца или своей матери. Это было бы только естественно. Мы любим вас – именно поэтому мы и решили поделиться с вами, своими детьми, нашей радостью. Но, как видно, мы в вас ошиблись. Вы не способны ни порадоваться за своих родителей, ни поблагодарить судьбу за то, что все устроилось именно так, а не иначе.

Он всерьез разозлился на агрессивный эгоизм Луизы и Джен, да и Пол, который до сих пор не произнес ни слова, заставил его испытать острое родительское разочарование. Джек был лучшего мнения о своем сыне.

– Как ты могла, мама?! – спросила Джен, вытирая платком слезы, катившиеся по ее лицу. – Ведь ты же терпеть его не могла! Ты сама говорила, что он такой... такой... – Она всхлипнула и не смогла продолжать. Метнув на Джека уничтожающий взгляд, Джен снова прижала к глазам платок, и ее плечи затряслись от рыданий.

В ответ Джек только рассмеялся и взял Аманду за руку.

– Возможно, когда-то все так и было, как ты говоришь, Джен, – сказал он. – Но времена меняются, а люди меняются еще быстрее. Отчего вы, словно древние старички, не хотите замечать перемен к лучшему? Да, раньше отношения между мной и вашей матерью были, гм-м... достаточно прохладными, если не сказать больше. Но ведь и я раньше был совсем другим. Мы оба стали лучше от того, что теперь мы вместе, и вы все от этого только выиграете. Например, мы часто говорим о вас – о тебе и о Поле – и стараемся что-то придумать, чтобы помочь вам. Ваше счастье нам не безразлично. Вот почему нам было так важно, чтобы вы знали...

– Да посмотрите вы на себя! – воскликнула Луиза, резко отодвигая стул и поднимаясь из-за стола. – Разве вы не видите, какое отвратительное и жалкое зрелище вы собой представляете? В вашем возрасте мужчины и женщины обычно не спешат сорвать с себя трусики и прыгнуть в постель друг к другу. Ты, мама, едва сумела дождаться, пока пройдет год с тех пор, как умер папа. Можно подумать, что тебе просто неймется!

– Луиза! – Аманда тоже встала. Ее лицо залила краска гнева. – Разве ты забыла, каково мне было, когда умер твой отец? Разве не ты уговаривала меня съездить с вами в Европу, чтобы я могла немного развлечься и прийти в себя?

– Тогда мы просто не знали, какого рода развлечения тебе нужны, – парировала Луиза. Ее лицо было искажено гримасой отвращения. – В общем, мама, спасибо тебе за приятный вечер. Надеюсь, вы с Джеком будете счастливы. У вас по крайней мере есть что дать друг другу. Впрочем, кролики в норе тоже могут быть счастливы. Идем, Джерри...

Последние слова относились к мужу Луизы, который поднялся одновременно с ней и теперь неловко переминался с ноги на ногу. Услышав обращенные к нему слова, Джерри взял жену под руку и, кивнув на прощание, повел ее к выходу.

Когда дверь за ними захлопнулась, Джен разрыдалась в голос, и Пол обнял ее за плечи.

– Джен, дорогая, не надо... – растерянно проговорила Аманда. Для всех это был очень нелегкий вечер, но тяжелее всего он дался ей самой и Джеку.

– Как ты могла, мама, как ты могла?! – продолжала судорожно всхлипывать Джен. – Зачем ты рассказала нам об этом? Неужели ты не понимаешь, каково нам было выслушивать твои признания? Уж лучше бы мы так ничего и не узнали!

– Почему бы нет? – вставил Джек, который не испытывал ни стыда, ни смущения. – Разве ты не дочь Аманде? Почему твоя мать не может поделиться с тобой своими горестями и радостями? Неужели ты не хочешь, чтобы она была счастлива?

В его голосе звучала такая убежденность в своей правоте, что Джен даже перестала плакать.

– Я не понимаю, почему мама не может быть счастлива одна? Почему она обязательно должна предать память о папе и... и...

– ...И сойтись со мной, – закончил за нее Джек. –

Я объясню тебе, Джен. Ты почему-то этого не замечаешь, но твоя мама еще молода, полна сил и очень красива. Почему она должна оставаться одна? Разве у нее нет права на счастье? И потом, подумай сама, как бы ты поступила на ее месте, если бы с Полом что-нибудь случилось?

– Но ведь это совсем другое дело!

– Почему? Потому что вы моложе нас? Но ведь даже у пожилых людей есть право не оставаться в одиночестве на старости лет. У каждого человека есть право на дружбу, понимание, на счастье и любовь!

– В данном случае, отец, вряд ли речь может идти о любви, – мрачно вставил Пол. За весь вечер это были его едва ли не первые слова. – Зная тебя, я просто не могу в это поверить.

– Может быть, сын, ты знаешь меня не так хорошо, как тебе кажется, – парировал Джек. – Ты же сам говорил мне, что за последнее время я очень переменился. Подумай об этом на досуге.

– А я рада за тебя, папа, – негромко сказала Джулия и, встав из-за стола, подошла к отцу, чтобы поцеловать его. Потом она обняла и поцеловала Аманду, и та поблагодарила ее со слезами на глазах. Джулия и ее муж не просто держались как воспитанные люди, но были искренне рады счастью родителей, и Аманда испытала жгучий стыд перед Джеком за своих дочерей.

– Мне очень жаль, что все так получилось, – сказала она, промокнув глаза салфеткой. Аманде очень хотелось плакать, но она из последних сил сдерживалась, ибо не хотела доставить Джен и Полу этого удовольствия. – Мы не хотели огорчать вас или ставить в неловкое положение, однако нам казалось, что будет честнее рассказать вам все. Я не хотела бы... скрываться от своих детей или лгать им.

Тут Аманда посмотрела на Джен, и та вдруг поняла, что в Новый год, когда мать отказалась принять их, у нее действительно был мужчина. Тогда догадка Пола показалась ей верхом абсурда, но сейчас она совершенно не сомневалась, что в доме матери действительно скрывался любовник. И этим любовником оказался Джек...

Ощущение гадливости и ужаса, охватившее ее при мысли об этом, было таким сильным, что Джен крепко зажмурилась.

– Надеюсь, что со временем вы привыкнете к этой мысли, – негромко сказал Джек.

Джен ничего не ответила. Пол, наклонившись к ней, прошептал на ухо жене несколько слов, и они поднялись из-за стола.

– Мы уходим, – объявила Джен, пытаясь попасть в рукава жакета, который подал ей Пол. При этом на лице ее появилось упрямое и злое выражение, какое бывало у нее в возрасте пяти или шести лет, когда ей запрещали делать то, что она хотела.

– До свидания, – только и сказала Аманда. Она была слишком расстроена и подавлена, чтобы провожать дочь или пытаться остановить ее.

Через полчаса Джулия и ее муж тоже засобирались домой. Прежде чем выйти в прихожую, где она оставила свой свингер из голубой норки, Джулия снова подошла к отцу. Она была очень хороша собой, и Аманда невольно поразилась ее с Джеком сходству.

– Мне очень жаль, па, – проговорила Джулия негромко. – Все они были просто очень ужасны...

– Ну что тут скажешь, – согласился Джек и покосился в сторону Аманды. Она предсказывала, что разговор будет не из легких, но подобного не ожидала и она.

– Но мне кажется, что они сумеют перешагнуть через это, – добавила Джулия, обнадеживающе улыбаясь. – Через шок, обиду, непонимание, я имею в виду. Конечно, Джен и Луизе нелегко смириться с мыслью, что их отца заменил такой морально неустойчивый тип, как ты, папа, но это пройдет. Молодым людям – таким, как мы, – обычно трудно себе представить, что их отец или мать тоже могут влюбляться и даже заниматься сексом... – Тут она слегка покраснела. – Правда, к тебе, папа, последнее не относится...

Джек не удержался и фыркнул, и Аманда тоже рассмеялась.

– В общем, не расстраивайтесь, – закончила Джулия. – Просто дети часто смотрят на родителей не как на обычных людей, а как на что-то раз и навсегда данное, неизменное, чуть-чуть косное, но зато крепкое и надежное. В этом родительском консерватизме дети – и взрослые, и совсем еще маленькие – видят залог собственного благополучия, и их не может не беспокоить, когда родители начинают жить собственной жизнью. Ты понимаешь, папа? А вы, миссис Аманда?

Аманда кивнула, а Джек с гордостью улыбнулся дочери. Джулия всегда была отличной девчонкой, и вот теперь она выросла и стала мудрой и доброй молодой женщиной. Впрочем, и дочери Аманды были неплохие девчонки – только им не хватало широты и щедрости натуры, которые отличали Джулию.

– Похоже, ты была права, – проговорил Джек, поворачиваясь к Аманде. – Нам не следовало ничего говорить детям. Наша новость оказалась им не по силам. У наших деток просто полетели все предохранители...

– А я все равно рада, что мы им сказали. – Голос Аманды прозвучал так решительно, что у Джека от удивления приподнялись брови. А она уже встала из-за стола и, подойдя к Джеку, встала рядом с Джулией. – Мы поступили совершенно правильно, – добавила Аманда твердо. – И если наши дети не могут спокойно принять и понять нас, это их проблемы. Кто сказал, что мы должны до конца жизни оставаться просто родителями? Никто! У нас есть право распоряжаться своей жизнью так, как нам хочется. Единственное, что меня беспокоит, так это то, что мои дочери оказались такими бездушными эгоистками – этого я от них просто не ожидала. Но я не собираюсь жертвовать ради них своей жизнью и своим счастьем. Это, конечно, не значит, что я отрекаюсь от них; напротив, я останусь их матерью и по-прежнему буду помогать им, если потребуется, но, если они не готовы понять меня, это их беда. В конце концов, не только я обязана любить своих дочерей, но и они меня. Разве не так?..

– Так, конечно, так! – воскликнул Джек, а Джулия обняла Аманду за плечи. Подбородок Аманды дрожал, но взгляд оставался твердым, и Джек решил, что Аманда, похоже, сумела справиться со своей обидой и разочарованием.

Но когда, проводив дочь и зятя, Джек вернулся в дом, он застал Аманду в слезах. Она не могла дольше сдерживаться, и Джек, чувствуя, как от жалости у него сжимается сердце, поспешил обнять ее. Вечер действительно оказался испорченным и не принес ничего, кроме разочарования.

– Мне так жаль, родная... Ну что за эгоисты наши детки! – проговорил Джек с улыбкой. На самом деле он по-настоящему очень сильно разозлился на Луизу, Джен и Пола за то, что они причинили Аманде боль, но старался не показать этого, чтобы не расстроить ее еще больше.

– Твои дети здесь ни при чем, – всхлипнула Аманда. – Во всяком случае, Джулии я благодарна за все. А вот мои дочери... В особенности – Джен. Я всегда знала, что Луиза – эгоистка, но мне казалось, что на понимание Джен я по крайней мере могу рассчитывать. А оказалось...

– Им просто очень не хватает отца, – ответил Джек, стараясь, чтобы его голос звучал как можно убедительнее. – Они сами не отдают себе в этом отчета, но они по-прежнему тоскуют по нему. Вот почему они так единодушно осудили тебя за то, что ты решила жить с другим. Я их хорошо понимаю и не обижаюсь на их слова. Со временем они, конечно, одумаются... Мне не нравится другое – то, что они сделали больно тебе. Вот это мне очень не нравится!

– Возможно, ты и прав, – неуверенно ответила Аманда. И все же она не жалела ни о чем, что было сделано и сказано. Каким-то образом резкая реакция дочерей заставила ее с еще большей силой ощутить, насколько близким человеком стал для нее Джек.

Через час-полтора – после того как Аманда прибралась в гостиной, а Джек сложил грязные тарелки в посудомоечную машину – они поехали в его коттедж в Малибу. Аманде не хотелось сегодня оставаться в доме, в котором с ней так жестоко обошлись ее собственные дети. Ей хотелось поскорее оказаться у Джека, в его большой и удобной постели, в его объятиях, в которых забывались любые неприятности.

Но когда поздно вечером они наконец легли и Джек крепко прижал ее к себе, Аманда все еще была печальной. Они долго говорили о том, что произошло сегодня, и Джек никак не мог найти подходящих слов, чтобы успокоить ее.

– Дай им время, родная, – говорил он. – Мне кажется, что даже в их возрасте им потребуется несколько недель, прежде чем они сумеют во всем разобраться и принять справедливое решение.

– Но ведь они счастливы, – возразила Аманда. – Почему они никак не могут смириться с тем, что я тоже хочу быть счастливой?

– Потому что ты – их мать, – ответил Джек. – Ты же помнишь, что говорила Джулия? Родители, особенно когда они в таком возрасте, как мы с тобой, не должны влюбляться, не говоря уже о том, чтобы заниматься сексом. Двое стариков в одной кровати – им это кажется отвратительным и противоестественным.

– Ах, если бы они только знали! – вздохнула Аманда. – На самом деле секс в зрелом возрасте гораздо приятнее, чем в молодости. Молодые только берут, они еще не понимают, что давать, может быть, еще приятнее!

– Тс-с! – Джек прижал палец к губам. – Давай сохраним это в тайне, хорошо? Пусть это будет наш с тобой секрет.

И он нежно поцеловал ее. Секунду спустя Аманда почувствовала, как нарастает его возбуждение, и подумала о том, что хочет его. Да, отдавать было очень приятно, но и получать ей тоже очень, очень нравилось.

В эту ночь они занимались любовью с особенной

страстью, почти с жадностью. Когда потом они лежали в темноте без сил, Джек вдруг услышал негромкий смешок Аманды.

– Над чем ты смеешься, дорогая? – спросил он, слегка приподнимаясь на локте. Впрочем, он был весьма доволен тем, что Аманда чувствует себя лучше.

– Я вспоминаю первое января, когда Джен случайно увидела, как я голышом выскочила на крыльцо. Должно быть, я выглядела довольно глупо...

– «Глупо» – это не то слово, которое я выбрал бы, чтобы описать тебя, – возразил Джек. – Раздетая или одетая, для меня ты всегда выглядишь чертовски аппетитно и соблазнительно. Ни одна женщина, будь она вдвое моложе тебя, не сравнится с тобой, Аманда!

Но, конечно, в тот день Аманда действительно выглядела по-дурацки. Неожиданный приезд дочери и зятя застал ее врасплох, и все решения она принимала в спешке. Впрочем, с другой стороны, если бы Джен все-таки вошла и застала Джека в одной простыне в ванной комнате Аманды, с ней наверняка случился бы припадок.

– Может быть, нам все-таки стоит попробовать объяснить им... – пробормотала Аманда уже другим, совсем сонным голосом и повернулась на бок.

– Да, дорогая, это отличная идея, – откликнулся Джек, целуя ее в спину. – Мы пригласим их на ужин еще раз. Надо только, чтобы прошло время.

– Да, несколько недель... Отличная идея. Только купи шампанского – мне понравилось твое французское шампанское... – Она уже спала, и Джек посмотрел на нее с нежной улыбкой. Аманда была совершенно исключительной женщиной, и он не расстался бы с ней за все сокровища мира, что бы ни говорили и как бы себя ни вели их дети. Больше того – ради нее он был готов пожертвовать своей жизнью. И, уже засыпая, Джек неожиданно понял, что их любовь – это уже навсегда и что он должен быть с ней, чего бы это ни стоило.

Глава 8

Подошел к концу февраль, наступил март, но Джен и Луиза так и не изменили своего отношения к матери. Джек и Аманда несколько раз говорили об этом, но повлиять на ситуацию каким-либо образом было не в их власти. Им оставалось только ждать, пока Джен и Луиза образумятся. Между тем Джен перестала даже звонить матери, а Луиза держалась откровенно враждебно и с видимой неохотой разрешала Аманде навестить внуков. Это было тем более странно, ибо Луиза, не особенно любившая отца, должна была отнестись к тому, что Аманда отдала свое сердце другому мужчине, намного спокойнее сестры, но, как видно, законы логики были неприменимы к такой деликатной области, как семейные отношения.

К счастью, Джек и Аманда были настолько заняты друг другом и своими проблемами, что им некогда было как следует задуматься о поведении детей, хотя, возможно, именно их эгоизм и упрямство и послужили причиной того, что здоровье Аманды пошатнулось. Теперь у нее часто болел желудок, хотя раньше она просто не знала, что это такое. От шоколада и деликатесов ее попрежнему рвало, и Джек был очень этим обеспокоен. Он несколько раз заводил речь о том, что Аманде следует показаться врачу, но она все не решалась.

– Но ведь это продолжается уже почти целый месяц, – убеждал он ее. – Мы должны выяснить, в чем дело. Вдруг у тебя язва желудка? На ранних стадиях ее можно легко вылечить, но если запустить...

– Вряд ли это язва, – возражала Аманда. – Ведь питаюсь-то я нормально. Правда, я читала, что язвенная болезнь может развиться и на нервной почве, но мне почему-то кажется, что причина в другом...

Между тем на протяжении нескольких недель, прошедших после неудачного ужина, она была подвержена частым и необъяснимым сменам настроения. Нередко Аманда впадала в беспричинную депрессию, однако она была склонна приписывать это своим расстроенным чувствам. Реакция дочерей ранила ее сильнее, чем она могла в этом признаться Джеку. Кроме того, раз или два Аманде снились кошмары про нее и Мэтта, который бранил ее и обвинял в разврате и супружеской измене. Любой психоаналитик сразу сказал бы Аманде, что ее преследует комплекс вины, однако она не считала его достаточно сильным, чтобы он мог повлиять на ее чувства к Джеку. Скорее наоборот: она чувствовала, что с каждым днем любит его все больше и что их «роман» уже перешел во что-то гораздо более серьезное.

В марте Джек пригласил Аманду на вручение призов Американской киноакадемии, которое должно было состояться в этом году непривычно рано. Правда, он уже давно не имел непосредственного отношения к киномиру, однако влиятельные клиенты, которые одевались в его салоне, никогда не забывали пригласить Джека на это престижное и важное мероприятие. Аманда, напротив, в последний раз присутствовала на вручении «Оскара» ровно двадцать восемь лет назад, когда золотая статуэтка за лучшую женскую роль была присуждена ей самой, и ей было очень интересно снова побывать на церемонии. Поэтому она без колебаний согласилась пойти с Джеком на этот кинопраздник. Джек выписал ей из Парижа уникальное платье от Жан-Луи Шерера – из белого атласа, с расшитыми черным бисером плечами и небольшим шлейфом, который делал платье особенно элегантным.

Когда в день церемонии Джек заехал за Амандой, у него от восторга буквально перехватило дыхание. В новом платье она была похожа на настоящую королеву или на кинозвезду, которой она когда-то была. Казалось, будто у него на глазах совершилось волшебное превращение и Аманда снова обрела все, что у нее когда-то было, – все, и даже больше. Она всегда была хороша собой, но теперь ее неземную красоту создавала аура счастья, делавшая Аманду просто ослепительно прекрасной, и Джек на мгновение зажмурился.

– Вот это да!.. – вырвалось у него. Он оказался совершенно не готов к тому, что платье, которое так понравилось ему в каталоге, будет выглядеть вдвое лучше, когда его наденет Аманда. На ней оно смотрелось совершенно восхитительно. Белый атлас облегал ее безупречную фигуру и переливался при каждом движении, а бисер на плечах поблескивал, словно антрацит. Длинные светлые волосы Аманды были собраны наверх и уложены в прическу, из которой спускались на плечи завитые локоны, а кремово-белая кожа Аманды ничем не уступала шелковистому атласу. Бриллиантовые серьги и такой же браслет, которые она надела к платью, играли при дневном свете и делали ее наряд совершенным.

– Ты выглядишь просто превосходно, великолепно! – воскликнул Джек, слегка переведя дух. – Я еще никогда не видел тебя такой. Скажи, какая сказочная фея собирала тебя на бал? Фотографы, во всяком случае, будут без ума, – добавил он. – Может статься, сегодня тебе дадут второго «Оскара». В номинации «Идеальное воплощение идеальной женщины»...

– Я в этом очень сомневаюсь, – сдержанно ответила Аманда, передавая Джеку свой белый норковый жакет. – Не будешь ли ты так любезен подержать? – спросила она, беря его под руку и увлекая за собой к стоявшему на подъездной дорожке лимузину.

Джек безропотно повиновался. Он был так поражен ее величественной красотой, что все еще не мог опомниться.

Когда лимузин остановился перед широкой парадной лестницей «Раковины» и Джек с Амандой выбрались из машины, собравшаяся у входа толпа разразилась приветственными криками и аплодисментами. Репортеры, поклонники кино и просто зеваки мгновенно узнали Аманду и принялись скандировать ее имя. Как и предсказывал Джек, фоторепортеры обступили их плотной стеной и ослепляли блицами. От шума, ярких вспышек и света установленных на лестнице софитов Аманда слегка растерялась. Она уже успела отвыкнуть от многолюдных толп и всеобщего внимания. От волнения у нее даже слегка задрожали губы, но Джек твердо взял ее под руку и, посмотрев на нее сверху вниз, ободряюще улыбнулся. Он понимал, что с ней происходит, и предлагал ей свою поддержку, и Аманда с благодарностью воспользовалась ею. Выпрямившись, она гордо вскинула голову и, безмятежно улыбаясь, пошла вместе с ним по застланным толстым ковром ступеням. С каждым шагом в ее походке, в ее манере держаться все яснее проступали достоинство, врожденная грация и уверенность в своих силах, которые были присущи Аманде Роббинс – знаменитой кинозвезде. И от этого она стала для Джека еще желанней и дороже.

– Все в порядке? – негромко шепнул он, когда они преодолели половину лестницы. – А то мне показалось, что вы, миледи, как-то побледнели...

В ответ Аманда улыбнулась и кивнула:

– Все просто замечательно, Джек. Я уже забыла, как это бывает, но сейчас я чувствую себя отлично. Спасибо, что вытащил меня... Я словно вернулась к себе домой.

– То ли еще будет, – ухмыльнулся Джек.

Протиснувшись сквозь густую толпу репортеров и любителей кино, собравшуюся в вестибюле, они прошли в главный зал и заняли свои места в одном из первых рядов, которые по традиции отводились знаменитым актерам, режиссерам и продюсерам. Здесь сидели люди, которых, без преувеличения, знала вся страна и весь мир, которых любили, обожали, боготворили. Некоторые из них приветствовали Джека и Аманду, и он с гордостью улыбался в ответ. В обществе знаменитостей Джек всегда чувствовал себя совершенно свободно и раскованно, но ему было лестно появиться перед своими клиентами в обществе знаменитой Аманды Роббинс, чья слава и красота не померкли даже за двадцать пять лет добровольного отлучения от кинематографа. Что касалось Аманды, то и она очень быстро освоилась с обстановкой. С Джеком ей было хорошо и спокойно, и она на время даже позабыла о своих тревогах.

Но вот наконец началась церемония вручения наград Киноакадемии. Она всегда занимала очень много времени, так что, когда она закончилась, все присутствующие чувствовали себя так, словно они провели в этом зале целую вечность. Приз «За лучшую мужскую роль» достался талантливому молодому актеру, а награду за лучшую женскую роль получила знаменитая кинозвезда, у которой Аманда когда-то училась актерскому мастерству. Подняв над головой позолоченную статуэтку, актриса издала победный возглас, и зал стоя приветствовал ее аплодисментами.

– Наконец-то! – воскликнула она, ослепительно улыбаясь. Ей потребовалось без малого сорок лет, чтобы завоевать свой первый «Оскар», но, несмотря на это, она всегда была великой актрисой, и всем в Голливуде это было хорошо известно.

Аманда хлопала вместе со всеми, а сама вспоминала свой звездный час, свой миг торжества, который наступил двадцать семь лет назад. Вручение «Оскара» за лучшую женскую роль первого плана, проходившее в этом же зале, стало одним из самых знаменательных событий в ее жизни. Забыть его она, разумеется, не могла, и все же сейчас оно казалось ей не таким уж важным. С тех пор произошло столько всего: знакомство с Мэттом, рождение дочерей, внуков, смерть мужа, встреча с Джеком... Каждое из этих событий оставило в душе Аманды свой неповторимый след, и она была искренне благодарна судьбе за все, что случилось в ее жизни.

– Ну как тебе, понравилось? – с улыбкой спросил Джек, когда они наконец выбрались из зала и вместе с плотной толпой приглашенных с черепашьей скоростью двинулись через вестибюль к выходу.

– Это было удивительно! – искренне ответила Аманда, кивая ему. – Знаешь, я вспомнила, как мне вручали награду. Тогда мне было двадцать три... Откровенно говоря, я даже не думала, что меня выдвинут на премию, не говоря уж о том, чтобы получить ее. Но когда это вдруг случилось, я думала, умру от радости!..

И Аманда рассмеялась счастливым, беззаботным смехом. Что бы она сейчас ни говорила, ей было очень важно получить награду, о которой мечтает каждый актер, и она испытала невероятное облегчение, открыв Джеку свои подлинные чувства. Мэтт всегда относился к ее карьере скептически и не любил разговаривать на «киношные» темы. На протяжении полных двадцати семи лет Аманда притворялась перед собой и перед мужем, будто награда ее мало волнует, и, сознавшись Джеку в обратном, она почувствовала неожиданный прилив радости.

У выхода из «Раковины» снова образовался затор, и в течение последующих десяти минут они продвинулись вперед не больше чем на несколько футов. К ним все время кто-то обращался с приветствиями, комплиментами Аманде или замечаниями по поводу распределения наград в этом году. Движению сильно мешали и репортеры, сновавшие в толпе со своими фотоаппаратами и диктофонами и останавливавшие звезд, чтобы взять у них интервью или сфотографировать. С каждой минутой в вестибюле становилось все более душно, и лица мужчин заблестели от испарины, а женщины усиленно обмахивались сложенными журналами и буклетами.

– Как ты думаешь, успеем мы выбраться отсюда до завтрашнего утра? – спросил у Аманды Джек Николсон, которого ненадолго прибило к ним людским потоком. В ответ Аманда отрицательно покачала головой и улыбнулась.

– Сомневаюсь. Но будем надеяться.

– Ты его знаешь? – поинтересовался Джек, когда Николсона отнесло в сторону.

– Нет, – ответила Аманда. – Но мне нравятся его работы. Он очень талантлив.

– Надо будет как-нибудь пересмотреть твои старые фильмы, – заметил Джек. – Мне очень хотелось бы увидеть тебя на экране. Может быть, мы даже договоримся с каким-нибудь кинотеатром, чтобы они снова пустили их в прокат. В последний раз я видел твои фильмы довольно давно и успел кое-что подзабыть.

В ответ Аманда рассеянно улыбнулась. Они с Джеком ни разу не говорили о ее карьере в кино – главным образом потому, что она сама никогда не поднимала этой темы. Мэтт успел отучить ее от всяких разговоров о Голливуде.

– Боюсь, это будет жалкое зрелище, – промолвила она, немного подумав. – Все-таки прошло очень много времени, кино ушло далеко вперед, и с позиции сегодняшнего дня я буду выглядеть весьма посредственной актрисой. И потом, увидеть себя, какой ты была тридцать лет назад, чтобы потом, подходя к зеркалу, каждый раз замечать у себя морщины и седые волосы, которых не было тогда, – весьма сомнительное удовольствие. Ты не находишь?

– Не нахожу. – Джек отрицательно покачал головой, в глубине души удивляясь ее скромности. Он знал многих молодых актеров и актрис, которые, еще не создав ничего значительного, начинали вести себя так, словно в мире нет и никогда не будет звезд, равных им по мастерству и по внешним данным.

Им удалось продвинуться вперед еще на несколько дюймов; потом толпа снова сомкнулась, и жара и духота стали нестерпимыми. Аманда чувствовала себя так, словно она вот-вот сварится заживо и, жадно хватая ртом воздух, пыталась представить себе, что может чувствовать Джек в своем смокинге. В толпе, в которой они оказались, многие страдали от жары и духоты, но никто не жаловался и не раздражался, напротив, настроение у гостей было приподнятым, и в толпе то и дело раздавались шутки и слышался смех.

Джек как раз собирался помахать рукой одному из самых известных своих клиентов, добраться до которого у них не было никакой возможности, когда Аманда вдруг почувствовала себя нехорошо. В глазах у нее потемнело, голова закружилась, и она крепче ухватилась за руку Джека. Но он этого не заметил; привстав на цыпочки, он глазами показывал своему знакомому на двери, давая понять, что поговорить им удастся только тогда, когда они выберутся отсюда.

И тут Аманда, не в силах бороться с подступившей дурнотой, потянула его за рукав. Джек обернулся к ней, и лицо его сделалось испуганным. Аманда была бледна как полотно, а на ее верхней губе выступили бисеринки пота.

– Что с тобой?! – воскликнул он в тревоге.

– Я... Мне нехорошо, – прошептала она в ответ. – Должно быть, это из-за духоты. Здесь слишком жарко и душно...

– Может, тебе лучше присесть? – спросил Джек, лихорадочно оглядываясь по сторонам. Он понимал – или думал, что понимает, – ее состояние. У него и самого разболелась голова, по спине стекал пот, и Джек отчаянно мечтал о глотке холодного шампанского или хотя бы воды.

Увы, вернуться в зал, где стояли кресла, было так же невозможно, как и оказаться на Северном полюсе, – чтобы попасть и туда, и туда, нужны были крылья. Джек сразу понял это и посмотрел на Аманду с еще большей тревогой. Она была не просто бледна – ее кожа приобрела какой-то пугающий зеленоватый оттенок, к тому же она часто-часто моргала и щурилась, словно что-то мешало ей видеть ясно.

Джек покрепче взял ее за руку и попытался вывести сквозь толпу к дамским комнатам, но все было бесполезно – людей в вестибюле набилось столько, что они просто физически не в состоянии были расступиться и дать им дорогу.

– Джек... – слабея, пролепетала Аманда и с усилием подняла на него взгляд. Потом веки ее затрепетали, и она потеряла сознание. Это произошло так внезапно, что Джек едва успел подхватить ее обмякшее тело.

В толпе вокруг сразу произошло движение, негромко ахнула какая-то женщина, и стало вдруг очень тихо. Потом кто-то закричал, кто-то спросил, что случилось, и люди немного расступились.

Джек поднял Аманду на руки и огляделся. Он буквально с ума сходил от испуга.

– Отойдите, отойдите, пожалуйста... – приговаривал он. – Воздуха! Дайте воздуха!..

– Позвоните по 911! – крикнул стоявший рядом мужчина, и этот возглас словно послужил сигналом для остальных. Люди вокруг задвигались и заговорили все разом, и Джек крепче прижал Аманду к себе. Голова ее, лежавшая на его плече, бессильно качнулась, и Джек сам едва не закричал от страха за нее.

Но к нему уже спешили двое дюжих распорядителей.

– Дорогу, дайте дорогу! – приговаривал один, без всяких церемоний прокладывая себе путь в толпе. Второй держал в руке пакет с нюхательной солью. Но прежде чем они успели добраться до места, Аманда начала приходить в себя. Слегка пошевелившись, она открыла глаза и удивленно посмотрела на Джека.

– Что случилось? – спросила она, искренне недоумевая, почему все кричат и зачем Джек держит ее на руках.

– Ты потеряла сознание, – объяснил Джек, с облегчением вздыхая. – Это все из-за духоты... Не беспокойся, родная.

Толпа расступилась перед ним, словно воды Красного моря перед народом Израилевым, и Джек на руках отнес Аманду назад в зал, где и усадил на ближайшее кресло. Один из распорядителей подал ей стакан холодной воды, и Аманда выпила ее с жадностью. Через несколько минут появилась бригада «Скорой помощи», и Джек объяснил им, что Аманде стало дурно от жары.

– Как вы себя чувствуете, мисс? – спросил один из фельдшеров у Аманды.

– Чертовски глупо, – ответила она, виновато улыбнувшись Джеку. – Мне очень жаль, что так получилось. Должно быть, я просто отвыкла, но сейчас мне лучше. Гораздо лучше...

– Позволь тебе не поверить. – Джек нахмурился. Аманда все еще выглядела не лучшим образом; речь ее была сбивчивой, а движения – неуверенными. Он очень сомневался, что она сумеет встать самостоятельно, но Аманда просто-таки горела желанием поскорее оказаться на свежем воздухе.

К счастью, у распорядителей оказалось инвалидное кресло на колесах, и, пока медики делали Аманде укол, они прикатили его в зал. При виде инвалидного кресла Аманда пришла в ужас.

– Нет, ни за что! – воскликнула она. – Я в него не сяду! Лучше мы подождем, пока толпа рассосется и можно будет ехать домой...

Но распорядители предложили вывести их на улицу через служебный вход, и Джек вопросительно посмотрел на старшего бригады медиков. Тот не возражал. После укола Аманда заметно приободрилась и вполне могла обойтись без инвалидного кресла. Если хотите, сказал фельдшер, можете вернуться домой, но завтра утром надо непременно показаться врачу.

Услышав это, Джек сразу помрачнел. Он уже целый месяц убеждал Аманду сходить к терапевту, но она не послушалась, и теперь Джек считал себя виноватым. Ему следовало быть понастойчивее – тогда с Амандой ничего не случилось бы. «Ну ничего, – решил он про себя, – завтра же отвезу Аманду в клинику».

Минут через десять, когда на лицо Аманды вернулись краски, Джек помог ей встать и с помощью одного из служителей вывел через служебный вход на улицу. На свежем воздухе Аманда сразу почувствовала себя гораздо лучше и принялась извиняться перед служителями и медиками за беспокойство, которое она невольно им причинила. Особенно радовалась Аманда тому обстоятельству, что на них не обратил внимания никто из репортеров. У дверей служебного входа не было представителей прессы, и она могла спокойно посидеть несколько минут, ожидая, пока Джек подгонит лимузин. В салоне машины было прохладно и свежо – Джек велел водителю запустить кондиционеры на полную мощность, и Аманда скользнула на заднее сиденье. Через несколько минут они уже катили прочь, и Аманда предвкушала, как они вернутся домой и лягут в кровать.

– Как мне жаль!.. – сказала она в сотый раз, когда лимузин притормозил у поворота на Малибу. – Честное слово, со мной такое впервые, и я даже не представляю себе, что бы это могло быть.

– Вот поэтому тебе придется завтра же отправиться к врачу, – решительно отозвался Джек.

– Да нет же, я здорова! – возразила Аманда, потягивая холодный тоник, который Джек достал из бара в лимузине. – Все дело в духоте. Мне вдруг стало трудно дышать и... потом я ничего не помню. Должно быть, я действительно отвыкла от таких многолюдных мероприятий. Вообще-то, на вручении наград Киноакадемии обязательно кто-нибудь теряет сознание, и мне жаль, что в этом году этим «кем-то» оказалась я.

– Смотри, чтобы это было в последний раз! – сказал Джек шутливо и, наклонившись к ней, поцеловал Аманду в губы. Она все еще была бледна, и Джек снова почувствовал тревогу. Что могло с ней случиться?

– Знаешь, – сказал он несколько минут спустя, – ты до́ смерти меня напугала. Хорошо еще, что там было столько народа – благодаря этому ты не упала, когда потеряла сознание, и ничего себе не сломала и не ушибла голову.

– Спасибо, Джек... – Он так трогательно заботился о ней, что Аманда почувствовала себя смущенной. Она уже давно привыкла считать себя взрослой, самостоятельной женщиной, и подобное внимание к своей особе было ей внове.

Когда они приехали к Джеку домой, Аманда быстро разделась, и Джек уложил ее в постель. Несмотря на макияж, замысловатую прическу и бриллиантовые серьги, которые Аманда поленилась снять, она выглядела точь-в-точь как девочка-подросток, и Джек, наклонившись к ней, погладил ее по голове, точно маленькую.

Аманда рассмеялась:

– Мне до сих пор не верится, что я оказалась способна лишиться чувств, словно какая-то аристократка из старых книг, – проговорила она. – И ведь я не притворялась, как они. Я в самом деле потеряла сознание!

– Да, со стороны это, должно быть, выглядело очень романтично, – откликнулся Джек, снимая смокинг и развязывая галстук. – Но уж лучше бы ты притворялась. Так мне было бы намного спокойнее. Кстати, тебе не нужно что-нибудь? Если хочешь, я могу принести тебе тоника или заварить чай.

Аманда на мгновение задумалась, потом с улыбкой посмотрела на него. Только сейчас она поняла, что умирает от голода.

– Как насчет мороженого? – спросила она.

– Мороженого? – удивился Джек.

– Да. Я хочу большую порцию мороженого с клубничным ароматом и ложечкой меда.

– Будет исполнено, миледи. – Джек шутливо козырнул и вышел на кухню.

Через минуту он уже вернулся с серебряным подносом, на которой стояли две вазочки с мороженым и две ложечки. Поставив поднос на ночной столик, Джек помог Аманде сесть, потом опустился рядом и перенес поднос ей на колени.

– Прошу!

Некоторое время они молча ели. Аманда первая расправилась со своей порцией и без церемоний переложила к себе два шарика мороженого из вазочки Джека.

– Кажется, я понял, почему ты потеряла сознание! – воскликнул Джек. – Ты просто была голодна!

На самом деле он так не думал. В последнее время Аманда часто выглядела бледной и усталой, однако он старался не думать об этом. Но сейчас Джек вынужден был взглянуть правде в глаза: с Амандой творилось что-то неладное, и голод, жара и духота были здесь ни при чем. Причина ее недомогания крылась в чем-то другом.

Может быть, она все еще переживает из-за дочерей, подумал он с тревогой. Джен и Луиза по-прежнему вели себя так, словно у них не было матери, и это не могло не ранить Аманду. Джек, однако, считал, что это могло вызвать бессонницу, мигрень, в крайнем случае – легкий невроз, но уж никак не обморок.

И он решил взять дело в свои руки и завтра же отвезти Аманду к самому лучшему врачу из всех, кого он знал.

На следующий день, еще до завтрака, Джек сообщил ей о своем решении, но Аманда решительно отказалась ехать к кому-то из знакомых Джека. У нее был свой врач, который лечил ее многие годы и которому она полностью доверяла. К счастью, Джек слышал это имя – врач Аманды действительно был отличным специалистом и имел собственную клинику.

Туда-то он и позвонил. Рассказав дежурной сестре о том, что случилось накануне, Джек попросил записать Аманду Кингстон на прием.

– А как ваше имя, сэр? – спросила медсестра. Очевидно, она была из новеньких и не знала, кто такая Аманда Кингстон.

– Джек Уотсон, – ответил он и придвинул к себе телефонную книжку, готовясь записать время приема.

– Вы – муж миссис Кингстон? – уточнила сестра.

– Нет. Я ее... друг. Я сам привезу ее на прием.

– Хорошо, мистер Уотсон. Мы примем вас ровно в одиннадцать. Вас это устроит?

– Да, – ответил Джек и дал отбой.

Клиника находилась в Беверли-Хиллз, и Джек, заварив для Аманды чашку чая с мятой, сообщил ей, что в половине одиннадцатого они должны отправиться в путь. Он хотел, чтобы она как следует отдохнула перед поездкой, и Аманда легко согласилась, сказав, что ей и самой хотелось поваляться в это утро в постели. Джек, однако, сразу же заподозрил, что она чувствует себя не так хорошо, как ей хотелось бы показать, и был совершенно прав. Аманда действительно чувствовала странную слабость и апатию. Она только попросила заварить ей еще чаю и включить телевизор.

Джек исполнил ее просьбу, а сам подумал, что это, пожалуй, к лучшему. Аманде не стоило напрягаться до тех пор, пока они не узнают, что с ней такое. Дай бог врачам разобраться, в чем дело.

Итак, Аманда осталась в постели, а Джек отправился прогуляться по берегу. Но чем дальше он отходил от дома, тем беспокойнее становились его мысли. Что с Амандой – вот был главный вопрос, который тревожил его. А с ней могло быть все, что угодно, – от закупорки сосудов мозга до рака крови. Неужели, в отчаянии думал Джек, ее прекрасное тело пожирает изнутри какая-то страшная болезнь, которая с каждым часом делает свое страшное дело, а они об этом даже не знают?

И, словно спасаясь от этого ужаса, Джек припустился бегом, но тревожные мысли не оставляли его. Возможные варианты развития событий, которые представлялись ему, были один хуже другого, так что, когда в конце концов Джек, обливаясь потом и задыхаясь, остановился и сел прямо на песок, он обнаружил, что плачет.

Все повторялось. Ему еще раз посчастливилось найти единственную женщину из миллиона, которую он мог бы любить, и вот теперь жестокая судьба отнимала ее у него. Джек был уверен, что с Амандой происходит что-то ужасное. Быть может, она умирает, в ужасе подумал он и вздрогнул. Неужели с ней случится то же, что и с Дорианной? Неужели он потеряет и ее и снова останется один? Нет, этого ему не пережить...

И, закрыв лицо руками, Джек скрючился на песке и зарыдал, как дитя. Он не мог даже обратиться к Аманде за утешением. Он не хотел пугать ее, но еще больше он боялся потерять свою любовь.

Джек отсутствовал примерно час. Когда он вернулся, то застал Аманду одетой и готовой ехать в клинику. Она выглядела несколько лучше, чем когда только что проснулась, и Джек был рад этому, хотя его беспокойство так и не улеглось. Теперь его могли успокоить только результаты самого полного и тщательного медицинского обследования.

«Только бы с ней не случилось ничего страшного! – твердил он про себя. – Господи, сделай так, чтобы это были просто возрастные изменения, или простуда, или грипп!» Увы, Джек не очень-то верил, что они смогут так легко отделаться, поэтому ему пришлось сделать над собой усилие, чтобы как ни в чем не бывало болтать с Амандой о всяких пустяках. Быстро приняв душ и переодевшись, он проглотил чашку чая – из-за Аманды, которая не переносила даже запаха кофе, Джек тоже перешел на чай – и посмотрел на часы. Времени еще было достаточно, но Джек решил выехать с запасом на случай, если будут дорожные пробки.

– Ты готова? – спросил Джек. Как ни странно, он чувствовал себя так, словно ему предстояло взойти на эшафот. У него было такое ощущение, что его жизнь вот-вот круто изменится, что ничто уже не будет как прежде. Его сердце было сковано холодом смутных тревожных предчувствий.

«Господи, только бы с ней все было в порядке!» – молился про себя Джек, хотя в глубине души он приготовился услышать самое худшее. Даже мысленно он прикидывал, какую ложь он скажет Аманде, если у нее обнаружат страшную болезнь. Про себя Джек твердо решил, что останется с ней до конца, что бы ни случилось, потому что он любил ее и знал, что такой женщины, как Аманда, у него уже никогда не будет, проживи он хоть тысячу лет.

– Я люблю тебя, – сказал он, прежде чем открыть двери, и Аманда посмотрела на него такими глазами, что в душе Джека все перевернулось.

– Я тоже люблю тебя, – ответила она. – Не волнуйся, со мной все будет в порядке. Я обещаю... Самое худшее, что нам могут сказать, это что у меня начинается язва желудка. Когда-то, когда девочки были маленькими, мне уже ставили такой диагноз, но все очень быстро прошло. Мне прописали какие-то таблетки, я аккуратно пила их пару месяцев, и все. Я же вижу, как ты нервничаешь, успокойся, все будет нормально.

– Не могу простить себе, что не отвез тебя к врачу

еще месяц назад,– посетовал Джек, когда они садились в его «Феррари».

– Я была слишком занята, – ответила Аманда, устраиваясь на сиденье рядом с ним. – Мне и сейчас кажется, что все это ни к чему. Я еду с тобой к врачу только потому, что ты настаиваешь.

– Я настаивал и месяц назад, только ты меня не слушала, – проворчал Джек, запуская мотор.

Обычно Аманде нравилось ездить с Джеком, но сегодня утром каждая остановка перед светофором, каждый резкий поворот вызывали тошноту. Но признаться в этом Джеку она не решилась. Аманда видела, как он волнуется из-за нее, к тому же, скажи она ему сейчас о своем недомогании, и Джек поехал бы еще быстрее, а это ей было совсем ни к чему.

Клиника, в которую они ехали, находилась на бульваре Норт-Бедфорд. Пациентов в приемной оказалось много, и ожидание тянулось бесконечно. Сначала Джек и Аманда вполголоса переговаривались, но скоро Аманда откинулась на спинку кресла и прикрыла глаза, а Джек придвинул к себе стопку журналов и принялся рассеянно их перелистывать. Время от времени он бросал взгляд на Аманду, и ему очень не нравилась ее меловая бледность. Джек знал, что у нее ничего не болит, – он сам несколько раз спрашивал ее об этом, и Аманда честно ответила, что ей просто нездоровится. Увидев его встревоженное лицо, она снова заговорила о гриппе, который могла подхватить от детей старшей дочери, но Джек только отмахнулся. Дети Луизы переболели гриппом больше месяца назад, и, следовательно, у Аманды было что-то другое – неизвестное и гораздо более пугающее.

Прошло полчаса, прежде чем появившаяся из кабинета сестра назвала имя Аманды. Джек помог ей подняться и проводил до дверей, ободряюще улыбнувшись на прощание. Аманда тоже волновалась, но ей удавалось скрыть свое беспокойство гораздо успешнее, чем Джеку, и только почувствовав, как дрожали ее пальцы, он понял, как нервничает она. Но дверь уже закрылась за ней, и ему оставалось только ждать, ждать и молиться, чтобы все обошлось.

Оказавшись в кабинете, Аманда сразу подумала о том, что Джек был прав, когда советовал ей, не откладывая, обратиться к врачу. Здесь она сразу почувствовала себя если не лучше, то по крайней мере увереннее. К тому же этого врача она давно знала и доверяла ему. Добрый, внимательный, к тому же он был отличным специалистом; наконец, он был хорошим знакомым – Аманду он пользовал уже лет двадцать, так что она могла быть уверена в его квалификации и надежности. Доктор Патрик Кейси хорошо знал и Мэтта, поэтому в первую очередь он спросил Аманду, как она теперь живет, сумела ли занять себя делами или по-прежнему тоскует по мужу.

Этот вопрос, однако, смутил Аманду. Она не решилась рассказать Пату о Джеке, который ждал ее в приемной, поэтому она только неопределенно кивнула головой и сразу же заговорила о тревожных симптомах, которые и привели ее на прием. Начала Аманда с болезни внуков, хотя на самом деле она и сама не верила в то, что гриппом можно болеть так долго. Потом она описала Патрику свои головокружения, истерики, угнетенные состояния и отвращение к шоколаду и кофе, которое она считала верным признаком начинающейся язвы. Закончила она упоминанием о вчерашнем обмороке.

Внимательно выслушав ее, Патрик покачал головой

и неожиданно спросил, давно ли Аманда показывалась гинекологу, делала маммограмму и сдавала мазок. Слегка смутившись, Аманда ответила, что не была у гинеколога уже больше года. Она как раз собиралась провериться, но после смерти Мэтта ей стало не до того. А потом у нее появился Джек.

– Вы же знаете, как это важно! – упрекнул ее Патрик. – В вашем возрасте вы должны показываться гинекологу не реже чем раз в полгода.

– Хорошо, – ответила Аманда и потупилась. – Я схожу завтра же.

– Почему не сегодня? – спросил врач, и Аманда пообещала немедленно сделать все необходимое.

Потом он поинтересовался, не замечала ли она каких-либо признаков наступления менопаузы, и Аманда снова кивнула. У нее была задержка месячных, но она считала, что это – чисто возрастное.

Патрика этот ответ не удивил. Как-никак Аманде уже исполнился пятьдесят один год.

– Не испытывали ли вы неожиданных приступов жара, так называемых приливов? – задал новый вопрос доктор.

– Пока нет. Но в последнее время меня часто знобит, – ответила Аманда. – И еще я постоянно чувствую себя разбитой, как после тяжелой работы. К концу дня ноги словно свинцом наливаются.

Ее подруги часто жаловались на усталость и нерегулярные месячные, однако Аманда ничего подобного никогда не испытывала. Лишь в последнее время она все чаще и чаще ловила себя на том, что чувствует себя до предела измотанной. Теперь даже днем она могла нежданно-негаданно задремать в кресле, чего никогда не случалось с ней раньше, а приступы апатии сменялись у нее беспричинным раздражением или слезами. Сначала Аманда считала, что это – побочный результат активной сексуальной жизни, которую они вели с Джеком, однако ей пришлось отказаться от этого объяснения. В последние неделю-полторы она еле таскала ноги и все время старалась присесть, а еще лучше – прилечь. Это раздражало ее, было непривычно, и Аманда только досадовала, что наступление менопаузы дается ей так трудно.

Патрик Кейси задал ей еще множество вопросов и, судя по всему, склонен был согласиться с Амандой.

– Возможно, это действительно климакс, – сказал он в заключение. – И, возможно, у вас действительно начинается язва. Определить это уверенно сейчас я не могу, но я пошлю вас на ультразвуковое исследование. Давайте посмотрим, что покажет сонограмма. Если это действительно язва, мы начнем лекарственную терапию, но, пока ничего не известно, спешить не стоит. Кроме того, я хочу, чтобы вы срочно посетили вашего гинеколога. Он пропишет вам гормонозамещающие препараты, которые довольно быстро снимут все неприятные симптомы. Вот увидите, вы сразу почувствуете себя лучше.

Аманда внимательно выслушала врача и кивнула, когда он выписал ей направление в клинику «Синайский Кедр» и объяснил, как найти нужный кабинет. Результаты обследования Аманда могла получить либо на месте, либо – если по каким-то причинам врача-рентгенолога не окажется на месте – завтра. В этом последнем случае справку из больницы должны были переслать лечащему врачу, и Кейси обещал, что сам позвонит Аманде и скажет, что показало ультразвуковое исследование.

– Договорились, миссис Кингстон? – Он улыбнулся ей, и Аманда встала.

– Договорились. – И, кивнув врачу на прощание, Аманда вышла в приемную.

Джек сидел на том же месте и был мрачнее тучи, но при виде Аманды его лицо осветилось улыбкой, и она невольно сравнила его с маленьким мальчиком, который потерял маму в супермаркете и вдруг наконец увидел ее.

– Ну, что он сказал? – нетерпеливо спросил Джек, вскакивая на ноги.

– Ничего страшного, все, как я думала, – ответила Аманда, спеша успокоить Джека. – В моем организме происходят, гм-м... некоторые изменения. И, возможно, действительно начинается язва. Пат дал мне направление на ультразвуковое исследование. Я должна поехать туда сейчас, но мне не хотелось бы, чтобы из-за меня ты потерял весь день. Ты можешь ехать в свой магазин, а я доберусь на такси. Честное слово, со мной ничего не случится!

– Я поеду с тобой, – решительно сказал Джек, хотя в глубине души он был несказанно рад тому, что врач не обнаружил у Аманды ничего серьезного. Во всяком случае, пока.

– То есть я так понял, что волноваться не стоит? – уточнил Джек, когда они снова сели в его «Феррари». – Врач точно знает, что это язва и что нам можно не беспокоиться? Или он все-таки настаивает на дополнительном обследовании?

Аманда покачала головой, но вид у нее был далеко не веселый.

– Язва – это пустяки. Дело в другом... Пат сказал,

что мне, возможно, понадобится курс гормонозамещающих препаратов. Это... Словом, мне неприятно об этом думать. Сразу начинаешь чувствовать себя старухой.

– Ну что ты, дорогая! Ну какая же ты старуха? Да по сравнению со мной ты еще птенчик! Не выдумывай, пожалуйста... – добавил он мягко, и Аманда виновато улыбнулась. Джеку всегда удавалось подбодрить ее, а сейчас, когда у него камень с души свалился, он буквально излучал энергию и оптимизм.

Через несколько минут езды они добрались до «Синайского Кедра», но там им снова пришлось ждать почти целый час. Наконец Аманду вызвали в кабинет, и на этот раз Джек решил пойти с ней. Он не любил больниц, не очень-то доверял безапелляционности врачей, к тому же ему не хотелось оставлять Аманду одну.

Медсестра, проводившая обследование, не имела ничего против его присутствия, благо современная технология ультразвукового исследования уже давно не требовала вторжения в интимные полости человеческого тела. Живот пациента просто смазывался специальным гелем, по которому врач или техник водили раструбом приемника – излучателя сигналов, а на экране компьютера возникала сонограмма внутренних органов, позволяющая определить наличие кист, уплотнений, перетяжек и прочих образований. Джек все это знал, и, хотя процедура действительно выглядела достаточно безобидно, он все же решил, что должен быть рядом.

В кабинете Аманда сразу прошла за ширму, чтобы раздеться. Оттуда она появилась в белой короткой рубашке и туфлях на высоком каблуке. Ее нелепый вид смущал Аманду, и Джек, ободряюще улыбаясь, помог ей лечь на кушетку. Пока медсестра растирала на ее животе гель,

Джек подвинул стул и сел на него так, чтобы видеть экран компьютера. Изображение на мониторе напоминало скорее карту погоды штата Миссисипи, и Джек, как ни старался, не мог ничего понять.

Медсестра привычными, уверенными движениями водила по животу Аманды датчиком аппарата, отдаленно напоминавшим большой концертный микрофон. Датчик был холодным, к тому же сестра слегка нажимала на него, однако никаких неприятных ощущений Аманда не испытывала. Она думала только о том, чтобы это скорее кончилось.

Неожиданно и она, и Джек увидели, что медсестра сосредоточенно нахмурилась. Взгляд ее стал внимательным и одновременно удивленным, а движения замедлились. Сосредоточившись на нижней части живота Аманды, медсестра сильнее надавила на датчик, и Аманда, не сдержавшись, сделала протестующий жест.

Джек сам не заметил, как оказался на ногах. Недоуменный вопрос уже готов был сорваться с его губ, но медсестра неожиданно встала и вышла, чтобы позвать врача. Джек даже не успел ничего сказать Аманде – меньше чем через минуту медсестра вернулась в кабинет в сопровождении молодого врача-интерна. Представившись Джеку и Аманде, врач вместе с сестрой склонились над монитором.

– Что-нибудь не так? – обеспокоенно спросила Аманда. Она старалась держать себя в руках, но у нее это плохо получалось. Ей было ясно, что врач и медсестра увидели на сонограмме что-то такое, что встревожило или озадачило их.

– Да нет, ничего страшного нет, – спокойно ответил молодой врач. – Мисс Джонсон позвала меня, чтобы удостовериться, что не ошиблась. Как говорится, одна голова хорошо, а две лучше... Впрочем, в данном случае картина совершенно ясна. Когда у вас в последний раз были месячные, миссис Кингстон?

– М-месяц... два месяца назад, – нетвердым голосом отвечала Аманда. Должно быть, в панике подумала она, у нее что-то с придатками... или с маткой. Неужели это рак? Неужели?

На Джека она старалась не смотреть.

Врач кивнул.

– Что ж, похоже на правду, – проговорил он и, увеличив масштаб изображения, щелкнул какой-то клавишей. На экране – там, где пульсировало что-то расплывчато-серое, – сразу появилась мигающая белая звездочка.

– Вот оно, – сказал врач и улыбнулся, показывая на эту звездочку пальцем. – Видите?

Аманда машинально кивнула, и Джек в точности повторил ее движение. У него в голове не осталось ни одной мысли. Он понимал, что видит перед собой корень всех их проблем, но что это может быть, Джек не мог себе представить.

– Знаете, что это такое? – врач посмотрел сначала на него, потом на Аманду. Супруги волнуются. Ну еще бы им не волноваться...

– Опухоль! – воскликнула Аманда, и Джек в ужасе закрыл глаза.

– Да бог с вами, какая опухоль?! – удивился врач. – Это ваш ребенок. Вы, миссис Кингстон, на втором месяце беременности. Если хотите, можете немного подождать, и я рассчитаю вам точную дату родов.

– Что?! – Аманда резко села и взмахом руки отодвинула от себя раструб датчика. – Да вы с ума сошли!

Она хотела добавить что-то еще, но тут позади нее раздался какой-то странный шум. Обернувшись через плечо, Аманда увидела, что Джек тяжело осел на стул. Глаза у него были закрыты, и Аманда поняла, что Джек близок к обмороку.

– О боже! – воскликнула она. – Эта новость убила его! Помогите же ему хоть кто-нибудь, скорее!

И, не дожидаясь реакции медиков, она резко поднялась с кушетки и бросилась к Джеку.

Но не успела Аманда прикоснуться к Джеку, как он открыл глаза и, обхватив руками голову, застонал.

– О господи, Джек, прости меня... – пробормотала Аманда. – С тобой все в порядке?

– Пожалуй, да. Просто я чуть не потерял голову... или сознание... Зачем ты мне помешала? – Он потряс головой и болезненно сморщился.

– Как я понимаю, для вас обоих эта новость явилась полной неожиданностью, – смущенно сказал молодой врач. – Что ж, иногда такое случается, особенно если ребенок – поздний.

– Поздний?! – Аманда повернулась к нему. – Я вообще-то думала, что спектакль закончился и даже свет в зале погашен, а оказалось...

– Такое бывает, – снова повторил врач. – У вас была задержка месячных, но вы приняли ее за первые признаки менопаузы, не так ли?

Аманда кивнула:

– Именно так все и было. Мне и в голову не могло прийти, что надо было предохраняться. – Она посмотрела на Джека. Вид у него был растерянный. – Как ты, Джек? – спросила Аманда с тревогой.

– Все нормально, если вообще эту ситуацию можно

назвать нормальной, – сердито сказал Джек Аманде. – Сердечный приступ запросто свел бы меня в могилу. Хотел бы я знать, как это произошло?

Но они оба знали – как. В январе Джек сдал тест на ВИЧ-инфекцию, и, когда проверка дала отрицательный результат, они решили отказаться от презервативов. Аманда с легкостью пошла на это, ибо была совершенно уверена, что не сможет забеременеть. Ей даже не пришло в голову, что в таком возрасте с ней может случиться что-то в этом роде.

– Не могу поверить, Аманда! – простонал Джек, на мгновение закрывая глаза. У него зверски разболелась голова, но он не думал об этом. Новость, которую он только что выслушал, совершенно потрясла его.

– Я тоже, – негромко ответила Аманда, глядя на черно-серую картинку на экране. Она не могла поверить, что это расплывчатое пятно – их с Джеком ребенок.

Тем временем на экране появилась дата – 3 октября.

– Это день предполагаемых родов, – сообщил им врач с доброжелательной улыбкой. Джек не мог поверить своим ушам. – Результаты обследования мы перешлем вашему лечащему врачу. Поздравляю вас, миссис Кингстон. И вас, мистер Кингстон, тоже!..

Джек хотел что-то сказать, но не успел. Врач вышел из кабинета, а медсестра протянула Аманде компьютерную распечатку, которая только что выползла из аппарата.

– Вот первый портрет вашего маленького, – с улыбкой промолвила она и склонилась над аппаратом, настраивая его для приема следующего пациента.

Почувствовав, что они задерживают очередь, Джек медленно поднялся с кушетки.

– Не могу поверить... – обескураженно бормотал он.

Выглядел он при этом совершенно ужасно. Аманда, напротив, заметно приободрилась, узнав, что ей не грозит никакой страшный диагноз. У нее будет ребенок, что ж, как говорится, дело житейское...

– Я тоже, Джек, но факт остается фактом, – ответила она. – Погоди, я сейчас оденусь...

Через минуту Аманда уже была готова, и на деревянных ногах они вышли из кабинета. Ни один из них не произнес ни слова до тех пор, пока они не оказались на стоянке.

Там Джек неожиданно остановился и долго-долго смотрел на Аманду. В эти минуты он словно вернулся на несколько лет назад. В том, что женщина, с которой он спал, была от него беременна, не было ничего нового – нечто подобное с ним уже случалось, и не раз. Но еще никогда женщина, которой он сделал ребенка, не была ему так дорога, как Аманда. Кроме того, известие о ее беременности было для него как гром среди ясного неба. Одно дело, когда рискуешь, имея дело с тридцатилетней, – тут уж заранее готовишься к тому, что твоя беспечность может обернуться крупными неприятностями. Но ведь Аманде-то было уже за пятьдесят!.. Кто бы мог подумать, что такое возможно?

О господи!..

– Кто бы мог подумать! – проговорила Аманда, словно подслушав его мысли. Она все еще держала в руках компьютерную сонограмму, и Джек невольно вздрогнул.

– Выброси эту бумажку! – сказал он сердито. – Я ее боюсь...

Но снимок был совершенно ни при чем. Даже не закрывая глаз, Джек очень хорошо представлял себе расплывчатое изображение на экране монитора и пульсирующее пятнышко внутри его. Это было сердце их ребенка. Как объяснил врач, зародыш развивался совершенно нормально, без патологий, так что через семь месяцев можно было ожидать появления на свет здоровенького и крепенького малыша. Бр-р-р!..

Вместо того чтобы последовать совету Джека, Аманда крепко прижала сонограмму к груди и быстро села в машину.

– Давай поедем куда-нибудь и поговорим, – сказала она, глядя на него из салона сквозь опущенное стекло. – Или, может быть, ты хочешь вернуться домой?

Джек заколебался, не зная, что ответить. Они оба оказались в довольно затруднительном положении, и Джек предвидел, что Аманда начнет серьезный разговор. Несомненно, положение не было безвыходным. Выход существовал, и Джек знал – какой, но он понимал, что решиться на радикальные меры Аманде будет стократ труднее, чем ему. И он искренне ей сочувствовал. Не исключено, подумал Джек, что в конце концов они даже станут еще ближе друг другу, чем сейчас. Во всяком случае, он очень на это надеялся.

– Тебе нужно ехать в магазин или сегодня там обойдутся без тебя? – тихо спросила Аманда, и Джек бросил взгляд на часы.

– В принципе мне надо было закончить кое-какие дела, но если ты хочешь поговорить, я позвоню Глэдди и попрошу ее заменить меня. А ты предупреди своего врача.

С этими словами Джек сел на водительское место и, запустив двигатель, набрал номер на мобильном телефоне.

– Я... я даже не знаю, что сказать, – негромко проговорила Аманда, когда он закончил разговор с секретаршей. – Все это так неожиданно...

Она действительно была растерянна, удивлена и даже напугана. И все же, несмотря на то, что Аманда еще не успела как следует подумать обо всем, чем было чревато ее нынешнее положение, в душе ее появилось какое-то странное чувство, похожее на радостное изумление.

– Это я виноват, – мрачно ответил Джек, глядя прямо перед собой. – Я должен был подумать о мерах предосторожности. Должно быть, я был так рад избавиться от этих проклятых резинок, что совсем потерял голову... С моей стороны это было глупо.

– Но я... мы даже не думали, что такое может случиться.

– Да... Классический «залет» в пятидесятилетнем возрасте – это что-то из области фантастики. – Тут Джек наклонился к ней и поцеловал. – Я люблю тебя, и я очень рад, что у тебя нет никакой серьезной болезни. Это самое главное. Что касается твоей беременности, то...

Он сделал небольшую паузу. Джеку было жаль Аманду, но он должен был сказать ей то, что собирался.

– ...Что касается твоей беременности, то это можно поправить, – сказал он, трогая «Феррари» с места и выруливая со стоянки на улицу.

Аманда удивленно повернулась к нему.

– Что ты хочешь этим сказать? – Ее голос звучал напряженно.

– Но ведь ты же не собираешься сохранить ребенка? – удивился Джек. – В нашем возрасте это небезопасно и... смешно! Кроме того, ни ты, ни я не хотим больше детей. Что мы будем с ним делать, когда он родится?

– А что вообще делают с детьми все нормальные взрослые люди?

– Нормальные взрослые люди? – Джек усмехнулся. – Не забывай, что «взрослые люди», как ты их называешь, как правило, лет на двадцать или тридцать моложе нас с тобой и к тому же в основном являются законными супругами.

Он повернулся, чтобы улыбнуться ей, но на лице Аманды появилось такое выражение, что Джек сразу понял – он сморозил глупость.

– Ты что, – медленно проговорил он, – намерена оставить ребенка? Да?

Аманда ничего не ответила, но в глазах ее появились такие растерянность и му́ка, что Джек невольно вздрогнул.

– Ты с ума сошла, – тихо сказал он. – Мне уже шестьдесят, а тебе – больше пятидесяти. Мы с тобой не женаты, и твои дочери меня ненавидят. Ты подумала о том, как они воспримут эту новость?

Аманда покачала головой, и Джек не договорил. Ему и в голову не могло прийти, что Аманда захочет оставить ребенка, и теперь он не знал, как быть дальше. Такого поворота событий Джек ожидал меньше всего.

– Мои дочери здесь совершенно ни при чем. Это наша жизнь, наша и нашего ребенка... Не заставляй меня убить его, Джек, я все равно не смогу этого сделать. Я не могу просто так взять и лишить жизни маленького человечка...

Ее глаза наполнились самой настоящей болью, и Джеку пришлось сделать над собой усилие, чтобы не поддаться жалости.

– Чушь! – сказал он сердито, впервые за все время повышая голос. – Я не прошу тебя никого убивать, я просто прошу тебя взглянуть на вещи здраво. Ты не можешь оставить этого ребенка. Просто не можешь – и все!

– Я не стану убивать его! – неожиданно резким тоном возразила Аманда. У нее не было времени все тщательно обдумать и взвесить, но она вдруг отчетливо поняла, что не хочет делать аборт. И никаких сомнений в принятом решении у нее не было.

– Это еще не человек, и даже не ребенок. Это просто сгусток протоплазмы, кусок мяса, картинка на экране компьютера, просто ничто! Но самое главное, это ничто угрожает нам, нашей любви, нашей совместной жизни. Оно сведет нас с ума прежде, чем появится на свет. Неужели ты не понимаешь этого?! Мы не должны... и не можем иметь детей!

Он уже почти кричал на нее, но Аманда, зло взглянув на него, промолчала.

– Хорошо же! – Джек в сердцах ударил ладонями по рулю. – Тогда я скажу только о себе. Я не хочу этого ребенка, и ты не сможешь заставить меня стать отцом. В моем возрасте это просто безумие! До тебя у меня были такие случаи, меня пытались вынудить взять на себя ответственность за то, что произошло, но из этого все равно ничего не вышло. Я слишком стар, Аманда. Ты должна сделать операцию.

Джек хотел шокировать Аманду, хотел вывести ее из равновесия, но он слишком любил ее и не мог причинить ей боль. Вот почему он заменил слово «аборт» на слово «операция», хотя он уже давно не был так зол, как сейчас.

– Я никому ничего не должна, Джек, – возразила Аманда ледяным тоном. – И я тебе не какая-нибудь искушенная шлюха, которая пытается угрозами или хитростью заставить тебя жениться на ней. Как тебе известно, я и сама не горю желанием стать твоей женой. Но и тебе не удастся заставить меня сделать то, чего я делать не хочу. Ты боишься посмотреть в лицо фактам, а факты таковы, Джек: я беременна от тебя, и этот ребенок наш. Понимаешь, твой и мой!

– Ты сошла с ума, – выдохнул Джек, поворачивая на дорогу, ведущую в Бель-Эйр, к дому Аманды. – Должно быть, это на тебя гормоны так действуют... Ну почему, почему это должно было случиться со мной, с нами?!

В ответ Аманда только пожала плечами и отвернулась к окну. Она понимала его чувства, но поступить так, как он хотел, она просто не могла.

– Послушай, – сказал Джек, остановив машину на красный свет. – Ты можешь поступать как хочешь, но я предупреждаю тебя заранее: я не хочу иметь к этому ребенку никакого отношения. Бутылочки, пеленки, ночные кормления, больные уши и режущиеся зубы – все это не для меня. Я не желаю выставлять себя на посмешище! Представь себе, когда он будет заканчивать университет, мне будет уже девяносто. Я просто не смогу пойти к нему на выпускной вечер – мне будет стыдно. И ему, я думаю, тоже.

– Откуда ты знаешь, что это будет непременно мальчик? – спросила Аманда холодно. – И потом, тебе будет не девяносто, а восемьдесят. Восемьдесят два, если точнее. И вообще... Ты просто трус, Джек.

Тут Аманда разрыдалась, и Джек, усилием воли совладав с собой, попытался успокоить ее.

– Не плачь, родная моя! – проговорил он. – Я отлично понимаю, что́ ты сейчас чувствуешь. Последние недели дались нам обоим очень нелегко: сначала мы думали, что у тебя что-то серьезное, потом вдруг нам объявили о твоей беременности... Неудивительно, что ни ты, ни я просто не способны рассуждать здраво. Я знаю, что аборт – это ужасно и с медицинской, и с моральной точки зрения, и все же... Подумай, что будет с твоей жизнью, если ты оставишь ребенка. О себе я уже не говорю. Неужели тебе хочется начать все сначала и гулять с колясочкой по аллеям? Только представь себе, что в шестьдесят тебе придется стать участницей автомобильного пула[1]!

– Тебе уже шестьдесят, но ты, по-моему, довольно неплохо водишь машину, – парировала Аманда. – И я, если постараюсь, тоже сумею продлить свою водительскую лицензию еще на десять лет или даже больше, но дело не в этом. Я не полная идиотка, и по доброй воле я, конечно, не выбрала бы себе такую судьбу, но ведь я и не выбирала... Ни я, ни ты здесь ни при чем. Так захотел бог. Это он в своей неизречимой милости так щедро наградил нас, и мы не имеем права отказываться от этого дара провидения. Пойми, Джек, ребенок – это не кара, это совсем наоборот...

Она очень старалась пробиться к нему, но все было бесполезно. Аманда поняла это еще до того, как Джек открыл рот, чтобы ответить, и по щекам ее снова потекли слезы.

Джек быстро взглянул на нее, но сразу же отвел глаза.

– Ты мне не говорила, что веришь в бога, – сухо ответил он. Джек сочувствовал Аманде, но, жалея ее, он одновременно жалел и себя. Ему казалось, что его обманули, предали, и от этого его гнев разгорался с еще бóльшей силой. Она не имела права обходиться с ним

1

Автомобильный пул – кооперация живущих за городом соседей-автовладельцев, которые договариваются по очереди возить друг друга на работу или доставлять детей в школу.

подобным образом! Дорианна, к примеру, никогда бы так не поступила.

– Нет, я вовсе не так религиозна, – тихим, но твердым голосом отозвалась Аманда, когда Джек затормозил перед крыльцом ее дома. – Но ребенок – это совсем другое дело. Я просто не могу поступить с ним так, словно он... какой-то неодушевленный предмет.

Джек посмотрел на нее.

– У меня тоже есть свои чувства, – ответил он. – И, что бы ты ни говорила, переубедить меня тебе вряд ли удастся. Я не хочу принимать никакого участия в том, что ты задумала. Я даже знать об этом не желаю! Если ты сделаешь аборт, я поддержу тебя всем, чем смогу. Я найду тебе лучших врачей, лучшую клинику, я буду с тобой столько, сколько понадобится, я буду плакать вместе с тобой и буду утешать тебя. Но я не хочу стать отцом в шестьдесят лет, и ты меня не заставишь. Я буду от всего отказываться, даже если дело дойдет до суда.

И он действительно собирался поступить именно так, как сказал, – Аманда поняла это по его решительному взгляду и крепко сжатым челюстям.

– Другие мужчины твоего возраста, наоборот, гордятся тем, что они стали отцами. Половина мужчин, которые сидели в очереди у гинеколога вместе со своими тридцатилетними женами, даже старше тебя! – бросила она, и Джек сморщился, словно от удара.

– В таком случае они просто выжили из ума или никогда его не имели, – отрезал он. – Я сказал тебе, что́ я думаю о нашей ситуации, и не сомневаюсь, что это – единственно правильное решение. Если ты оставишь ребенка, Аманда, ты больше меня не увидишь. Я не собираюсь играть в эти игры.

– В таком случае прощай! – крикнула Аманда, и ее лицо исказилось от внезапного приступа ненависти. – Это твоя жизнь, и ты можешь делать с ней все, что тебе угодно, а со своей жизнью я разберусь сама. Моя жизнь – это моя жизнь, мое тело – мое, и ребенок тоже будет только моим, и ты не получишь ни того, ни другого, ни третьего. Можешь убираться к черту, Джек Уотсон! Ступай к своим подружкам, которые от тебя без ума. Желаю тебе сделать по ребенку каждой, – честное слово, ты этого заслуживаешь!

– Спасибо и на этом, – ответил Джек, но Аманда уже выскочила из машины, с такой силой хлопнув дверцей, что внутри все задребезжало. Взбежав по ступенькам, она быстро открыла входную дверь и исчезла за ней. На Джека она ни разу не оглянулась.

Через пять секунд после того, как Аманда закрыла за собой дверь дома, она услышала шум двигателя отъезжающего «Феррари». Джек уехал, и она села на стул прямо в прихожей и разрыдалась. Она его потеряла. Она потеряла все, что у нее было, но сдаваться Аманда не собиралась. У нее просто не было выхода. Она хотела выносить и родить этого ребенка.

Вот только что, ради всего святого, она скажет Луизе и Джен?..

Глава 9

Следующие три дня обернулись для них обоих настоящим кошмаром. Джек так нервничал, что впервые за пять лет накричал на Глэдди, хотя та ни в чем не провинилась. К счастью, она быстро сообразила, что у шефа какие-то серьезные неприятности, а тот факт, что Аманда Роббинс перестала ему звонить, помог Глэдди в общих чертах представить, что могло произойти. Но от этого ей было нисколько не легче. Джек вел себя как раненый носорог, он ни с кем не мог разговаривать нормально и даже не отвечал на звонки Пола.

Что касалось Аманды, то она снова заперлась в своем доме – как и тогда, когда оплакивала покойного мужа. Луизу, неожиданно приехавшую к ней вместе с внуками, Аманда не приняла, сославшись на сильную мигрень. И она действительно выглядела так, словно была очень больна.

В конце концов Луиза позвонила сестре, чтобы спросить, что такое случилось с их матерью, но Джен знала немногим больше ее. Единственное, что ей было известно, это то, что Джек, точно так же, как и Аманда, перестал разговаривать с Полом.

– Не иначе, наши голубки разругались! – заметила Луиза. – Слава тебе господи, слава тебе! Аллилуйя!

– Перестань, Лу! – сердито оборвала ее Джен, и Луиза от удивления чуть не поперхнулась.

– Ты что, играешь на их стороне? – спросила она.

– Н-нет... – Джен несколько смутилась. – Я их попрежнему не одобряю, но ведь папа умер... А мама и Джек действительно взрослые люди, и, наверное, у них есть право поступать так, как им хочется, так что пока они не выставляют свои отношения напоказ...

– Они не взрослые, а просто старые, – перебила Луиза. – И то, что они делают, отвратительно. Разве ты так не считаешь?

– Помнится, когда папа умер, кто-то говорил, что у мамы есть право на свою личную жизнь и все такое. Ты не знаешь, кто бы это мог быть? – едко осведомилась

Джен. – И мне почему-то начинает казаться, что мы не должны не только вмешиваться в мамины дела, но и осуждать ее. Кто мы такие, чтобы одобрять или не одобрять ее поступки?

– Господи, да что с тобой такое, Джен? – удивилась Луиза. – Где тебя напичкали всей этой дребеденью насчет «соринки в глазу ближнего и бревна в своем»? Уж не начала ли ты посещать воскресную школу?.. Она – твоя мать, но она ведет себя как последняя шлюха. Сама посуди – завести интрижку в пятьдесят лет, и с кем?! С таким же стариком! Разве это в порядке вещей?

– Но она одинока, Лу. И я думаю, что мама может встречаться с кем хочет, возраст тут не имеет значения. А вот мы повели себя не очень красиво, когда мама захотела поделиться с нами своей радостью. Мы даже не поняли, чтó это может для нее значить.

– Не знаю, как ты, а вот я все отлично поняла, – парировала Луиза. – Надеюсь, Джек все-таки бросил ее.

– Может быть, это мама послала его куда подальше.

– В общем, это был один из них, – подвела итог Луиза. – И я считаю, что это хорошо. По крайней мере, они не успели сделаться посмешищем всего Лос-Анджелеса...

Наступил уик-энд, но Аманда по-прежнему никого не принимала и ни с кем не желала разговаривать. Целыми днями она сидела дома и плакала, не в силах справиться с собой. Должно быть, как справедливо заметил Джек, ее организм вырабатывал слишком много гормонов, а может, все дело было в том, что она потеряла Джека. По временам ей снова начинало казаться, что жизнь кончена и что в будущем ее не ждет ничего хорошего, однако стоило Аманде подумать о крошечном живом существе, которое должно было появиться на свет через семь месяцев, и на ее распухшем от слез лице появлялась робкая, как зимняя заря, улыбка. Ребенок мог стать смыслом ее новой жизни – она знала это твердо, – и все же Аманда плохо представляла себе, как она будет существовать без Джека. В последний раз они виделись в тот день, когда вместе ездили в клинику. С тех пор Джек ни разу к ней не заехал и ни разу не позвонил.

А Джек с каждым днем переживал все сильнее. Он орал на своих служащих, которым случалось чем-то ему не угодить, и каждый день оставался на работе далеко за полночь, стараясь загнать себя настолько, чтобы усталый мозг уже не мог воспринимать горькую реальность. Но, вернувшись в свою городскую квартиру или в домик в Малибу, он садился на диван и сидел, тупо глядя в пространство перед собой. Джек очень старался не думать об Аманде, но он не мог не вспоминать о том, как она предала и оттолкнула его, и эти мысли наполняли его болью и обидой.

Джек никак не мог поверить в то, что они с Амандой расстались. Как она могла так с ним поступить, снова и снова спрашивал он себя и не находил ответа. В беременности Аманды не было ее вины или, вернее, почти не было; высшим актом предательства казалось ему именно ее непонятное желание оставить ребенка. Мысль об этом доводила Джека до белого каления, но каждый раз, когда он начинал закипать, словно чайник на огне, ему вдруг вспоминались ее улыбка, ее взгляд, обращенные к нему ласковые и нежные слова, и Джек сразу же остывал. Особенно часто ему вспоминалось ее лицо, каким оно становилось, когда он занимался с ней любовью, или как она выглядела, когда он просыпался на рассвете, а она еще спала, доверчиво прижавшись к его плечу или, наоборот, разметавшись на подушках. Ему очень не хватало ее лица, ее ласк, ее нежных слов — не хватало так сильно, что порой Джеку начинало казаться, что он просто не перенесет разлуки с Амандой.

С самого начала Джек принял твердое решение не звонить Аманде и не пытаться что-либо узнать о ней другими путями, однако сказать оказалось гораздо легче, чем сделать. Он не мог не думать о своей потерянной любви. Аманда — в этом имени для него соединилось все, о чем он мечтал, чего хотел, в чем отчаянно нуждался, и это начинало сводить его с ума. Несколько раз Джек ловил себя на том, что обращается к ней так, словно она находится рядом, и спохватывался только тогда, когда не получал ответа. Даже свои воскресные прогулки по пляжу в Малибу Джек забросил — слишком многое здесь напоминало ему о тех временах, когда они с Амандой бродили, взявшись за руки, по влажному песку и разговаривали обо всем — или же молчали, глядя друг на друга. Несколько раз Джек просыпался по ночам от звука собственного хриплого голоса, звавшего ее по имени, или же от слез, которые начинали течь по его лицу, стоило ему забыться сном. Ничего подобного с ним раньше не случалось, и скоро Джек понял, что больше не может этого выносить. Он должен был позвонить Аманде.

С этим желанием он боролся целую субботу, но наконец не выдержал и, когда часы на камине пробили восемь, взял в руки трубку телефона. Набирая знакомый номер, Джек еще не знал, что, собственно, он собирается ей сказать. Ему достаточно было бы просто услышать ее голос, хотя бы простое «алло». Видеться с ней или просить о встрече он не собирался: теперь это было бессмысленно, к тому же Джеку не хотелось еще глубже погрузиться в пучину безумия, которое и так засасывало его.

Но когда его наконец соединили, он наткнулся на автоответчик. Аманда так и не взяла трубку, хотя он перезвонил еще раз и долго не давал отбой, надеясь, что она подойдет. О том, что Джек звонил, Аманда узнала только на следующий день, когда проверяла записанные на пленке сообщения. В последнее время она совершенно перестала отвечать на вызовы и автоответчик включала больше по привычке, чем по необходимости. В первые дни после разрыва с Джеком она проверяла пленку чуть не каждые полчаса, но к выходным совершенно отчаялась.

И вот теперь, когда Джек наконец-то напомнил о своем существовании, Аманда с трудом могла в это поверить. Она уже начинала бояться, что он исчез из ее жизни навсегда, но голос на пленке, хоть и звучал напряженно, неуверенно, был реальностью.

Его сообщение Аманда прослушала дважды. Джек говорил, что хотел узнать, все ли у нее в порядке и как она себя чувствует. Потом он повесил трубку. Через минуту последовал еще один звонок; на этот раз пленка осталась чистой, но Аманда догадалась, что это снова был Джек.

Она стерла его сообщение и снова легла. В последнее время она испытывала страшную усталость и старалась поспать подольше или по крайней мере просто поваляться в кровати. Аманда припоминала, что подобным же образом она чувствовала себя и в две первые свои беременности, но тогда ей почему-то было значительно легче. Может быть, тогда она была моложе, а может, все дело было в любви и заботе, которыми Мэтт окружил ее, как только узнал о том, что она в положении. Сейчас же она слишком хорошо ощущала и свои пятьдесят лет, и свое одиночество, и предательство Джека. Аманда спала по четырнадцать-шестнадцать часов в день, но сон не приносил облегчения, и усталость не отступала.

Она так и не перезвонила ему, и во вторник Джек, решивший, что, возможно, ее автоответчик не сработал, повторил свою попытку. На этот раз он позвонил Аманде из своего кабинета, когда у него выдалась свободная минутка между двумя деловыми встречами, и слово в слово повторил свое первое сообщение.

Аманда обнаружила его на пленке вечером того же дня. Почему он звонит, задумалась она. Зачем? Что ему от нее нужно? Свою точку зрения Джек высказал с предельной откровенностью, и у Аманды не было ни необходимости, ни желания снова встречаться с ним. Даже звонить Джеку по телефону она не хотела. К чему? Ведь все ясно!

И все же, слыша его голос, она не удержалась от слез. Все еще всхлипывая, она вернулась в постель, предварительно достав из холодильника вазочку с мороженым. Кроме него, она все равно ничего больше не могла есть.

Теперь она отвечала только на звонки дочерей. Аманде по-прежнему не хотелось, чтобы они приезжали, поэтому она почла за благо позвонить им и сказать, что серьезно простудилась и что дочерям лучше пока воздержаться от визитов, чтобы не заразиться самим. Она даже пообещала, что сама заедет к ним, когда ей станет лучше, но ни Джен, ни Луиза ей не поверили.

– По-моему, она врет, – заявила Луиза, позвонив Джен вечером во вторник. – У нее совершенно здоровый голос, так что никакого гриппа нет и в помине. Должно быть, у нее очередной нервный срыв.

– Почему бы тебе не оставить маму в покое? – сердито возразила ее сестра, и Луиза даже обиделась. Но когда вернулся с работы Пол, Джен сказала ему, что, по ее мнению, роман кончен, и он с ней согласился. В последнее время его отец был похож на рассвирепевшего быка, что было для него совершенно не характерно. Разрыв с Амандой мог быть единственным объяснением его неуравновешенного состояния.

– Я виделся с ним сегодня после обеда, – заметил Пол. – Папа выглядит так, словно он уже неделю не причесывался, и бросается на всех как... как не знаю кто. Я думаю, Аманда послала его куда подальше, вот он и бесится.

– Может быть, это он бросил ее. Это было бы вполне в стиле твоего отца, – возразила Джен. Она уже несколько раз задумывалась, не они ли виноваты в том, что счастье матери оказалось столь недолговечным. Аманда ничем не заслужила такого отношения к себе со стороны дочерей, и Джен казнила себя за эгоизм и нетерпимость, но поправить дело было уже нельзя. Она, во всяком случае, не знала, как это сделать.

Приходящая прислуга снова застала Аманду все еще в постели. Она грызла яблоко и смотрела телевизионную программу. С некоторых пор Аманда пристрастилась к дневным и вечерним телесериалам и ток-шоу, в которых несчастные, брошенные женщины рассказывали об изменах своих мужей, и пролила немало горьких слез, оплакивая судьбы героинь этих передач.

– Скоро я стану толстой и противной старухой! – сказала однажды Аманда, обращаясь к телевизору. Она только что уничтожила фунта два яблок и две огромные порции сливочного мороженого. Есть яблоки ей посоветовал врач, чтобы пополнить запасы железа в организме, но Аманда предпочла бы питаться железными опилками. Яблоки она не переносила с детства, однако рекомендаций врача придерживалась. Мороженое по-прежнему оставалось основой ее рациона.

– Ну и что? – ответила она сама себе. Да, она будет толстой-претолстой, неопрятной старухой, с которой не захочет разговаривать ни один приличный человек, а Джеку Уотсону и горя мало. Наверняка этот подонок снова начал крутить со всеми этими звездами и фотомоделями.

Но Аманда ошибалась. Джек ни с кем не встречался. Он продолжал кричать на Глэдди и разносить в пух и прах своих менеджеров, а продавщицы, завидев его в торговом зале, начинали трепетать. Ни один человек не мог чувствовать себя рядом с ним спокойно. Джек в любой момент мог сорваться, обидеть ни за что ни про что, даже оскорбить. Этот кошмар продолжался полных две недели, и в конце концов Глэдди не выдержала.

– Послушайте, мистер Уотсон, не могли бы вы сделать мне одолжение, – заявила она однажды. – Поговорите с ней по душам. Может быть, вы сумеете о чем-то договориться, потому что иначе вы сведете себя с ума. И себя, и всех нас. Две продавщицы уже подали заявление об уходе, и я их понимаю. Я сама подумываю о том же. С вами стало невозможно работать. Вы мечетесь, как раненый зверь, и набрасываетесь на каждого, кто попадается вам навстречу. Так больше нельзя. Позвоните ей, мистер Уотсон.

Джек оторопело посмотрел на Глэдди. Его поразила не столько осведомленность ее, сколько то, что вместо привычного, домашнего «шеф» она назвала его «мистер

Уотсон». Это прозвучало так холодно и официально, что Джек невольно вздрогнул.

– Откуда ты знаешь, что я... что мы не разговариваем? – удивленно спросил он. На самом деле он уже привык к тому, что Глэдди всегда все знает, просто ему нужно было хоть что-нибудь сказать.

Глэдди фыркнула.

– Вы давно заглядывали в зеркало, мистер Уотсон? По-моему, вы бреетесь не чаще двух раз в неделю. Одному богу известно, когда вы в последний раз причесывались, к тому же вы четвертый день подряд являетесь на службу в одном и том же костюме. – Тут Глэдди вздохнула. Только крайняя степень беспокойства способна была подвигнуть ее на подобное проявление нелояльности, однако отступать она не собиралась. – Вы стали похожи на бродягу, шеф, – сказала она. – Поверьте мне, это уже бросается в глаза. Я не хочу лезть в ваши личные дела, но ваш вид начинает... влиять на бизнес.

– Я... я действительно совсем распустился, и мне очень жаль... – пробормотал Джек с виноватым и расстроенным видом. Ему действительно было очень скверно. Так плохо ему не было даже тогда, когда он потерял Дори. Когда она погибла, Джек по крайней мере знал, что никакими усилиями ему не удастся вернуть ее оттуда, куда она ушла, но Аманда была здесь, совсем рядом... и с тем же успехом она могла находиться на Марсе. Он все равно не мог до нее дотянуться. Но самое страшное заключалось в том, что Джек по-прежнему любил ее, хотя и обошелся с ней как настоящий подонок. Неудивительно, что она никак не реагировала на его звонки и сообщения, оставленные на автоответчике. Джек звонил ей уже пять раз, но так и не дождался ответа. И теперь он знал, что Аманда просто не хочет с ним разговаривать.

– Позвоните ей, – повторила Глэдди, но Джек покачал головой.

– Я звонил, но... Она не берет трубку. Должно быть, она не желает со мной разговаривать, – ответил он печально, и Глэдди с материнской нежностью потрепала его по плечу.

– Поверьте, шеф, она хочет с вами поговорить, – сказала Глэдди уверенно. – Вряд ли ей сейчас лучше, чем вам. А могу я спросить, что же между вами произошло?

Женская интуиция подсказывала Глэдди, что в их разрыве Джек был виноват больше, чем Аманда Кингстон, иначе бы он так не казнился. Подобное поведение вообще было не в мужском характере. Если бы в ссоре виновата была Аманда, Джек, как свойственно всем мужчинам, попытался бы отомстить ей, возобновив свой секс-марафон.

– Я... ничего... – пробормотал Джек и покраснел. – Прости, Глэдди, но я не думаю, что тебя это касается.

– Ну что ж, вероятно, вы правы, – согласилась секретарша. – И все же, почему бы вам не сделать первый шаг к примирению? Если миссис Кингстон не отвечает на ваши звонки, поезжайте к ней сами.

– Я не могу, – признался Джек. – Она меня просто на порог не пустит, и будет права. Я бросил ее, когда она во мне больше всего нуждалась, а теперь... – Он неожиданно выпрямился и, схватив Глэдди за плечи, слегка встряхнул. – Я угрожал ей, Глэд! Я... я поступил как трус, как последний негодяй!

– Успокойтесь, Джек, я думаю, она все равно вас любит, – ответила Глэдди. – Женщины часто поступают нелогично. Многие из них могут терпеть подлецов и негодяев довольно долго, а некоторые даже способны их любить. Поезжайте к ней, Джек!..

– Я не могу, – растерянно ответил он, и Глэдди досадливо тряхнула головой.

– Хотите, я сама отвезу вас туда?

– Спасибо, Глэдди! Завтра же мы поедем к Аманде!

– Сейчас, – твердо сказала Глэдди, откладывая в сторону свой блокнот. – Сегодня у вас больше нет никаких деловых переговоров, а если бы и были, на них все равно нельзя являться в таком виде. Кроме того, персонал будет рад, если сегодня вы уедете пораньше – в последнее время вы стали совершенно невыносимы. Сделайте всем приятное, шеф, повидайтесь с ней сегодня. Иначе ваши служащие пошлют миссис Кингстон коллективное письмо с просьбой принять вас обратно. И я первая под ним подпишусь.

– Никогда не знал, что ты такая настырная, – проворчал Джек и впервые за две недели улыбнулся. Выражение его лица сразу смягчилось, а в глазах затеплился огонек надежды. – Спасибо тебе, Глэд... – Он с признательностью посмотрел на секретаршу и кивнул. – Я поеду, но, если Аманда не откроет или не впустит меня, я вернусь... И тогда – берегитесь!

– Как бы не так, – пробормотала Глэдди, но Джек уже не слышал ее. Отступив от нее на шаг, он кинулся к дверям, спеша поскорее попасть туда, куда его влекло все это время. Только бы она открыла, думал Джек, только бы впустила его, и тогда он честно расскажет ей обо всем, о чем он думал и что пережил за эти несколько дней.

Через пять минут Джек уже затормозил у парадных

дверей ее особняка в Бель-Эйр. Оставив «Феррари» на дорожке, он легко взбежал по ступенькам и нажал на кнопку звонка, но никто не отозвался, и Джек со страхом подумал, что Аманды может не оказаться дома. Дверь гаража была заперта, и Джек не мог знать, на месте ли ее машина. Поэтому он решил обойти дом и постучать в дверь черного хода или в окно.

В окне спальни горел свет.

Аманда лежала в постели и смотрела «Оперу», когда в окно кто-то постучал. Сначала она подумала, что это птица или соседская кошка вспрыгнула снаружи на подоконник, но, когда стук повторился, Аманда запаниковала. Она решила, что это, возможно, какой-нибудь грабитель, который проверяет, есть ли кто-нибудь дома. Сначала Аманда хотела позвонить по 911, но потом любопытство пересилило. Спустив ноги с кровати, она на цыпочках прошла в ванную комнату и, встав так, чтобы дотянуться до кнопки охранной сигнализации, чуть-чуть отодвинула плотную занавеску.

Она сразу увидела его, но не сразу узнала. Джек выглядел совершенно ужасно. Лицо его заросло щетиной, волосы были растрепаны, пиджак – помят. Во всем его облике было что-то жалкое. Аманда и предположить не могла, что их разрыв может так сильно подействовать на Джека.

Тем временем Джек снова поднял руку, чтобы постучать в стекло, и Аманда, поспешно открыв окно ванной комнаты, высунулась наружу.

– Джек?! Что ты здесь делаешь?

Джек повернулся к ней, и возглас удивления слетел с его губ. Аманда очень изменилась – теперь она выглядела немногим лучше его. Волосы ее не были уложены, как обычно, – сейчас Аманда просто стягивала их на затылке резинкой. Косметикой она тоже не пользовалась, и на ее мертвенно-бледном лице четко выделялись темные, как у енота, круги под глазами и пигментные пятна на лбу. Глаза у Аманды припухли, и Джек догадался, что, наверное, она недавно плакала. И все равно она показалась ему прекраснее всех женщин на свете!

Он так и стоял с поднятой рукой, и Аманда – не то от растерянности, не то от неожиданности – прикрикнула на него:

– И перестань барабанить – ты разобьешь стекло!

– Тогда открой мне дверь, – хрипло сказал он и улыбнулся, но Аманда только покачала головой.

– Я не хочу тебя видеть, – решительно ответила она, закрывая окно, но Джек уже был рядом и смотрел на нее сквозь стекло.

Аманда была не в силах отойти от окна. Только сейчас Аманда поняла, как сильно любит его. Она была счастлива видеть его – и сама же ненавидела себя за это.

– Уходи! – произнесла она одними губами и взмахнула рукой, словно прогоняя его, но Джек, встав на какой-то чурбачок, прижался лицом к стеклу и состроил такую уморительную гримасу, что Аманда не сдержалась и прыснула.

– Открой мне, пожалуйста! – жалобно произнес он. Стекло было толстым, и Аманда скорее угадала, чем услышала эти слова. Почти минуту она раздумывала, потом вдруг опустила занавеску и исчезла из вида. Джек не знал, что и думать, однако через несколько секунд он услышал, как щелкнул замок в двери черного хода, и снова увидел ее. Аманда стояла на пороге босиком, в одной рубашке, и сердце Джека забилось сильнее. Он хорошо помнил эту ночную рубашку, хотя в постели с ним Аманда предпочитала вообще обходиться без белья.

– Я не думал, что могу разбудить тебя, – промолвил он, чувствуя какую-то странную неловкость. Времени было всего пять часов, и яркое калифорнийское солнце стояло довольно высоко.

– Я уже две недели сплю, как сурок, – серьезно ответила она. – Просыпаюсь только затем, чтобы наесться мороженого и посмотреть «Оперу». Конечно, от такой жизни я стану толстой и безобразной, но мне плевать. Теперь я ко многому отношусь совсем не так, как раньше. Что же ты не проходишь, Джек?

И она жестом пригласила его следовать за собой.

Пройдя через короткий коридор, где ощутимо пахло стиральными порошками, Джек вошел в кухню и остановился в нерешительности. И тут Аманда повернулась и пристально посмотрела на него. Ее лицо было таким усталым и таким беззащитным, что сердце Джека сжалось. Как же он мог оставить ее? Как он мог быть таким тупым и бесчувственным? Теперь это не укладывалось у него в голове.

– Так зачем ты приехал? – снова спросила она, и Джек почувствовал, что слова застревают у него в горле. Но больше он не хотел обманывать ни ее, ни себя.

– Зачем?.. Я хочу сказать тебе, что я был идиотом и что я люблю тебя! Это Глэдди меня заставила, – добавил он с вымученной улыбкой. – Она сказала, что в последнее время меня невозможно выносить. Я действительно вел себя ужасно... А почему ты не отвечала, когда я тебе звонил?

У него было такое обиженное лицо, что Аманда поспешно отвернулась и взялась за дверцу холодильника.

– Хочешь мороженого? – спокойно, словно она не слышала его признания, поинтересовалась Аманда.

Джек улыбнулся. Предложение Аманды напомнило ему другие дни, когда после жарких объятий они вместе ели мороженое, лежа в кровати. Любимым мороженым Аманды было кофейное, но только до тех пор, пока...

– Тебе ванильное или клубничное? – спросила Аманда.

– Ты что, все эти две недели ничего больше не ела? – удивился Джек, и его лицо сделалось озабоченным.

Аманда отрицательно покачала головой.

– Только мороженое и яблоки. Я их ненавижу, но доктор сказал, что маленькому нужно железо.

– А мороженое не повредит... ребенку? – спросил Джек.

– Тебе-то какая разница? – Аманда посмотрела ему прямо в глаза, и Джек смутился.

– Я, в общем-то... – промямлил он.

– Какая трогательная забота! Особенно после того, как ты пытался заставить меня убить его. – С этими словами Аманда сунула ему в руки вазочку с мороженым, и они оба сели к столу, друг напротив друга.

– Я вовсе не хотел убить его, – пробормотал Джек, низко опустив голову. – Я просто опасался за... за свой разум и за нас с тобой. Я хотел спасти нашу любовь... но за твой счет. Я сам все разрушил, – закончил он печально. – Я повел себя как настоящий трус и подлец. Мне очень жаль, Аманда...

С этими словами он отодвинул от себя вазочку с мороженым и, подняв голову, посмотрел прямо на нее.

– Пойми ты меня. Я был слишком потрясен. Я никак не ожидал, что ты можешь залететь...

Он повторял то, что уже говорил раньше, и Аманда невесело улыбнулась.

– Ты не ожидал от меня такого коварства... – Она вздохнула. – Что ж, я тоже не ожидала, что все так повернется.

Ей неожиданно пришло в голову, что ее положение было вдвое тяжелее, чем у Джека. В один миг она потеряла любимого мужчину, а взамен получила ребенка. Она не хотела ни того, ни другого, но это случилось, и ничего с этим поделать было уже нельзя.

– Мне тоже очень жаль, Джек, но... – Она протянула руку через стол, и Джек сжал ее пальцы в своих ладонях.

– Твоей вины здесь нет. Вернее, почти нет... – Он знал, что Аманда никогда не обманывала его. Ни ей, ни ему просто не приходило в голову, что в этом возрасте им необходимо предохраняться. Время от времени они шутили на эту тему, но не более. Когда же Джек благополучно прошел проверку на СПИД и предложил Аманде отказаться от презервативов, она сразу же согласилась. О том, что Аманда может забеременеть, не думал ни один из них.

– Как ты себя чувствуешь? – спросил он.

– Нормально. – Аманда пожала плечами. – По-моему, я поправилась, ты не находишь? На мороженом я набрала фунтов пять.

– Я бы не сказал, что это бросается в глаза, – ответил Джек. Правда, ее лицо слегка округлилось, а в глазах появился какой-то особенный свет, но Джек склонен был приписывать это материнству, а не телесному довольству. Когда его жена Барбара носила сначала Джулию, а потом Пола, от нее тоже исходила какая-то особенная аура, которая делала ее привлекательной и милой, несмотря на изменившуюся фигуру и утиную походку. – Ты красива, как никогда, – искренне сказал Джек.

– Должно быть, это прическа... – Аманда печально улыбнулась и потрогала свой «конский хвост». Видеть Джека ей было невыносимо тяжело. Его лицо, голос, жесты – все напоминало ей о том, как они были счастливы и как ей не хватало его все это время. Аманда по-прежнему не знала, зачем он приехал, но про себя она решила, что они должны расстаться без упреков и обид, как двое разумных, взрослых людей. Не то чтобы она этого хотела, просто ей казалось, что так будет лучше для них обоих. Или для всех троих, считая маленького, потому что, если они с Джеком расстанутся по-человечески, он, возможно, когда-нибудь захочет взглянуть на ребенка.

– Ты... ты, наверное, не согласишься поужинать со мной? – спросил Джек почти жалобно. – Я хотел пригласить тебя в «Тридцать один аромат» или в «Бен и Джерри».

– Зачем? – Аманда и вправду не видела в этом никакого смысла.

– Ни за чем, просто так... Просто потому, что я скучал по тебе все это время. В последние две недели я был просто сам не свой. Глэдди даже собралась уходить от меня – вот каким я стал...

– Я тоже чувствовала себя не лучшим образом, – ответила Аманда, слегка наклонив голову. – Моя жизнь теперь совершенно изменилась – я целыми днями сплю или ем мороженое. И еще пла́чу, когда по телевизору показывают что-нибудь особенно сентиментальное.

– Как жаль, что меня нет с тобой рядом – мы бы плакали вместе.

– Я тоже часто об этом жалела, – серьезно сказала Аманда и отвернулась. Ей было слишком больно смотреть на него, слышать его, вдыхать его запах...

Джек вдруг вскочил из-за стола и заметался по кухне.

– Я люблю тебя, Аманда! – выпалил он. – Я люблю тебя и хочу быть с тобой. Если ты меня простишь, я... Я обещаю, что никогда больше не обижу тебя и не сделаю тебе больно. Я сделаю все, что ты хочешь. Если ты решишь рожать, я буду покупать нашему ребенку туфельки и распашонки, я буду покупать тебе мороженое, я буду пылинки с вас обоих сдувать! Поверь, Аманда, я очень не хочу потерять тебя. Мне кажется, я этого просто не переживу!

Аманда не верила своим ушам. Голос Джека дрожал, а в глазах стояли слезы.

– Ты... ты это серьезно?

– Насчет мороженого? Абсолютно... Да. Я люблю тебя, Аманда, и не допущу, чтобы ты осталась без поддержки в... в это трудное время. Ты, конечно, настоящая сумасшедшая, но ведь это и мой ребенок тоже. Помоги нам, господи!.. – Он поднял глаза к небу. – Только не смейся надо мной, когда я сойду с ума и начну расхаживать с колясочкой по проезжей части. Лучше найми мне сиделку, которая знает, как ухаживать за слабоумными. Обещаешь?

– Я сделаю для тебя все, что ты захочешь, – ответила с улыбкой Аманда, и Джек порывисто заключил ее в объятия.

– Я так люблю тебя! – прошептала она. – Когда ты ушел, я думала, что умру!

– Мне тоже так казалось, – ответил он и крепче

прижал ее к себе. – Господи, Аманда... Я не хочу, не могу тебя потерять.

Его лицо неожиданно стало серьезным, и он спросил, должны ли они теперь пожениться.

– Не обязательно, – со счастливой улыбкой ответила Аманда и покачала головой. – Во всяком случае, я от тебя этого не жду. Я знаю – с твоей стороны это будет слишком большая жертва.

– Ты не ждешь, но, может быть, мой сын захочет, чтобы его родные жили в законном браке. Как насчет того, чтобы спросить его мнение?

– А может, это будет девочка? – лукаво улыбнулась Аманда.

– Давай не будем сейчас говорить о второстепенном, ладно? Я и так слишком волнуюсь. Так что, мы поженимся или нет?

Судя по выражению его лица, он был готов мчаться в мэрию прямо сейчас, и Аманда не сдержала улыбки. Но ее ответ оказался совсем не таким, какого Джек ожидал.

– Нет, мы не поженимся, – сказала она. – Ведь это совсем не обязательно, верно? Нет такого закона, где было бы написано, что мы обязательно должны оформить наши отношения официально. Может быть, позднее мы и поженимся, а может быть, и нет. Сначала надо посмотреть, что получится из наших с тобой отношений.

– Ни за что бы не подумал, что вы придерживаетесь столь передовых взглядов на брак и семью, миссис Кингстон.

– Ничего подобного, Джек. Просто я люблю тебя и не хочу ни к чему принуждать – вольно или невольно.

К этому времени они были уже в спальне, и Джек, крепко обняв Аманду, целовал ее щеки, губы и волосы. Он вернулся к ней – в эти минуты Аманда способна была думать только об этом и еще о том, что больше не отпустит его от себя. Никогда.

Она сама не поняла, как это случилось, но ее ночная рубашка вдруг оказалась на полу, и его одежда – тоже. К тому же они уже не стояли, а лежали в постели – в той самой, где они впервые занимались любовью и в которой, возможно, был зачат их ребенок. Аманду больше не смущало, что когда-то эту кровать она делила с Мэттом. Теперь это была кровать ее и Джека, и ничья больше. И когда он начал медленно и нежно ласкать ее, она снова почувствовала себя желанной и любимой.

Потом, лежа в объятиях друг друга, они говорили о том, что будут делать дальше, строили планы на будущее и размышляли о том, как им сказать детям о предстоящем событии.

– Просто не могу дождаться, когда можно будет сказать им о том, что у нас будет ребенок, – с облегчением рассмеялся Джек. – Интересно поглядеть, какие у них будут лица... Конечно, наш последний семейный ужин не слишком удался, но это только цветочки по сравнению с той бурей, которая нас ждет.

Он сказал это таким тоном, что Аманда тоже засмеялась. Да и что бы ни сказали дети, ничего уже нельзя изменить.

– Ты меня любишь? – спросила она неожиданно и повернулась к нему.

– Очень. Ты даже не можешь себе представить, как сильно я тебя люблю, – уверенно ответил Джек. – Я люблю тебя больше всего на свете, больше самой жизни... А почему ты спросила?

– Мне хотелось знать, достаточно ли сильно ты меня любишь, чтобы принести из холодильника мороженое, – ответила она серьезно, и Джек, фыркнув, приподнялся на локте.

– У меня появилась замечательная идея, – сказал он. – Давай купим самый большой холодильник, который только есть на свете, поставим его прямо в спальне и набьем его всеми существующими сортами мороженого. Как ты на это смотришь?

– Это действительно очень интересная, свежая мысль, – согласилась Аманда, и Джек снова поцеловал ее.

Но прошло еще довольно много времени, прежде чем они снова вспомнили о мороженом.

Глава 10

На этот раз они решили не обманывать себя и не рассчитывать на то, что их дети будут счастливы выслушать от них еще одну сногсшибательную новость. Обсуждая с Джеком этот вопрос, Аманда решила не готовить никакого особенного угощения, а просто пригласить детей к себе домой на коктейль. Этим они решали сразу несколько проблем. Семейный ужин предполагал долгое сидение за столом, всеобщую неловкость, тягостное молчание, бурные эмоции и обвинительные речи. Коктейль-раут, напротив, был коротким, почти официальным мероприятием, которое сводило неприятные последствия к минимуму – во всяком случае по времени. Аманде непременно хотелось объявить детям о своей беременности всем сразу, а там – будь что будет. По крайней мере, на этот раз и она, и Джек были готовы к тому, что их новость будет воспринята в штыки.

В назначенный день, ровно в четверть седьмого, приглашенные собрались в доме Аманды. Джулия, приехавшая на этот раз без мужа, была приветлива и мила; Джен и Луиза держались настороженно; Джерри, как и в прошлый раз, старательно демонстрировал полный нейтралитет. Что касалось Пола, то он держался с отцом намного приветливее, чем обычно, и Джек, улучив минутку, шепнул Аманде, как, оказывается, бывает полезно побыть с собственными детьми букой. После этого, заявил он, они становятся шелковыми.

На самом же деле оживление Пола, равно как и напряженность Лу и Джен, объяснялось тем, что они все между собой обсудили и пришли к выводу, что Джек и Аманда хотят объявить им о своем намерении пожениться. Им это очень не нравилось, а Луиза прямо сказала, что хочет попытаться отговорить мать «от этой глупости». Но, по крайней мере, они знали – или думали, что знают, – чего ожидать от впавших в старческий идиотизм родителей.

Как и в прошлый раз, они расположились в гостиной, и Джек подал напитки. Себе и Полу он налил скотч, остальные пили вино, и только в бокале Аманды была безалкогольная шипучка, которая, впрочем, со стороны была похожа на джин с тоником.

Луиза первой пригубила вино и, пока остальные хранили вежливое молчание, решила начать без обиняков.

– О'кей, – сказала она бодро. – Не буду делать вид, что не догадываюсь о поводе нашей встречи. Так когда у вас свадьба?

– С чего ты решила? – без тени удивления спросила

Аманда. – Мы не собираемся официально регистрировать наши отношения, во всяком случае – пока. Если мы надумаем пожениться, то сможем сделать это в любое время. Вас мы пригласили совсем по другой причине. Нам кажется, вы должны знать... – Тут Аманда нервно облизнула пересохшие губы, но Джек ободряюще кивнул ей, и она закончила твердым голосом: – Дело в том, что я беременна.

Ответом ей была мертвая тишина. Казалось, можно было услышать, как упала булавка. Лицо Луизы стало белым как полотно; вытаращив глаза, она с изумлением смотрела на мать.

– Разве сегодня – первое апреля? – выдавила она наконец. – Или я забыла посмотреть в календарь? Или, может быть, я сплю? Тогда ущипните меня, чтобы я поскорее проснулась!

– Нет, ты не спишь, – покачала головой Аманда. – Ты просто не можешь поверить собственным ушам, и я понимаю тебя. Для нас с Джеком это тоже было настоящим потрясением, но от фактов никуда не денешься. Если все пойдет благополучно, то, как нам сказали, роды должны состояться в начале октября.

Аманда перевела дух и бросила быстрый взгляд на Джека, и он показал ей поднятый кверху большой палец. Она отлично справилась.

Что касалось детей, то им потребовалось чуть ли не пять минут, чтобы хотя бы отчасти прийти в себя.

– Как я поняла, аборт ты делать не собираешься? – уточнила Луиза. Как обычно, она говорила за двоих; Джен так растерялась, что не могла вымолвить ни слова. Даже Джулия на этот раз молчала – такое никому не могло прийти в голову.

– Ты правильно поняла, я не буду делать аборт. Мы с Джеком это уже обсудили, – ответила Аманда. В подробности она решила не вдаваться – для детей это все равно не имело значения. – Вы спросите почему? – продолжила она. – Просто потому, что я не хочу. В моем возрасте ребенок – это чудесный дар, и я намерена сделать все, чтобы сохранить его. Я знаю, вам трудно это понять, но... Как говорится, решение принято и обжалованию не подлежит. В конце концов, я тоже человек и имею право на собственное счастье.

В ее глазах блеснули слезы, и Джек, поспешно вскочив с дивана, подошел к ней и, сев рядом, обнял ее за плечи.

– Ваша мама, – сказал он негромко, – очень мужественная и храбрая женщина. Немногие на ее месте поступили бы подобным образом.

– Я думаю, что у нашей матери просто винтиков в голове не хватает, – резко проговорила Луиза и, встав из-за стола, сделала знак мужу, чтобы он тоже поднимался. Джерри безмолвно подчинился. Если у него и было свое мнение о происходящем, узнать его им так и не довелось. – Ты спятила, мама, – продолжала Луиза. – И ты, и мистер Уотсон тоже. Вы оба на старости лет просто выжили из ума. Похоже, вы твердо решили выставить себя и нас на посмешище и не остановитесь ни перед чем. О папе я уже не говорю – он, наверное, перевернулся в могиле! Подумать только, что бы он сказал, если бы слышал все это!

– Это моя жизнь, – твердо возразила дочери Аманда, – и я имею право поступать по своему усмотрению и принимать те решения, которые кажутся мне правильными.

– Но нас это тоже касается! – вспыхнула Луиза. – Ты должна думать и о нас, когда принимаешь эти свои решения. Впрочем, судя по тому, что мы слышали, на нас тебе наплевать. Ты...

Она хотела сказать что-то еще, но ее неожиданно прервали громкие рыдания Джен. Она тоже вскочила и смотрела на Аманду с неприкрытой ненавистью.

– Как... – всхлипывала она. – Как ты могла так поступить со мной, как ты могла?! Ты отлично знаешь, что я не могу иметь детей. А ты... в твоем возрасте... Раз – и пожалуйста... Это жестоко, мама! И подло.

Тут она покачнулась, и Пол поспешил поддержать ее. Судя по выражению его лица, он вполне разделял мнение Джен.

Через минуту обе дочери Аманды покинули особняк вместе с супругами. Джен продолжала рыдать, и Пол бережно поддерживал ее под руку. Когда же Аманда попыталась успокоить ее, Пол довольно резко повернулся:

– Оставьте нас в покое, миссис Кингстон, – заявил он. – А на будущее, я был бы вам очень признателен, если бы вы впредь держали подобные новости при себе. Что вам, черт возьми, от нас нужно? Чтобы мы вас поздравляли, чтобы прыгали от радости до потолка? Так вот, вы этого не дождетесь! Что, по-вашему, должна сейчас чувствовать Джен? Да вы оба самовлюбленные, самодовольные эгоисты!

– Я прекрасно понимаю, что чувствует Джен, – ответила Аманда, не замечая слез, которые катились и по ее лицу. – Поверь мне: меньше всего мне хотелось причинить ей боль, но что же делать?! Но ведь, в конце концов, это наша с Джеком жизнь, наши проблемы и наш ребенок, и я не понимаю...

– В таком случае желаю всего наилучшего! – ответил Пол самым саркастическим тоном. – Только не приглашай нас на крестины, папа, – добавил он, с ненавистью глядя на Джека. – Мы не придем!

Когда Пол вышел, с грохотом захлопнув за собой дверь, Аманда повернулась к Джеку и... разрыдалась.

– Что же это такое? Почему? Что я им такого сделала? – всхлипывала она, и Джек прижал ее к груди.

Когда они вернулись в гостиную, там оставалась одна Джулия. За все время она не проронила ни слова и заговорила только тогда, когда Аманда немного успокоилась.

– Мне очень жаль, папа, – сказала она. – Вам, конечно, очень нелегко, и я вам искренне сочувствую, но вы должны понять и нас. Поверьте, в некотором отношении нам гораздо труднее свыкнуться с происшедшим, чем вам. Нам это кажется противоестественным, диким, безумным... во всяком случае, пока. Но, кто знает, в конечном итоге этот ребенок может оказаться настоящим благословением небес для всех – и для нас тоже. Во всяком случае, я на это надеюсь.

– И я надеюсь, – негромко ответил Джек и, кивнув дочери, перевел взгляд на Аманду. Она с честью выдержала сегодняшнее испытание, хотя это далось ей очень нелегко. Впрочем, она с самого начала знала, что встреча с детьми будет очень тяжелой, и все-таки пошла на это. И Джек неожиданно понял, что все еще плохо знает Аманду.

Примерно через полчаса Джулия тоже уехала, и Джек с Амандой остались вдвоем. Некоторое время они просто сидели и молча смотрели друг на друга, потом Джек взял ее за руку.

— Я не знал, что это будет так тягостно, — сказал он тихо.

— А вот я знала! — Аманда горестно вздохнула. — Знала и все равно надеялась, что все как-нибудь обойдется. Знаешь, когда у тебя самого радостно на душе, подсознательно ждешь, что, стоит поделиться этой радостью со своими самыми близкими людьми, и они тут же заключат тебя в свои любящие объятия и расцелуют в обе щеки. Во всяком случае, пока твои дети не вырастают, все так и происходит. Но стоит им только достичь определенного возраста, и они начинают судить тебя очень жестко и пристрастно. Что бы ты ни делала, им кажется, будто ты делаешь это специально для того, чтобы уколоть и унизить их, и тогда они начинают злиться, обижаться и ненавидеть тебя. Лет с двенадцати-пятнадцати дети начинают думать, что твое единственное предназначение в жизни — быть им любящей матерью или заботливым отцом, и они так привыкают к этой мысли, что отказываются видеть тебя в какой-либо иной ипостаси. И когда ты пытаешься сделать что-то такое, что не укладывается в сложившийся образ, они начинают раздражаться, осуждают тебя... Они как будто забывают, что ты — живой человек. Ну почему, почему у детей, сколько бы лет им ни было, никогда не находится для родителей ни сострадания, ни хотя бы понимания?

— Быть может, потому, что мы не заслуживаем ни того, ни другого, — устало вздохнул Джек. — Они считают нас эгоистами, и не без оснований, ибо мы не всегда ведем себя идеально. Но мы по крайней мере имеем право быть эгоистами. Мы растили наших детей в любви и заботе, мы делали для них все, что могли, и теперь нам кажется, что настал наш черед. Другое дело, что они с этим не согласны, и я их понимаю, потому что, сколько бы лет мы ни прожили, для Джен и Лу, для Пола и Джулии мы всегда останемся отцом или матерью, к которым они всегда могут обратиться в трудную минуту. И в этом, Аманда, есть своя логика, которую очень нелегко опровергнуть.

Он слегка сжал ее пальцы и добавил спокойным, уверенным голосом, который всегда так успокаивал Аманду:

– В общем, я думаю, нам нужно жить, как жили, и думать в первую очередь о собственном счастье. Если наши дети смогут побороть свой эгоизм и смириться с этим – отлично. Если нет – очень жаль, но это их проблемы. Мы уже отдали им много лет своей жизни, и они не вправе требовать, чтобы мы до конца наших дней принадлежали только им, и никому больше. К тому же не забывай... – Тут Джек улыбнулся Аманде. – Скоро мы снова станем отцом и матерью, а это значит, что все начнется сначала. Вот увидишь, пройдет совсем немного времени, и наш двенадцатилетний сопляк будет упрекать меня за то, что я предпочитаю спать с его мамочкой, вместо того чтобы собирать с ним в сарае мотоцикл.

– Господи, Джек! – ахнула Аманда. – Ты умеешь собирать мотоциклы?!

– Нет, не умею, – честно признался Джек. – Но зато я умею заниматься любовью и – вот тебе мое честное слово! – я буду заниматься этим с тобой до тех пор, пока могу. Но только при одном условии. – Он хитро улыбнулся. – Ты должна будешь принимать противозачаточные таблетки по крайней мере до тех пор, пока тебе не стукнет девяносто. Потому что, если ты забеременеешь снова, я точно сойду с ума.

Тут Аманда не сдержалась и захохотала, хотя то, о

чем говорил Джек, было очень серьезно. И он скорее всего был прав. Дети, любые дети, сколько бы им ни было лет, часто считают, что родители обязаны отдавать себя своим чадам без остатка, в то время как сами они им ничего не должны. Такова была извечная основа отношений между родителями и детьми, и невозможно было изменить что-либо никакими силами. Дети оставались детьми, а родители – родителями, и любовь одних должна была быть бескорыстной и самоотверженной, в то время как любовь других оставалась эгоистичной, направленной на самих себя.

Возможно, без этого человеческий род просто не выжил бы, но ведь они говорили не обо всем человеческом роде, а о себе. И о Джен, Поле и Луизе.

– Знаешь, Джек, мне все равно очень неловко перед Джен, – со вздохом сказала Аманда, хотя слова дочери больно задели ее и обида еще не прошла.

– Мне тоже, – отозвался Джек. – И перед ней, и перед Полом. Когда ты объявила о своей беременности, у него сделалось такое лицо, словно он готов меня убить. Он смотрел на меня так, как будто я устроил все это нарочно, чтобы унизить его мужское достоинство. На его месте я бы тоже чувствовал себя неловко. В самом деле – шестидесятилетний старик еще может делать детей, а тридцатилетний мужчина в расцвете сил не может. А ведь я не знаю, что бы я отдал за то, чтобы у Пола и Джен появились собственные дети.

– И я... – задумчиво проговорила Аманда.

Чтобы немного развеяться, они решили отправиться в ресторан. Правда, о тайской кухне не могло быть и речи, поскольку при одной мысли об острых экзотических блюдах у Аманды рот наполнялся горечью, а к горлу подступала тошнота, однако Джек имел в виду отнюдь не этот вариант. Около часа они просидели в скромном кафе, где подавали мороженое и молочные коктейли, а потом снова вернулись в особняк в Бель-Эйр.

Легли они довольно рано и долго лежали рядом, разговаривая обо всем, что так их волновало. В конце концов Джек задремал, но Аманда продолжала лежать без сна. В начале первого она встала, чтобы выпить теплого молока и заварить себе чай с ромашкой, но и это не помогло. Несмотря на усталость, от которой ныло все тело, мозг Аманды продолжал лихорадочно работать. Она думала о Джен и о тех жестоких словах, которые дочь бросила ей в лицо перед тем, как уйти, и сердце Аманды буквально разрывалось от жалости.

На следующее утро, когда они пили чай на кухне, Аманда выглядела озабоченной, и Джек поглядывал на нее с тревогой. Он как раз собирался спросить, как она себя чувствует, когда Аманда неожиданно отодвинула от себя чашку и посмотрела прямо на него.

– Мне нужно сказать тебе одну вещь, Джек...

Что-то в ее тоне насторожило его.

– Какую? – спросил он. – Тебе что, нехорошо?

Он всегда относился к ее здоровью с каким-то особым трепетом, а сейчас к этому прибавилось беспокойство о ребенке. Джек не хотел этой лишней заботы, но теперь, когда между ними все было решено, ему оставалось только смириться с обстоятельствами.

– Да нет, я чувствую себя неплохо, – уверила его Аманда, но Джек только головой покачал: выглядела она намного хуже, чем вчера.

– Мне просто не спалось, – продолжала Аманда, – и

в голову пришла одна мысль. Только я не знаю, как ты к этому отнесешься...

– В твоем положении это может быть опасно, – встревожился Джек. – Не спать, я имею в виду, а не думать... Что касается твоей идеи, то я кое о чем догадываюсь. Ты хочешь, чтобы я выкупил контрольный пакет акций «Хааген-Датс» или «Бен и Джерри». Думаю, они пойдут мне навстречу – как-никак ты потребляешь бóльшую половину того мороженого, что они производят.

– Я серьезно, Джек!

– И я тоже. К западу от Больших Скалистых гор ты, несомненно, крупнейший потребитель их продукции. Они должны сделать тебе скидку.

С начала января Аманда прибавила уже около восьми фунтов, а ведь она была едва ли на третьем месяце.

– О'кей, о'кей, – поспешно добавил Джек, заметив, что Аманда недовольно поджала губы. – Я буду серьезным, обещаю. Так в чем дело?

Но Аманда неожиданно расплакалась, и Джек понял, что дело действительно нешуточное. Он ожидал чего-то ужасного, однако Аманда снова заговорила о Джен, о Поле, о том, что они сказали ей перед тем как уйти, и как ей больно было слышать это.

– Я тоже был очень огорчен, – заверил ее Джек. – Но ведь мы все равно ничего не можем поделать. Им придется или потерпеть еще немного и не оставлять попыток, – может, когда-нибудь им тоже повезет... Или им придется смириться.

– Может быть, да, а может быть, и нет. Ведь даже врачи не знают, в чем дело. Знаешь, Джек... Ведь ты все равно не хотел этого ребенка, к тому же мы действительно далеко не молоды. В общем, я решила, что выношу этого ребенка для Джен. Это будет самый дорогой подарок, который мы только можем сделать нашим детям. Может быть, я и зачала только потому, что Джен не могла...

Джек был так потрясен, что чуть не опрокинул чашку с чаем себе на брюки.

– Ты... серьезно? Ты хочешь отдать им ребенка?!

Аманда всхлипнула и кивнула, и Джек, бросившись к ней, порывисто обнял ее за плечи.

– Ты уверена? – спросил он. – Ведь это твой ребенок... *Наш* ребенок. Вряд ли ты сможешь с ним расстаться, когда он родится. Во всяком случае, я думаю, что тебе будет очень тяжело это сделать.

– Пусть!.. – Аманда упрямо тряхнула головой. – Я хочу сделать это для Джен и для Пола. Ты мне позволишь?

– Ты вольна поступать так, как тебе хочется, – заверил ее Джек. – Я поддержу тебя, что бы ты ни решила. И все равно, то, что ты собираешься сделать, совершенно невероятно, об этом будет говорить весь город... – Он решительно выпрямился. – Но мне наплевать! Это наше семейное дело, и оно никого не касается. Если и ты, и наши дети этого хотят, пусть так и будет.

– Я сначала хотела спросить у тебя.

Джек кивнул:

– С твоей стороны это действительно великодушный поступок, Аманда. К тому же он решает еще одну проблему. Я знаю, Пол не хотел усыновлять чужого ребенка, но теперь этого препятствия больше не существует, ведь у нашего ребенка будут и твои, и мои гены, а значит, он будет родным и Джен, и Полу. Только... только, пожалуйста, не торопись принимать решение, – добавил он неожиданно. – Ты должна быть уверена на сто...

нет – на двести процентов, что сможешь это сделать и не пожалеешь...

– Я знаю, что смогу. И я хочу это сделать, – повторила Аманда. – Просто мне важно было знать твое мнение, но раз ты не возражаешь, то я поговорю с Джен прямо сегодня. А ты возьми на себя Пола, хорошо?

– Хорошо. Я приглашу его на обед, если, конечно, он вообще захочет со мной разговаривать.

– Я попрошу Джен перезвонить Полу на работу и сказать, что ты должен сообщить ему что-то очень важное.

– Знаешь, Аманда, ты необыкновенная женщина! – с искренним удивлением воскликнул Джек. – Ты совершенно непредсказуема!

– Иными словами, – засмеялась Аманда, – со мной не соскучишься.

– Можно сказать и так, – ответил он, крепко целуя ее.

Потом Джек уехал в салон, а Аманда подошла к телефону и сняла трубку, чтобы позвонить дочери, но сразу положила ее. Вместо этого она вызвала такси – в последнее время она уже не садилась за руль – и поехала к Джен домой.

Джен была настолько поражена неожиданным приездом матери, что впустила Аманду в дом без единого слова, хотя ее обида еще не улеглась.

– Ты и правда готова пойти на это ради меня, мама? – спросила Джен, когда ей удалось немного успокоиться.

– Да, доченька, – твердо ответила Аманда и взяла Джен за руки. – Это решение далось мне нелегко. Но и я, и Джек уверены, что поступаем правильно. Мы хотим сделать это для тебя... и для Пола.

Джен терялась в догадках, что же могло заставить мать искать с ней встречи после всего того, что случилось. И когда, потрясенная, она услышала предложение Аманды, увидела ее взволнованное лицо, глаза, полные слез, она сама разрыдалась.

– А если ты вдруг передумаешь? – с испугом спросила Джен, еще не пришедшая в себя от слов матери. – Или Джек запретит тебе это делать...

– Мы не передумаем, – пообещала Аманда. – Если мы дали слово, брать его назад было бы нечестно. К тому же мы оба любим вас и хотим, чтобы вы были счастливы... К тому же я помню твои слова о том, что Пол никогда не пойдет на усыновление чужого ребенка. А в этом случае, я думаю, у него не возникнет возражений.

– Я сейчас же поговорю с ним! – С этими словами Джен вскочила и бросилась к телефону.

Когда же она дозвонилась до Пола, оказалось, что он уже кое о чем догадывается. Он только что разговаривал с Джеком насчет совместного обеда, и кое-какие намеки отца навели Пола на мысль, которая показалась ему совершенно безумной. Джен, однако, удалось убедить его, что это не шутка и не розыгрыш, что все это действительно реально и что это будет просто замечательно.

– Не могу поверить, что они готовы сделать это для нас, – проговорил Пол в трубку дрогнувшим голосом. – Почему?..

– Потому что они любят нас! Все так просто! – ответила Джен и снова заплакала – на этот раз от счастья. – Мама – она тут, рядом со мной, – говорит, что мы оба можем присутствовать при родах и что ребеночек будет нашим с той самой минуты, как появится на свет.

– А вдруг они передумают?

– Мне кажется, это невозможно. Они... они действительно желают нам счастья.

– Ладно, поговорим позже, – ответил Пол, не желая будить в себе надежду, которая могла оказаться напрасной. Но когда он встретился за обедом с отцом, а потом, вернувшись вечером домой, еще раз обсудил предложение Аманды с Джен, никаких сомнений у него не осталось.

На следующий день рано утром они позвонили Аманде и сказали, что согласны. И Джен и Пол были взволнованны, и, поговорив с ними, Аманда тоже заметно приободрилась. Она пошла на отчаянный, непредсказуемый шаг. Но ни сомнений, ни страха ошибки у нее не было. И она, и Джек получили нежданный дар и смогли им распорядиться, ведомые великодушием и любовью к своим детям. Аманду нисколько не волновало, как отнесутся к ее поступку посторонние люди.

– Я не перестаю восхищаться тобой, – сказал ей Джек. – Откровенно говоря, я даже не подозревал, что ты способна на такую душевную широту и щедрость. Это... это что-то из области фантастики. Мне еще никогда не приходилось слышать ни о чем подобном, и я... Только бы ты сама потом никогда не пожалела об этом, – закончил он с тревогой в голосе.

– Не бойся, я уверена, что поступаю правильно сегодня и, надеюсь, не раскаюсь в своем решении завтра, – заверила его Аманда. – Как бы я ни любила этого ребенка, я знаю, что моим детям он нужнее. И потом, я действительно старовата для того, чтобы быть матерью. Бабушкой – еще куда ни шло...

– Ты наверняка будешь самой сексуальной бабушкой в мире, – рассмеялся Джек. – Мне придется быть очень внимательным, чтобы тебя не увел какой-нибудь прыткий юнец лет сорока пяти.

Он немного подумал и добавил:

– Что касается ребенка, мы сможем видеться с ним, когда нам захочется. Это не так уж мало...

Это действительно было очень много. Джек знал, что, как бы Аманда ни храбрилась сейчас, отдавать свое дитя в другие руки, пусть даже в руки собственной дочери, ей будет очень нелегко. И то, что она сможет видеться с ребенком, когда ей этого захочется, могло успокоить и утешить ее.

Потом ему в голову пришла еще одна замечательная мысль. Джеку, во всяком случае, она казалась совсем неплохой.

– Почему бы нам не отправиться в путешествие? – предложил он. – Вдвоем, а? Устроим себе каникулы! Слетаем в Европу, в Париж, в Венецию...

– Это отличная идея! – воскликнула Аманда, которой предложение Джека пришлось очень по душе.

Прошлым летом Джен и Луиза предлагали свозить ее во Францию, но тогда у нее совершенно не было желания куда-либо ехать. К счастью, те времена, когда она была настолько поглощена своим горем, что не хотела ничего замечать и ни о чем думать, прошли, и теперь Аманда стала совсем другим, новым человеком. И потом, путешествие в Европу с дочерьми – это совсем не то же самое, что с Джеком Уотсоном.

– Я согласна, милый! – повторила она и улыбнулась счастливой, сияющей улыбкой. – Надеюсь, что радость от этого путешествия даст мне силы стойко все перенести. А когда мы сможем отправиться?

– Когда захочешь, родная, – отозвался Джек. Он тоже был счастлив – счастлив за нее, за себя, за Джен с Полом и за маленького, еще не родившегося человечка, у которого уже были две матери и два отца.

Они отправились в Европу в июне, когда Аманда была на пятом месяце. В Париже они остановились в отеле «Ритц» и прекрасно проводили время. Каждый вечер они ходили в рестораны. К счастью, токсикоз Аманды к этому времени почти совсем прошел, и она снова могла пить кофе, есть шоколад и многое другое. Они допоздна гуляли по парижским улочкам, днем ходили в Лувр, посещали парижские бутики и салоны, поднимались на Эйфелеву башню, и Аманда была на седьмом небе от счастья. Еще никогда она не чувствовала себя так хорошо. Правда, вес, который она набрала в эпоху своей «мороженой» диеты, слегка ее беспокоил, но Джек утверждал, что она выглядит просто потрясающе, и в конце концов Аманда с ним согласилась. Ей и раньше приходилось читать, что женщины, носящие под сердцем дитя, красивы какой-то особенной, запредельной красотой, но только в Париже она действительно ощутила себя по-настоящему красивой и женственной. Единственное, о чем Аманда втайне жалела, так это о том, что теперь она не может покупать себе изысканное белье или костюмы и платья от лучших французских кутюрье. Впрочем, скоро она решила, что вполне может потерпеть до тех пор, пока ее талия не вернется в исходное состояние.

Иными словами, Аманда была совершенно спокойна и счастлива, и Джек, исподтишка за ней наблюдавший, был очень доволен. Правда, он все еще опасался, что Аманде будет нелегко расстаться с ребенком, но она даже ни разу не усомнилась в правильности своего решения, и ее решимость была тверда как сталь. «Мы отдадим его нашим детям, и точка!» – повторяла она, и у Джека не было никаких оснований заподозрить ее в неискренности. И все же он не мог не волноваться о том, каково ей будет, когда придет пора действительно расстаться с младенцем.

На пути из Парижа домой они на неделю задержались в Лондоне, а в июле Джек взял ее с собой на курорт на озеро Тахо. В августе они собирались побывать на Таити, но врачи неожиданно запретили Аманде путешествовать. И дело было вовсе не в том, что она была на седьмом месяце, и не в том, что ее едва ли можно было назвать молодой матерью, – сама Аманда чувствовала себя даже лучше, чем во время своих первых беременностей. Просто ребенок оказался слишком крупным, и врачи опасались преждевременных родов.

– В оба своих прошлых раза я переходила, и я не вижу причин, почему в этот раз все должно быть наоборот, – заявила она уверенно, но осматривавшая ее акушерка только улыбнулась.

– И сколько вам тогда было лет, мадам?

– О'кей, о'кей, я поняла. Я буду хорошо себя вести, обещаю.

К этому времени они уже знали, что их ребенок совершенно здоров и что это – мальчик. Собственно говоря, пол ребенка был определен еще в апреле, когда перед поездкой в Париж Аманда сходила в клинику на комплексное обследование плода, и с тех пор Джен и Пол бурно выбирали имя для своего будущего сына. Они звонили матери чуть ли не каждый день и делились своими соображениями по этому поводу, и Джек шутил, что скоро они исчерпают все английские имена и возьмутся за иностранные.

Огорчала Аманду только Луиза. Она по-прежнему держалась с матерью отчужденно и даже враждебно и почти не разговаривала с ней. Однажды Аманда, не выдержав, поделилась своими грустными мыслями с Джеком, и он поспешил успокоить ее.

– Вот увидишь, Лу сумеет с собой справиться, – сказал он уверенно. – Луиза вовсе не такая плохая, какой хочет казаться. У такой матери, как ты, просто не может быть скверных дочерей. Луиза ужасно тебя ревнует, но это пройдет. Скоро пройдет.

На самом деле он вовсе не был в этом уверен, но ему не хотелось расстраивать Аманду. Он и так делал все, что было в его силах, чтобы отвлечь ее от возможных грустных мыслей. К счастью, Аманда вступила в такой период, когда она была почти не способна задумываться о чем-то, кроме ребенка. Ей хотелось покупать для него распашонки, комбинезончики, игрушки, соски и прочие милые мелочи. Ими были забиты уже все кладовки в ее доме, но каждое утро, если только ей не нужно было ехать к врачу, Аманда отправлялась по магазинам, и Джек старался ее сопровождать.

– Что подумают обо мне люди? – восклицал он в комическом отчаянии, сгружая на заднее сиденье своего «Феррари» новую порцию памперсов. – Я действительно становлюсь похожим на счастливого деда. Ведь мне никто не поверит, если скажу, что я и сам еще способен делать детей!

В самом деле, каждый раз, когда он выезжал с Амандой за покупками и вдруг встречал кого-то из знакомых, ему приходилось говорить, будто они собирают «приданое» для внука. Что еще он мог сказать? Ведь не будешь же объяснять каждому, в какую запутанную и сложную ситуацию они попали?

– А на кого в таком случае похожа я? – спросила однажды Аманда, поглаживая свой выступающий живот. – На жену Пола? На твою дочь?

– Ты похожа на мою жену, – неожиданно серьезно ответил он. – Кстати, я давно хочу тебя спросить: как насчет того, чтобы оформить наши отношения официально? Это можно легко устроить, как ты думаешь?

Но Аманда только улыбнулась. В последнее время она слышала подобного рода предложения довольно часто и знала, что Джек говорит серьезно, но не обращала на них особенного внимания. Сейчас она могла думать только о ребенке – все остальное отступило для нее на второй план.

Впрочем, в Джеке она по-прежнему нуждалась настолько, что даже брала его с собой на регулярные медицинские осмотры. Первый осмотр чуть было не прикончил его; на протяжении всего времени, пока они ожидали приема, Джек сидел, закрывшись газетой, и притворялся, будто они с Амандой незнакомы. Уши у него пылали. Кроме него, в приемной не было ни одного мужчины, но хуже всего было другое. За исключением Аманды, все до одной пациентки гинекологического кабинета выглядели не старше четырнадцати лет, и Джек на мгновение вообразил, будто он попал в летний лагерь для несовершеннолетних матерей.

– Я туда не пойду, – шепнул он, когда, как ему казалось, на него никто не смотрел.

– Не глупи, – так же шепотом ответила Аманда. – Они только послушают сердце – и все. Знаешь, это просто удивительно – слышать, как в тебе бьется второе сердце.

– Да? – Джек осторожно выглянул из-за «Лос-Анджелес таймс», но тут же спрятался обратно. В приемной появился новый персонаж – худощавый, вихрастый паренек в голубых джинсах и майке, который выглядел лет на двенадцать. Скорее всего это был актер-подросток, исполняющий в Голливуде роли детей.

«Господи, – пронеслось у Джека в голове, – этому-то что здесь надо?!»

– Лучше ты мне потом все расскажешь. Я подожду тебя в машине, – твердо сказал Джек, но, когда он попытался встать, у Аманды сделалось такое потерянное и жалобное лицо, что он, скрипнув зубами на всю приемную, поспешно сел обратно.

В довершение всех несчастий паренек в голубых джинсах спросил у Джека, первый ли это у него ребенок.

– Мои дети старше вас, – жалобно ответил Джек, на что юноша жизнерадостно сообщил, что ему уже двадцать три и что у них с женой уже двое.

– Будет двое, – поправился он и тут же добавил, что в прошлом году у него появился еще один сводный брат, поскольку его отец женился в четвертый раз.

– Папаше недавно стукнуло шестьдесят пять, – с гордостью пояснил двадцатитрехлетний мальчик. – А мачехе нет еще и сорока.

– Ну и как он это пережил? – агрессивно поинтересовался Джек.

– Нормально. – Юноша пожал плечами. – Они два года никак не могли завести детей, потом отец пошел в клинику, и там сделали все, что надо. Ребенок из пробирки – слышали про такое? Это про моего братца...

– Да, ваш отец – настоящий счастливец, – заметил Джек, криво улыбаясь. – Знаешь, – шепнул он Аманде, – мне кажется, весь мир сошел с ума. Я просто не могу себе представить, чтобы шестидесятипятилетний старик захотел иметь детей. Да еще так сильно, чтобы пойти в клинику и сдать сперму на искусственное оплодотворение. Дети рождаются из пробирки – подумать только! По крайней мере мы, когда делали нашего маленького, хотя бы получили удовольствие.

– Хочешь попробовать еще разок? – так же шепотом отозвалась Аманда, и Джек страдальчески закатил глаза.

Но когда Аманду вызвали в смотровую – Джек, разумеется, пошел вместе с ней – и акушерка дала ему стетоскоп, чтобы послушать сердце малыша, лицо Джека сразу стало другим. То, что он испытывал в эти минуты, не поддавалось описанию. До этого момента младенец оставался для него чистой воды абстракцией, но стоило ему только услышать негромкое «тук-тук-тук» маленького сердца, как абстракция превратилась в реальность, и у Джека на глазах выступили слезы.

– Это мой внук! – сказал он, быть может, чуточку слишком громко, поскольку стетоскоп в ушах заглушал все звуки, и Джек невольно напрягал связки, чтобы расслышать собственный голос.

– Внук? – удивилась акушерка. – Разве это ваш отец? – спросила она у Аманды. – Я думала, вы пришли с мужем...

– Мой муж умер полтора года назад, – поспешно ответила Аманда первое, что пришло ей в голову. – Собственно говоря, мы...

Она замялась, но дальнейших объяснений не потребовалось. Акушерка привыкла иметь дело с обитателями Беверли-Хиллз и знала, что эти люди отличаются некоторой эксцентричностью.

Осмотр еще раз подтвердил, что ребенок вполне здоров и развивается нормально, и на обратном пути Джек говорил только о нем.

– В следующий раз нам надо взять с собой Джен и Пола, пусть они тоже послушают, как бьется это маленькое сердечко, – сказал он, и Аманда кивнула. Она была очень довольна, что Джек проникся к ребенку такой любовью.

Начиная с сегодняшнего дня она должна была посещать врача почти каждую неделю. Акушерка продолжала считать, что угроза преждевременных родов остается актуальной, и Джек был вполне с ней согласен.

– У тебя просто чудовищное пузо, – сказал он Аманде. – Я не помню, чтобы мои дети были такими большими...

Впрочем, Аманда была гораздо стройнее Барбары, – возможно, именно поэтому ее живот казался таким большим.

Но самым серьезным испытанием для Джека оказались курсы молодых родителей, которые они начали посещать с пятнадцатого августа. В их группе было около двенадцати супружеских пар. Эти молодые люди, одетые в шорты и яркие гавайские рубашки, в самых живописных позах расположились на полу конференц-зала лечебницы «Синайский Кедр» и, судя по всему, чувствовали себя совершенно свободно. На Джека, приехавшего на первое занятие сразу после важных деловых переговоров и одетого по этому случаю в дорогой светло-бежевый костюм от Бриони, эти люди посмотрели как на пришельца с другой планеты. Среди них Джек сразу ощутил себя белой вороной и, наверное, сбежал бы, если бы не Аманда, которая уже была там и ждала его. Она была одета в белые шорты, сандалии и огромную розовую майку, однако, несмотря на это, она все равно выглядела как фотомодель. И молодые парни и девицы, скучавшие в ожидании, пока их просветят относительно тайн материнства и отцовской ответственности, поглядывали на нее с невольным уважением. На взгляд Джека, все они были слишком молоды, чтобы узнать в Аманде суперзвезду, которой она была двадцать пять лет назад, однако факт оставался фактом: ее превосходство они признавали безоговорочно.

Джек тоже пытался держаться со спокойным достоинством, однако ему это плохо удавалось. На улице было настоящее пекло, и он весь взмок, пока добрался от «Джулии» до лечебницы. Лицо его раскраснелось, волосы торчали в разные стороны, а по лицу стекал пот, так что Джеку оставалось только надеяться, что на него упадет хотя бы отсвет благородного спокойствия и величия, которые излучала Аманда.

– Прости, дорогая, я чуть не опоздал, – извинился Джек, вытирая лицо большим носовым платком. – Но мне никак не удавалось выгнать этих парижских портняжек, пришлось звать на помощь Глэдди. Я уж думал, что они собираются ночевать в моем кабинете, но, к счастью, они все-таки сняли номер в отеле.

– Ничего страшного, занятие еще не началось, – успокоила его Аманда. – Так что ты ничего не пропустил.

Джек растерянно огляделся по сторонам и, не найдя ничего похожего на стул, с кряхтением опустился на пол рядом с ней.

– Что это? – с тревогой спросил он, показывая пальцем на развешанные по стенам красочные плакаты, на которых были изображены различные стадии раскрытия маточного зева.

– Это? – Аманда равнодушно зевнула. – Это шейка матки. В раскрытом состоянии. Пусть это тебя не волнует...

– Это не опасно? – снова спросил Джек, чувствуя, как его охватывает ужас. Рождение своих двух детей он встретил в баре, где напился с друзьями до полного бесчувствия. Впрочем, в те времена от отцов не требовалось никаких специальных знаний. Единственной их обязанностью было явиться на следующий день с цветами. О том, что мужчина может присутствовать при родах, тогда еще никто и слыхом не слыхивал.

Аманда снова зевнула:

– Нет, это только естественно.

Немного успокоившись, Джек принялся оглядывать присутствующих. Его уже не так шокировало, что остальные «молодые родители» действительно были молоды – не старше его детей. К этому он уже успел привыкнуть. Но когда пришла инструкторша и лекция началась, Джек был по-настоящему потрясен натуралистическими фотографиями и жутковатыми схемами, которые им показывали. В конце занятия был обещан еще какой-то учебный фильм, но о нем Джек старался не думать.

Единственной темой, которая не только показалась ему доступной пониманию нормальных людей, но и заинтересовала, были упражнения, которые он должен был проделывать вместе с Амандой. Правда, в изложении инструкторши они напоминали позы из «Камасутры», однако, несмотря на свое смущение, Джек вполне разобрался не только в том, как он должен держать свою «жену» за ноги, но и зачем. Как он понял, во время родов главное – правильно дышать, и тогда все будет не так страшно. Стараясь, чтобы Аманда ничего не заметила, он потихоньку попробовал дышать так, как советовала инструкторша, и ему это удалось.

Но не успел он порадоваться за себя и за Аманду, как речь зашла о чем-то весьма болезненном, что инструкторша называла «изгнанием плода».

– А это еще что за штука? – спросил Джек у Аманды, когда инструкторша произнесла это жутковатое сочетание в шестой раз, но спросил слишком громко. Инструкторша услышала.

– Это самая трудная часть родов, мистер, – пояснила она. – Период изгнания плода длится от полного раскрытия маточного зева, – тут она указала на самую страшную таблицу на стене, – до тех пор, пока ребенок не родится. Ощущения при этом примерно такие, – инструкторша улыбнулась садистской улыбкой, – словно вы пытаетесь натянуть верхнюю губу на затылок.

И она перешла к следующей теме, но Джек ее уже не слушал.

– Послушай, неужели тебя это не пугает? – спросил он у своей «молодой супруги». – У меня так просто мороз по коже.

– Нет, нисколько, – ответила Аманда. – Не волнуйся, пожалуйста, ведь я уже через это прошла и знаю, как все бывает. Только в мое время это называлось «схватки».

– А тебе делали наркоз? – снова поинтересовался Джек, когда инструкторша заговорила об опасностях, которые представляют для матери и плода различные виды обезболивающих средств. По ее словам выходило, что «настоящая» женщина должна обходиться без анестезии, как бы ей ни было больно. Страдания помогают «осознанным» родам, сказала она, но Джек так и не понял, что это такое.

– Разумеется, – улыбнулась Аманда, с шумом выдохнув воздух, и Джек понял, что потихоньку от него она тоже опробовала на себе «брюшное дыхание». – Я потребовала, чтобы мне дали самое сильное лекарство. Я вовсе не героиня и не мазохистка – я нормальная женщина.

– Рад это слышать. – Джек кивнул. – А как насчет меня? Может, мне тоже стоит попросить, чтобы мне вкололи успокаивающее? Или вообще усыпили, пока все не кончится...

При этом он не шутил или почти не шутил. Джек уже чувствовал, что ему потребуется самый сильный наркоз для отцов, какой только можно найти на территории Соединенных Штатов. За каких-нибудь полчаса, проведенных в этом дурацком конференц-зале, он начал остро ненавидеть всех окружающих. Ему не нравилась их манера одеваться, говорить и держаться, а их дурацкие вопросы вызывали в нем самое настоящее бешенство. Он не понимал, как при всем своем тупоумии и невежестве они умудрились стать родителями, однако по зрелом размышлении Джек пришел к выводу, что мудрая мать-природа, не слишком доверяя опилкам, которыми были набиты их головы, взяла этот вопрос в свои руки. Что касалось лекторши, то Джек готов был задушить ее голыми руками. Он, наверное, так и поступил бы, но тут она объявила, что в заключение сегодняшней лекции им будет показан «удивительно наглядный и познавательный» учебный фильм о кесаревом сечении, и Джек содрогнулся от ужаса.

– Не хочешь чего-нибудь выпить? – как можно беззаботнее спросил Джек у Аманды, сглотнув подкативший к горлу комок. – Здесь так душно...

На самом деле кондиционеры работали на полную мощность и в конференц-зале было скорее прохладно, но Джек этого не замечал.

Аманда прекрасно поняла его истинные мотивы.

– Можешь закрыть глаза, – шепнула она в ответ. – Я никому не скажу.

Демонстрация фильма имела целью подготовить будущих отцов к тому, что их супругам может понадобиться срочное хирургическое вмешательство. Просмотревшие фильм получали специальную справку, предъявив которую они могли присутствовать в операционной, когда их женам будут делать кесарево сечение, и Джек задумался: неужели кто-то из них может пойти на это добровольно. Про себя он, во всяком случае, точно знал, что без общего наркоза он в операционную не войдет, и пусть делают с ним что хотят.

– Я сейчас вернусь, – произнес он таким громким и взволнованным голосом, что на него начали оборачиваться.

– Куда это ты собрался? – уточнила Аманда. Саму ее все эти физиологические подробности ни капельки не трогали – она уже давно жила в каком-то своем, параллельном мире, где были совершенно иные ценности и ориентиры.

– В туалет, – резко ответил Джек.

– Мы подождем вас, мистер Кингстон, – громко сказала инструкторша, сверившись со списком слушателей. – Не стоит пропускать этот фильм.

Джек бросил на Аманду умоляющий взгляд и выскочил в коридор. Через пять минут он вернулся, инструкторша погасила свет, и фильм начался.

Фильм чуть не убил его. В свое время Джек два года прослужил в армии, но ни одна из учебных лент, которые им показывали, – даже широкоформатный, красочный кинофильм под интригующим названием «Как распознать гонорею», – не произвела на него такого сильного впечатления. На экране двое свирепого вида врачей резали пополам какую-то несчастную женщину; женщина кричала, а на ее искаженное страданием лицо просто невозможно было смотреть. Кровь лилась рекой, как во второразрядном фильме ужасов, и от одного ее вида Джека замутило.

– Меня сейчас стошнит, – шепнул он, наклоняясь в темноте к Аманде.

– Я же тебе сказала – не смотри, – так же шепотом ответила она и, пожав его руку, наклонилась к Джеку, чтобы поцеловать его.

– Кингстоны! – раздался в темноте голос лекторши. – Вы мешаете! Не отвлекайтесь, пожалуйста, по этой теме у нас будет зачет, и если вы не сумеете ответить на вопросы...

Джек чуть не послал ее куда подальше. Только неземное спокойствие Аманды помогло ему сдержаться.

– Черт, – пробормотал он, – я бы предпочел сам подвергнуться кесареву сечению, лишь бы не видеть этот кошмар. Впрочем, в этом что-то есть... Знаешь, Аманда, я думаю посоветовать Полу бросить свои сладенькие костюмные ленты и переключиться на фильмы ужасов. Представляешь, какое сильное впечатление может произвести на зрителей подобная операция?

Аманда фыркнула. Нет, Джек положительно был неисправим. Он готов был шутить даже в аду.

Первая лекция оказалась для них и последней. Джек заявил, что больше ни за что не пойдет на эти идиотские курсы. Аманда тоже не особенно стремилась к «естественным родам» без обезболивания. Она попробовала, что это значит, когда рожала Луизу, и впечатлений ей хватило на всю жизнь.

В последние недели беременности Аманда чувствовала себя на удивление прекрасно, однако, несмотря на это, она уже порядком устала от ожидания. Все прелести беременности она сносила мужественно, но подсознательно хотела скорейшего освобождения. Когда она была на восьмом месяце, они с Джеком отправились в кино, пообедали в китайском ресторанчике, а вечером, когда жара немного спа́ла, долго гуляли по берегу океана. Ходить по песку Аманде было трудно – слишком она стала неповоротливой и тяжелой, но прогулка все же доставила ей удовольствие. Главное, Джек был рядом, а ничего другого ей не было надо.

Они сидели на веранде его коттеджа в Малибу, пили чай со льдом и любовались закатом, когда раздался телефонный звонок. Это был Пол. Он поинтересовался здоровьем Аманды, а потом неожиданно попросил разрешения приехать вместе с Джен. Джек ответил согласием, но, вешая трубку, покачал головой.

– По-моему, парень здорово нервничает, – задумчиво проговорил он. – Хотел бы я знать, в чем тут дело.

– Что-нибудь случилось? – обеспокоенно спросила Аманда.

– Вроде бы нет, – ответил Джек. – Может, они беспокоятся из-за ребенка?

– А что из-за него беспокоиться? – покачала головой Аманда. – Я-то вот не беспокоюсь...

Она и вправду почти не переживала. На протяжении последних месяцев ее не покидало хорошее настроение и необъяснимая уверенность в благополучном разрешении от бремени.

– Единственное, что меня действительно волнует, – добавила она с улыбкой, – так это то, что я стала слишком толстой. Если так пойдет и дальше, кончится тем, что я не пройду в двери приемного отделения, и тогда мне придется рожать на пороге больницы.

– С мальчишками всегда так, – ответил Джек. – Пол тоже был очень крупным, хотя, конечно, не таким... Я помню, Барбару так разнесло, что она не влезала ни в одно платье и ходила в моих рубашках, которые, впрочем, тоже не застегивались. Должно быть, из-за этого она меня полгода поедом ела. Характер у нее всегда был не сахар, но на время беременности она превращалась в настоящую мегеру.

– Зато она подарила тебе двух отличных детей, – напомнила ему Аманда. – Надо быть справедливым, Джек...

Джек картинно закатил глаза.

– Справедливым?.. Говоря по справедливости, у Барбары всегда был несносный характер, так что беременность здесь ни при чем. Поэтому мы и расстались.

Джен и Пол приехали около восьми вечера. Джек уже смешал коктейли, и Аманда, любуясь закатом, думала о том, не пойти ли им всем искупаться.

– Как малыш? – спросила Джен, с беспокойством глядя на мать. У нее был такой большой живот, что

Джен это даже пугало, но Аманда, похоже, совсем не обращала внимания на свою фигуру. Лицо у нее было спокойным, умиротворенным, а на губах то и дело появлялась мечтательная улыбка.

– Все отлично, дорогая. Полагаю, он ждет не дождется, когда сможет увидеть тебя. – И Аманда отпила большой глоток грейпфрутового сока из бокала, который принес ей Джек. Период яблочной диеты благополучно закончился, и теперь Аманда налегала на кальций и витамины. Джек пил скотч со льдом; Джен и Полу он принес по бокалу фруктового пунша, но они к ним даже не притронулись, и Аманда удивленно подумала о том, что же так взволновало ее дочь и зятя.

– Что-нибудь случилось? – напрямик спросил Джек, который тоже заметил, что дети держатся как-то скованно, но Джен и Пол переглянулись и дружно покачали головами, что сразу сделало их похожими на напроказивших подростков.

– Да в общем-то нет, – с неловким смешком сказал Пол, переводя взгляд с Джен на отца и обратно. – Просто мы хотели вам кое-что сказать... В общем, это, наверное, правильно. Вы имеете право первыми узнать об этом. Дело в том, что...

– Мама, я – беременна, – перебила его Джен, у которой от волнения выступили на глазах слезы.

– Правда? Как это замечательно, Джен! Когда это случилось?

– Примерно шесть недель назад. Я хотела быть уверенной на сто процентов, поэтому мы не сказали сразу. Но вчера врач подтвердил это и сказал, что все в порядке. Я была на ультразвуковом исследовании, и мне показали сонограмму. Это просто удивительно, мама!..

– Я знаю, – вставил Джек, припоминая свой обморок. – Помню, я тогда чуть не...

Он не договорил, почувствовав, что Джен еще не все сказала. И это сразу насторожило его.

– Ну в чем дело, Пол, выкладывай, – сказал он и нахмурился.

Пол и Джен снова переглянулись.

– Но ведь это все усложняет, – жалобно сказала Джен. – Я знаю, что мы, быть может, нарушим ваши планы, но, мне кажется, теперь мы не сможем... То есть...

– Иными словами, наш ребенок вам больше не нужен, – закончил за нее Джек и бросил быстрый встревоженный взгляд на Аманду. Она выглядела потрясенной, но, по-видимому, не потеряла способности держать себя в руках, и Джек с облегчением перевел дух.

– Да. То есть нет... – Пол покачал головой. – Конечно, если вы твердо решили, что он не нужен вам, что вы не можете или не хотите его воспитывать, тогда мы, конечно...

Пол изо всех сил старался держаться достойно, но и Джеку, и Аманде было совершенно ясно, что второй ребенок им ни к чему. Зачем, ведь теперь у них будет собственный малыш!

– Нам очень жаль, папа, но...

– Ничего страшного, сынок, – спокойно ответил Джек. – Быть может, это даже к лучшему. Иди-ка сюда, Джен, я тебя поздравлю...

Он крепко обнял Джен и поцеловал ее в лоб, потом повернулся к сыну и похлопал его по плечу.

– А теперь поезжайте домой, – сказал он решительно. – Мне нужно кое о чем поговорить с Амандой.

– Мы понимаем. Я знаю, мы поступили... В общем, все так странно сложилось... Нам правда так неловко.

Джек подумал, что они с Амандой действительно

оказались в затруднительном положении, но в чем он мог винить Пола и Джен! И это было необъяснимо, но он совсем не жалел о том, что события приняли именно такой оборот.

– Ничего, сын, не бери в голову. Все устроится – ничего страшного, мы же все живы и здоровы, все будет хорошо.

Через десять минут Пол и Джен уехали, и Джек, проводив их, вернулся к Аманде, которая выглядела совершенно растерянной. Новость, которую они только что выслушали, действительно была из ряда вон выходящей, и, чтобы осмыслить ее, им обоим требовалось время. Особенно Аманде. Она так долго и трудно настраивалась на разлуку с собственным ребенком, смиряла свое сердце и разум, чтобы не дать себе привязаться к нему, и вот теперь все ее мучения оказались напрасными. Этот неродившийся малыш принадлежал опять только ей.

– Ну, что скажешь? – спросила она у Джека. – Ничего себе поворотик, да? Конечно, я рада. Наконец-то Джен дождалась!..

И Аманда внимательно посмотрела на Джека, стараясь разглядеть в его лице признаки гнева, досады, растерянности, наконец, но их не было. Напротив, Джек выглядел так, словно он был очень доволен тем, что случилось. Вместе с тем оба хорошо понимали, что они снова оказались отброшены назад на восемь месяцев в своих сомнениях. Но теперь они не в силах были что-либо изменить.

– Что будем делать, Джек?

– Ничего, – ответил он небрежно. – Давай поговорим обо всем позже.

Это его предложение показалось Аманде весьма разумным. Им обоим действительно нужно было время, чтобы успокоиться и хорошенько подумать о том, как быть дальше, поэтому Аманда сразу согласилась с его словами. Обычно она не любила откладывать дела в долгий ящик и предпочитала решать все проблемы сразу, но в данном случае этого сделать было нельзя – слишком уж важный встал перед ними вопрос. И от того, как они поступят, зависела вся их дальнейшая жизнь.

Впрочем, Аманда тут же подумала о том, что, в сущности, никакого особенного выбора у них нет. Ребенок должен был появиться на свет через четыре недели. Все необходимое для малыша она уже приобрела, и теперь ей предстояло родить, а потом – кормить и воспитывать собственное дитя.

– Хочешь, пойдем погуляем по берегу, искупаемся? – предложил Джек.

Аманда ничего не ответила. К счастью, они не пошли далеко. Выбрав укромный уголок пляжа, они разделись, и Аманда с наслаждением погрузилась в теплые волны океана. Купание она любила всегда, но в последнее время оно доставляло ей особенное удовольствие. В воде ее отяжелевшее тело теряло свой вес, и порой она чувствовала себя русалкой, вернувшейся в морскую стихию. «Скорее не русалкой, а морской коровой, к тому же – беременной», – подумала она сейчас, но это было не совсем так. Конечно, ее тело нельзя было назвать изящным и грациозным, но зато она не чувствовала ни тяжести в ногах, ни ломоты в пояснице. Вода, благословенная морская вода, из которой в незапамятные времена вышла вся жизнь на земле, поддерживала ее и помогала Аманде снова почувствовать себя легкой, гибкой и сильной...

Часа через два, вволю накупавшись и чувствуя себя намного бодрее, они вернулись в коттедж Джека в Малибу. Там Аманда приняла душ и, переодевшись в ночную рубашку, прошла в спальню.

Здесь, в этой спальне, она была счастлива. Здесь они с Джеком наслаждались друг другом, и эти часы Аманда считала счастливейшими в своей жизни. Правда, в последнее время они почти не были близки из-за ее беременности, однако Аманда считала, что, несмотря на это, их любовь друг к другу стала крепче.

– Ты хочешь лечь? – заботливо спросил Джек, входя в комнату вслед за нею.

– Да, – кивнула Аманда. – Честно говоря, я немного устала.

Она не стала уточнять, от чего она устала, но Джек прекрасно ее понял. Аманда только что узнала, что ребенок, которого она столь самоотверженно готовилась отдать дочери, останется у нее, и эта новость ее потрясла. С одной стороны, она испытала огромное облегчение и радость, но в то же время Аманда была растерянна и даже напугана. А главное – то, что беспокоило ее сильнее всего, – была реакция Джека. Что-то он теперь скажет?..

Но Джек не мог и не хотел ничего говорить. Ему не в чем было упрекнуть Аманду, к тому же ему казалось, что все устроилось наилучшим образом. Все это время, с тех пор как Аманда решила, что отдаст ребенка дочери, совесть его была неспокойна, но только теперь Джек понял, в чем дело. Он успел полюбить своего нерожденного сына, и ему очень хотелось воспитывать его, баловать и исполнять отцовские обязанности, он страстно желал, чтобы этот малыш через год-полтора назвал папой именно его.

Но в этом Джек не мог признаться даже самому себе.

– Теперь ты... снова бросишь меня? – негромко спросила Аманда, стараясь ничем не выдать своего страха и растерянности. Но она не повернулась к нему и продолжала смотреть за окно, где сгущалась ночная мгла, и Джек догадался, какие мысли терзают ее.

– Конечно, нет, – ответил он. – Ведь я люблю тебя... И люблю нашего малыша... Хватит его, бедняжку, перекидывать, словно футбольный мяч. У него должны быть родители и свой дом.

– Как футбольный мяч?.. – Аманда задумалась. – Вообще-то, мне иногда кажется, что он и сам способен дать кое-кому хорошенького пинка. И поделом нам...

Услышав эти слова, Джек улыбнулся. Ребенок действительно был очень активным; он постоянно брыкался и ворочался, и по ночам, когда Джек прижимал Аманду к себе, он тоже чувствовал его движения. Должно быть, именно поэтому он так хорошо понимал, что́ сейчас думает Аманда и как она беспокоится. А ведь она этого совсем не заслуживала!

И Джек неожиданно осознал, как эгоистично он вел себя с ней с самого начала. Он испугался ответственности, испугался за свой покой и налаженный жизненный уклад и совершал глупость за глупостью. Удивительно, как Аманда до сих пор не прогнала его на все четыре стороны!

Он помог ей лечь, потом устроился рядом и очень нежно поцеловал ее в щеку.

– Как насчет того, чтобы заняться любовью? – прошептал он. – Тебе это не повредит?

Они не были близки уже несколько недель, поскольку седьмой месяц был критическим и врачи по-прежнему опасались преждевременных родов, но сейчас этот рубеж был позади, да и Аманда чувствовала себя увереннее.

– Доктор сказал, что мы можем заниматься этим даже по дороге в больницу, – ответила она. – Так что, если хочешь, можно попробовать.

– Я очень хочу, – ответил он, приподнимаясь на локте.

– Ты очень храбрый человек, – шепнула Аманда, поворачиваясь к нему.

Подняв ей рубашку, Джек положил руку на живот Аманды, но в этот самый момент ребенок в ее чреве резко дернулся, и Джек вздрогнул от испуга.

Аманда рассмеялась, а Джек покачал головой.

– Знаешь, по-моему, он слышал, о чем мы только что говорили, и ему это совсем не понравилось.

С этими словами он отстранился от нее, и некоторое время они просто лежали рядом и молчали. Потом Аманда сказала:

– Ты становишься другим человеком, Джек Уотсон...

В ответ Джек обнял ее, и оба сразу же почувствовали, как в них разгорается страсть. Она была медленной, неторопливой, но могучей и жаркой, и, когда изнемогшие от ласк любовники разжали наконец свои объятия, они поняли, что никогда еще им не было так хорошо.

Потом Аманда заснула, и Джек, убедившись, что она крепко спит, тихонько встал с кровати и, накинув на плечи купальный халат, вышел из дома на тихий, темный океанский берег. Ему нужно было еще многое обдумать, но главное решение уже было принято, и, когда Джек оборачивался на освещенные мягким светом ночника окна спальни, на губах его появлялась мечтательная и счастливая улыбка.

Глава 11

На следующий день Джек рано уехал в город – у него были кое-какие дела в салоне. Аманда проспала почти до обеда, потом читала, гуляла по берегу и смотрела телевизор. Часам к четырем вернулся Джек. Он привез полный багажник продуктов и сразу же принялся готовить ужин. При этом Аманде показалось, что он как-то особенно сдержан и тих, но, когда она спросила, уж не расстраивается ли он из-за того, что накануне сообщили им Джен и Пол, он только покачал головой. На самом деле он чувствовал себя отлично, и то, что Аманда приняла за глубокую задумчивость, было покоем – полным покоем человека, который сделал нелегкий, но правильный выбор и теперь пребывает в мире с окружающими и своей собственной совестью.

Когда ужин был готов, они снова отправились гулять, а потом поели и долго сидели на веранде, любуясь закатным небом, на котором одна за другой загорались звезды. Это был чудесный вечер, и Джек, наклонившись к Аманде, крепко поцеловал ее в губы.

– Знаешь, – проговорил он негромко, – я хочу коечто тебе сказать...

– Что? – Аманда повернулась к нему и слегка нахмурилась. Слова Джека застали ее врасплох; она понятия не имела, что он может иметь в виду, и оттого ей было немного тревожно.

– Вчера вечером я много думал... Вообще в последнее время я часто задумывался о нас. Отдать нашего ребенка Джен и Полу казалось мне разумным... и самым простым выходом. И я позволил тебе принять это решение, потому что так было проще и для меня.

– Но ведь это так много для них значило! Мы поступили бы правильно, как и должны поступать любящие родители в отношении собственных детей... – возразила она, и в ее голосе прозвучали нотки разочарования. Аманда еще не успела до конца разобраться в своих чувствах.

– Да, это многое для них значило, и с нашей... с твоей стороны это был настоящий подвиг. И все равно с самого начала это было неправильно. Настолько неправильно, что мне иногда кажется, будто какие-то высшие силы, узнав о том, что мы собираемся сделать, поспешили вмешаться. Они помогли Джен зачать, чтобы, чтобы... – Он замолчал, но только на мгновение. – Я хочу, чтобы этот ребенок остался у нас. Ведь это наш сын... и он нужен нам не меньше, чем Полу и Джен. Он нужен мне, Аманда! Действительно нужен!

В его глазах заблестели слезы; Аманда видела их даже в темноте.

– Ты... ты уверен? – спросила она. Честно говоря, от Джека она подобного не ожидала. Это было так не похоже на него, что на мгновение Аманда даже засомневалась, правильно ли она его поняла.

– Конечно, уверен! – воскликнул он. – Совершенно уверен. Но это еще не все, Аманда. Я хочу, чтобы мы поженились – сегодня, сейчас, немедленно! Вся эта чушь насчет того, что в современном мире брак не обязателен, мне до́ смерти надоела. Наш сын не должен появиться на свет вне брака, стать незаконнорожденным. У него должны быть и мать, и отец.

– Что ж, – ответила Аманда, справившись с удивлением и растерянностью, – у тебя есть еще почти четыре недели, чтобы это исправить.

И она улыбнулась ему, гадая, действительно ли Джек хочет жениться на ней, или он решил пойти на это из благородных побуждений.

– Я все равно люблю тебя так сильно, как если бы мы были женаты, – добавила она на всякий случай. – Так что ты вовсе не обязан...

– Я тоже люблю тебя, – перебил Джек. – И не понимаю, почему мы не можем пожениться. Жить в разных домах, как мы делаем сейчас, и спать друг с другом по воскресеньям довольно глупо, ты не находишь? Нет, Аманда, я хочу быть рядом с тобой, чтобы помогать тебе укачивать нашего малыша, кормить его по ночам, справляться с детскими болезнями, вместе проклинать судьбу, когда у него будут резаться зубки, и радоваться его первым словам. И потом, кто поддержит и утешит тебя, когда ты обнаружишь у себя первый седой волос? К этому времени у меня уже будет настоящая лысина, и, когда ты увидишь ее, тебе сразу станет легче. Ну, согласна?

Он улыбнулся ей, и Аманда рассмеялась.

– Мне очень не хотелось говорить тебе об этом, но первый седой волос я у себя уже нашла. Это было лет пять тому назад...

– Тогда я обязательно должен быть рядом, когда у тебя появится второй седой волос, пятый, двадцатый!.. – с горячностью возразил Джек. – Просто не знаю, о чем я думал все это время?! Почти двадцать лет я думал только о себе и успел так к этому привыкнуть, что мне даже не пришло в голову подумать о тебе. Я должен был заботиться о тебе и оберегать, но я этого не делал. Больше того, я совершенно позабыл, как это может быть приятно. Я не боюсь трудностей, Аманда, и хочу разделить с тобой всю твою жизнь, целиком, чтобы быть с тобой и в счастье, и в горе. Я хочу быть рядом с тобой, когда ты загрустишь, заболеешь, когда ты состаришься. И мне нужно, чтобы ты тоже была со мной. Всегда. Даже если я начну пускать слюни и лепетать, как наш малыш...

Он ласково коснулся ее живота, и Аманда поднесла его руку к губам и поцеловала.

– Я тоже хочу быть с тобой, – ответила она негромко. – Ты был со мной все это время, и я хочу, чтобы это продолжалось до самого конца.

Тут она снова нахмурилась.

– Как ты думаешь, ведь это будет не очень скоро, Джек?

Джек расхохотался так громко, что его смех, наверное, был слышен за стенами дома.

– Боже, Аманда, как я тебя люблю! Давно ли ты смотрела на себя в зеркало? У тебя только-только начали появляться седые волосы, а ты уже задумалась о конце! Нет, дорогая моя, мы с тобой проживем еще очень долго, я стану старым и плешивым и успею до́ смерти тебе надоесть. Думай лучше о свадьбе, о нашей свадьбе, которая состоится... – Он слегка приподнял брови, как будто что-то подсчитывая. – В следующие выходные! – выпалил он наконец. – Я сам позвоню нашим детям, и пусть только кто-нибудь попробует сказать по этому поводу какую-то гадость! Я лишу негодяя или негодяйку наследства, и я скажу им об этом прямо. Это, кстати, касается и Луизы. Твоим детям пора наконец перестать думать о себе и просто для разнообразия поддержать свою мать, которая столько для них сделала. Хватит им болтать что вздумается! Пусть поприкусят язычки и открывают рот только для того, чтобы поздравить тебя и меня. Это их святая обязанность, в конце концов!

Говоря это, Джек выглядел на редкость убедительно, и по выражению его глаз Аманда поняла, что он не шутит. И это ей тоже очень понравилось.

На следующий день Джек начал исполнять то, о чем с таким жаром говорил накануне. Он позвонил Джулии, Луизе, Джен и Полу и сообщил им, что они с Амандой собираются официально пожениться и что свадьба назначена на ближайшую субботу. Зарегистрировать их брак Джек попросил своего близкого друга – судью, который обещал сделать это прямо в салоне «У Джулии», где должен был состояться прием для двухсот человек. Приготовлениями к свадьбе Джек тоже занимался сам, и Аманда была искренне ему благодарна, поскольку эта ноша была ей уже не по силам. Она чувствовала себя так, словно была не на восьмом, а на шестнадцатом месяце, да и вообще ей не очень-то хотелось показываться на людях.

Впрочем, без нее Джеку вряд ли удалось бы справиться со всеми тонкостями такого важного дела, как подготовка к бракосочетанию, но ему помогла Глэдди, давшая несколько ценных практических советов. Она же подобрала для Аманды свадебное платье – чудесное, кремово-розовое платье из тонкого шелка, которое было достаточно свободным, чтобы по возможности скрыть ее раздавшуюся фигуру, и в то же время производило впечатление изящества и легкости. В волосы Аманда собиралась вплести орхидеи, а в руки взять букет из роз, орхидей, фрезий и цикламенов.

Обе дочери Аманды согласились прийти на свадьбу, и Джек пригласил их в салон, чтобы они могли подобрать себе платья по вкусу. Джен с удовольствием согласилась на это предложение. Луиза, как и следовало ожидать, ответила отказом. Впрочем, в телефонном разговоре с Джеком она пообещала, что будет держаться в рамках, а это было уже немало. На самом деле звонок Джека разозлил ее – она считала, что пригласить ее на свадьбу должен был не он, а Аманда. Все это она без обиняков выложила Джеку, но он только хмыкнул. Он уже понял, что угодить Луизе непросто.

Когда настала суббота, Джек и Аманда начали свой день с небольшой прогулки по пляжу в Малибу. Потом Аманда отправилась к себе домой. Джен и Луиза тоже должны были подъехать туда, чтобы помочь матери одеться. Как всякая невеста, Аманда ужасно нервничала, и пальцы ее дрожали так сильно, что ей не сразу удалось застегнуть крошечные перламутровые пуговки на новом платье. Специально вызванный парикмахер собрал ее волосы в тугой шиньон, который сделался своеобразным гербом Аманды Роббинс еще двадцать пять лет назад. И когда все было готово, она выглядела как картинка в модном журнале, а вовсе не как женщина на последнем месяце беременности. Глядя в зеркало, Аманда с трудом узнавала себя и только удивлялась, как меняют женщину платье и прическа.

– Ты выглядишь просто отлично, мама, – сказала Луиза, подходя к ней сзади и глядя на ее отражение в зеркале. Джен в комнате уже не было – она вышла в прихожую, чтобы проверить, все ли в порядке с цветами, которые привезли два часа назад.

– Спасибо, родная, – с признательностью ответила Аманда и, медленно повернувшись, посмотрела прямо в лицо дочери. – Ты не очень на меня сердишься?

Впрочем, обе они хорошо знали: что бы ни ответила Луиза, это ничего бы не изменило. Аманда все равно поступила бы так, как решила.

– Я не сержусь, – сказала Луиза и покачала головой. – Просто я все еще скучаю о папе. Правда, иногда он бывал совершенно невыносим, и все-таки...

И ее глаза наполнились слезами. Луиза простила мать, но, что было еще важнее, она простила отца, и Аманда это поняла.

– Мне тоже очень его не хватает, Лу... Ведь мы прожили вместе долгую счастливую жизнь.

Обняв дочь, Аманда прижала ее к груди, потом отстранилась и внимательно посмотрела на нее. Луиза была упряма, и с ней иногда было трудно поладить, но в глубине души она была хорошей, доброй девочкой.

– ...Но теперь у меня есть Джек, и я люблю его.

– Он и правда неплохой человек, – согласилась Луиза, но ее взгляд неожиданно стал напряженным. Она что-то хотела спросить, но не решалась, и Аманда решила подбодрить дочь.

– Что тебя тревожит, девочка моя? – спросила она ласково.

– Скажи, мама, – задумчиво проговорила Луиза, – ты сделала бы для меня то, что ты хотела сделать для Джен? Отдала бы ты мне своего ребенка, если бы я не могла родить?

Аманда поняла, что этот вопрос мучил Луизу с самого начала и, возможно, служил главной причиной того, что их отношения в последнее время были такими напряженными.

– Ну конечно! – воскликнула она. – Я сделала бы то же самое и для тебя. Просто Джен моя помощь была действительно нужна.

– Я всегда думала, что ее ты любишь больше, – упрямо сказала Луиза. – Ты относилась к ней по-особенному, не так, как ко мне... Если бы ты знала, мама, как меня измучили эти мысли! Ревность разъедала мне сердце даже тогда, когда я стала взрослой.

Она всхлипнула, и Аманда, потрясенная тем, что она только что услышала, снова прижала дочь к себе.

– Что ты говоришь, Лу! Какие глупости! Конечно, вы обе для меня особенные, и я одинаково люблю вас обеих. Можешь мне поверить, и для тебя, и для Джен я сделала бы все, что только в моих силах, чтобы вы были счастливы. Знаешь, когда я узнала, что Джен не может зачать, я часто повторяла себе: «Слава богу, что у моей Луизы все в порядке!» Я радовалась за тебя, как за себя. Как ты только могла подумать, что я люблю тебя меньше, чем Джен?

Луиза снова всхлипнула:

– Какая же я была глупая, мама! Вообразила себе бог

знает что! Теперь я это понимаю. Джерри говорил мне то же самое; он убеждал меня, что ты любишь и меня, и Джен одинаково, но я ему не верила, злилась на него.

Аманда улыбнулась:

– Не сердись, девочка, но, выходит, Джерри умнее тебя.

Луиза кивнула и крепче прижалась к матери, и Аманда неожиданно почувствовала, что, несмотря на то что ее дочери уже взрослые, она по-прежнему нужна им так же, как и они ей.

И тут Луиза сказала еще одну вещь, которая несказанно удивила Аманду.

– Я рада, что ты решила оставить этого ребенка себе, – пробормотала она. – Забота о малыше поможет тебе оставаться молодой... или сведет тебя с ума.

– Я думаю, и то и другое. – Аманда рассмеялась, не замечая, что и по ее щекам текут слезы.

Когда в гостиную снова вошла Джен, Аманда еще раз сжала плечи Лу и выпустила ее из своих объятий, обменявшись с нею долгим заговорщическим взглядом. В эти минуты они чувствовали себя очень близкими людьми, чего не случалось уже очень давно.

Потом Аманда повернулась к обеим дочерям и спросила, согласны ли они присутствовать при родах, когда придет ее срок.

– Я не думаю, что Джеку это по силам, – пояснила она. – Когда мы ходили на курсы подготовки к родам, ему было очень-очень плохо.

Луиза, весьма польщенная предложением матери, рассмеялась:

– Джерри тоже едва вынес эти дурацкие лекции, но, когда я рожала, он держался молодцом. Может быть, и Джек сумеет справиться с собой, когда придет твой срок.

– Не думаю, что он выдержит. – Аманда с сомнением покачала головой. – И потом, мужчины его поколения весьма консервативны. Они не одобряют всех этих новомодных штучек.

– Они просто не хотят. Или трусят, – возразила Луиза. – И вообще, мужчины – слабаки.

Джен тоже кивнула.

– Хорошо, мама, мы придем, – сказала она, беря сестру за руку. – А когда?

– Ну, если врачи не ошибаются, то это произойдет не раньше, чем через две недели. От вас требуется только быть в пределах досягаемости, чтобы в случае необходимости я могла с вами связаться.

– Не беспокойся, мама, – дружно ответили сестры. – Мы придем.

В этот момент у дверей позвонили – это прибыли заказной лимузин и фотограф. Пора было выезжать, и в доме сразу поднялась невообразимая суматоха. Аманда так нервничала, что чуть не забыла свой букет, стоявший в прихожей в вазе. От волнения она раскраснелась и стала еще привлекательнее, и Джен с Луизой невольно почувствовали прилив гордости, когда их мать – такая очаровательная и такая молодая – вышла на ступеньки дома. В воздушном свадебном платье, с цветами в волосах Аманда выглядела потрясающе.

Потом они помогли ей сесть в лимузин. С шутками и смехом они разместились в машине. Джен и Луиза сели по обе стороны от матери, и лимузин тронулся в путь вслед за «Хондой» фотографа, который спешил приехать в салон первым, чтобы успеть заснять приезд Аманды. Джулия с мужем должна была приехать прямо в салон.

Когда они наконец прибыли, Аманда была потрясена убранством салона. Повсюду стояли в вазах и горшках живые цветы, а потолок представлял собой поверхность из переплетенных цветочных гирлянд. Здесь были и розы, и орхидеи, и даже лилии из оранжерей в Напа. Ничего подобного Аманда никогда в жизни не видела. Когда же она вместе с Джеком и с детьми предстала перед судьей, ее неожиданно захлестнули эмоции. Свадьба с Джеком значила для нее очень много – она была едва ли не важнее, чем ее первое бракосочетание. Теперь Аманда была намного мудрее и вполне отдавала себе отчет в том, как ей повезло выйти замуж именно за этого человека – любимого и любящего. Они с Джеком подходили друг другу почти идеально, и это было тем более важно, что они оба были уже немолоды и не имели времени на притирку и ошибки.

Но вот наконец судья объявил их мужем и женой, и их взрослые дети, как и хотел Джек, от души поздравили родителей. Их улыбки были искренними, а слова – теплыми, идущими от самого сердца, и Аманда снова прослезилась. Потом они всей семьей позировали фотографу и пили шампанское, – разумеется, кроме невесты, которая позволила себе глоток слабого имбирного пива. Минут через двадцать прибыли первые гости, и начался торжественный прием в честь новобрачных, который продолжался допоздна.

К полуночи Аманда настолько устала, что ее просто не держали ноги, и Джек не решился задерживать ее, хотя гости и не думали расходиться. По обычаю, перед тем как уехать, Аманда бросила свой свадебный букет в толпу, и он достался Глэдди. Потом они попрощались со всеми, и Джек повел ее к машине, а его служащие осыпáли их лепестками роз.

Свадебное путешествие они решили отложить до лучших времен. Вместо этого Джек заранее снял президентские апартаменты в роскошном отеле в Бель-Эйр, который находился всего в двух кварталах от особняка

Аманды. Туда они и отправлялись сейчас в его красном «Феррари», который был украшен воздушными шарами и разноцветными ленточками. Правда, Джек был слегка под хмельком, но, когда Аманда спросила, не придется ли им вместо отеля ночевать в полицейском участке, Джек только ухмыльнулся и показал ей на надпись «Осторожно, молодожены!», сделанную пеной на багажнике машины.

– С этим мы можем объехать всю страну, и ни один коп нас не остановит, – сказал он и подмигнул Аманде. – Знаешь, я снова чувствую себя молодым, – добавил Джек неожиданно.

– Зато я чувствую себя столетней старухой, – ответила Аманда, со вздохом опускаясь на переднее сиденье. – Очень нескладной старухой. Вы с Глэдди отлично поработали, и мне жаль, что я не смогла остаться до конца. Ну ничего, зато у меня будут фотографии, и я смогу видеть всю эту красоту в любое время. Спасибо тебе, Джек.

Едва войдя в номер, Аманда сразу же сняла платье и бросилась на кровать. Сегодняшний день был самым счастливым в ее жизни, но и самым трудным. Ноги у нее гудели от усталости, поясницу ломило, голова слегка кружилась, но Аманде не хотелось жаловаться и портить Джеку настроение. В конце концов она решила, что чуть-чуть полежит и встанет, когда немного придет в себя. Пока же ей лень было даже повернуться на бок, чтобы дотянуться до лежащего на тумбочке пульта дистанционного управления и включить телевизор.

Тем временем Джек заказал в номер шампанское и немного имбирного пива для нее. Когда коридорный ушел, он вернулся в спальню и встал на пороге.

– Ну, как ты себя чувствуешь? – спросил он заботливо.

– О боже... Как будто я умерла и оказалась в раю, – ответила Аманда с улыбкой, и Джек просиял. Он был ужасно счастлив – она видела это и по его лицу, и по глазам, и даже по его жестам. Отныне прошлое для него перестало существовать – теперь он жил настоящим и будущим, жил своей Амандой и своим ребенком, который должен был появиться на свет в самое ближайшее время. И ничего другого Джек не хотел.

– Принести тебе что-нибудь? – спросил он, развязывая галстук.

– Домкрат, – ухмыльнулась Аманда. – Иначе я просто не смогу встать на ноги.

– Я с удовольствием поработаю домкратом, – галантно предложил Джек.

– Пожалей себя! – воскликнула Аманда в притворном испуге. – Это убьет тебя, а ты мне нужен живой.

– Зачем, позвольте спросить? – Он быстро разделся и, небрежно швырнув свой сногсшибательный костюм в ближайшее кресло, сел рядом с нею, подоткнув под спину подушку. В руке он держал бокал шампанского, а на коленях – коробку с шоколадными конфетами-трюфелями и засахаренной клюквой, которую он заказал вместе с вином. – Попробуй-ка вот это... – предложил он и положил конфету ей в рот. Шоколад таял во рту, и Аманда зажмурилась от удовольствия.

– Как вкусно, Джек!.. – пробормотала она. – Почему раньше мы не ели трюфели на завтрак, обед и ужин?

– Сначала ты не могла, а потом нам стало не до того, – ответил Джек. Допив бокал и отложив конфеты, он заглянул в тумбочку, которая оказалась битком набита видеокассетами. – Но мы обязательно наверстаем упущенное. Кстати, как насчет того, чтобы посмотреть порнофильм? Здесь, я вижу, неплохая коллекция. Можно подумать, что мы не в президентских апартаментах, а в третьесортном мотеле...

– Мотель, где подают шампанское и шоколад в номер, – рассмеялась Аманда. – Что касается твоего предложения, то мне что-то не хочется...

– Ты не хочешь смотреть порно в нашу первую брачную ночь? – Джек состроил разочарованную гримасу.

– Как тебе не стыдно? Ведь мы теперь супруги. Или ты забыл?.. – Аманда притворилась возмущенной, но Джек все-таки поставил пленку в видеомагнитофон. Фильм оказался совершенно ужасным, и они долго смеялись над неестественными позами, которые принимали главные герои. В конце концов Джек все же возбудился, но Аманда уклонилась от его ласк.

– Давай не сегодня, ладно? Я так устала, что у меня, наверное, не хватит сил даже раздеться.

Джек внимательно посмотрел на нее. Она лежала на кровати в чулках и шелковой комбинации и выглядела очень соблазнительно.

– Я тебе помогу, – сказал он с надеждой, но Аманда видела, что, даже если он говорит серьезно, у них вряд ли что-нибудь выйдет. Джек тоже устал, да и выпил больше, чем следовало, и язык его начинал слегка заплетаться.

Аманда, напротив, пришла в себя, поднялась с кровати и направилась в ванную комнату.

– Мне нужно принять душ, – сказала она, обернувшись к Джеку.

– Сейчас? – сонно удивился Джек. Времени было половина второго ночи, но она рассчитывала, что за время ее отсутствия Джек немного поостынет.

– Я быстро, – ответила она, скрываясь за дверью.

Прохладный душ помог ей взбодриться, однако, несмотря на это, Аманда продолжала чувствовать себя разбитой. Ощущение усталости едва не отравило ей радость сегодняшнего дня, но Аманда подумала, что ничего удивительного тут нет. В конце концов, сегодня они с

Джеком встали ни свет ни заря, и с тех пор она даже ни разу не присела.

Вернувшись в спальню, Аманда увидела, что ее расчеты полностью оправдались. Джек допил шампанское и теперь сладко похрапывал перед телевизором, на экране которого продолжали сплетаться обнаженные тела. Выключив видео, Аманда села на кровать и некоторое время просто смотрела на спящего Джека, раздумывая о том, какая все-таки странная штука жизнь, как она играет человеческими судьбами, неожиданно сталкивая людей или разводя. Их с Джеком встреча произошла очень своевременно, и теперь Аманда просто не могла себе представить, как бы она жила без него.

Когда она погасила свет и легла рядом с ним, Джек слегка пошевелился, но не проснулся. Зато ребенок в ее чреве, словно перепутав ночь и день, принялся шевелиться и брыкаться изо всех сил, и Аманда невольно подумала, что если так пойдет и дальше, то она не сможет заснуть до самого утра.

Она долго лежала в темноте, но сон не шел. Снова заломило поясницу, но теперь Аманда ощущала в себе какое-то странное давление, как будто ребенок перевернулся и давил изнутри головкой. Это давление разрешилось острой, режущей болью, и Аманда поняла, что это означает. У нее начались схватки.

Сначала острые спазмы в животе были вполне терпимыми, и Аманда, заметив время по светящимся часам на видеомагнитофоне, подсчитала, что между двумя приступами проходит ровно десять минут. Потом боль стала острее, и Аманда только стискивала зубы, чтобы не закричать. К началу четвертого утра промежутки между схватками сократились до пяти минут, но Аманда по-прежнему не хотела будить Джека. Она боялась оказаться в глупом положении, если вдруг ничего не произойдет, к тому же она боялась, что Джек до смерти перепугается.

Но когда в четыре часа Аманда встала, чтобы сходить в туалет, Джек проснулся. Должно быть, он почувствовал что-то неладное, поскольку, когда она вернулась и снова прилегла рядом, он спросил сонным голосом:

– С тобой все в порядке, родная?

– Я... Мне кажется, я рожаю... – прошептала Аманда.

Джек резко сел.

– Что? Здесь?! Сейчас?!! Я вызову врача... – Он нашарил на тумбочке ночник и включил свет. Свет был таким ярким, что Аманда невольно зажмурилась. Ее лицо было очень бледным и искажено страданием, и Джек почувствовал, как его лоб покрывается холодной испариной.

– Почему ты не разбудила меня раньше? – спросил он сердито.

– Я думала, еще не скоро... – виновато прошептала Аманда и заскрипела зубами от острой боли, которая заставила ее скорчиться на кровати.

– Ты с ума сошла! Ты что, хочешь родить здесь? – Джек уже прыгал на одной ноге, натягивая штаны, и Аманда не смогла сдержать улыбки. Он выглядел так комично, что...

Новый приступ боли заставил ее вскрикнуть. Теперь между схватками проходило меньше двух минут.

– Я хотела провести здесь хотя бы одну ночь, – пробормотала она, кусая губы. – И мой чемодан еще не распакован.

– Клянусь, я снова привезу тебя сюда после того, как ты родишь. В любое время, когда ты только захочешь. А теперь выбирайся-ка из постели. Мы должны скорее попасть к врачу.

– Я... – Аманда поморщилась от боли. – Я хотела

сказать, что мне нечего надеть. Все мои вещи в чемодане. Мятые.

– А чем тебе не нравится твое платье?

– Не могу же я ехать в родильный дом в свадебном платье! – возмутилась Аманда. – Я буду выглядеть круглой дурой.

– Я никому не скажу, что это свадебное платье. Ради бога, Аманда, одевайся... Да что с тобой? – в испуге добавил он, увидев, что лицо Аманды снова перекосилось от боли.

– У меня схватки, – задыхаясь пробормотала она, и Джек побледнел еще сильнее. Как и Аманда, он тоже схватился за живот и присел.

– А что с тобой? – спросила Аманда, почувствовав, что боль отпустила.

– Я думаю, шампанское было не самым лучшим, – неуверенно проговорил он и вытер пот со лба.

– Может, у тебя тоже схватки? – пошутила Аманда. – Вот что, Джек, позвони Луизе и Джен, пусть они приедут.

С этими словами она выбралась из постели и встала, но тут же покачнулась и поспешно оперлась на тумбочку. Стоять на ногах ей было очень тяжело.

– Я позвоню в «Скорую», – предложил Джек.

– Я не поеду в «Скорой», – ответила Аманда, которой хотелось одновременно и смеяться, и плакать. – Ты должен сам отвезти меня.

– Но я же... Я не могу. Я еще не протрезвел! – в отчаянии выкрикнул Джек. – Неужели ты не видишь? Ах, зачем я только выпил эту бутылку шампанского?!

– А по-моему, ты просто еще не проснулся, – отрезала Аманда, чувствуя приближение новой боли. – Ничего, ты справишься. Только позвони Лу и Джен.

– Я не помню их номеров, – ответил Джек, начиная

злиться. – А если ты сейчас же не наденешь это чертово платье, я вызову полицию. Пусть тебя арестуют.

– Это было бы неплохо, – невнятно ответила Аманда, с трудом натягивая на себя платье и снова хватаясь за живот. Но когда она попыталась надеть туфли, то оказалось, что ее ноги отекли.

– Придется идти босиком, – без колебаний решила она.

– Ради бога!.. Аманда! Прошу тебя... – Джек швырнул на кровать ее чемодан и принялся рыться в нем. Довольно скоро он обнаружил пару тапочек и протянул ей.

– На, надень хоть это!

– Да что с тобой, Джек? По-моему, двадцать лет в розничной торговле сделали тебя ханжой. Почему я не могу поехать в больницу босиком?

– Потому что ты будешь выглядеть глупо. – Джек решил бить Аманду ее же оружием, но у него ничего не вышло. Несмотря на боли, которые продолжали терзать ее, Аманда не утратила ни рассудительности, ни своего обычного хладнокровия.

– Не глупее, чем в тапочках. Они очень идут к моему шелковому свадебному платью... К тому же платье светлое, а тапочки – синие!

Она хотела сказать что-то еще, но тут ее снова скрутило, да с такой силой, что она чуть не упала, и Джек едва успел подхватить ее под мышки.

– Это ничего, – прошептала Аманда, забыв и о тапочках, и о звонке дочерям. – Пойдем, Джек, скорее!..

От жалости и страха Джек застонал сквозь зубы, но, поудобнее взяв ее под руку, помог сделать первый шаг к двери.

Аманде показалось, что прошла целая вечность, прежде чем они сумели спуститься на первый этаж и выйти из отеля на стоянку, где Джек оставил свою машину. Она даже боялась, что родит прямо в лифте или в вестибюле, но все обошлось.

Прохладный ночной воздух сразу освежил ее. Аманда почувствовала себя настолько хорошо, что мужественно предложила Джеку повести машину, и он посмотрел на нее как на сумасшедшую.

– Не говори глупости, Аманда!

– Ты же сам говорил, что еще не протрезвел. Давай ключи! Иначе мы перевернемся, и мне придется рожать где-нибудь в кювете, если мы вообще останемся живы.

Джек был настолько потрясен, что не стал возражать. Тупо кивнув, он помог ей сесть за руль, а сам плюхнулся на пассажирское сиденье и принялся шарить по карманам в поисках ключа зажигания. Он никак не мог его найти, и Аманда внутренне похолодела, испугавшись, что Джек мог оставить его в номере. Но ключ оказался в замке зажигания – Джек просто не вынул его, когда они подъехали к отелю.

«Значит, – подумала Аманда, – он был еще пьянее, чем казался. Удивительно, как мы ни во что не врезались по дороге в отель».

– Позвони Джен, – неожиданно вспомнила она, запуская мотор, и продиктовала ему номер телефона дочери. – И пусть она позвонит Лу. Мы будем в больнице минут через пять – через семь. Скажи, чтобы ждали меня в родильном отделении.

– Знаешь, куда они меня пошлют? – проворчал Джек, снимая трубку мобильного телефона. – К чертовой бабушке. Или в дурдом для слабоумных стариков.

– Успокойся, Джек, все будет хорошо, – строго сказала Аманда, трогая «Феррари» с места.

«Да, – думала она, ведя машину по пустынным ночным улицам, – первая брачная ночь получилась действительно незабываемой». Аманда могла родить каждую минуту – она чувствовала это каждой клеточкой своего ноющего тела, поэтому перед очередным приступом боли она притормозила и вырулила к обочине.

– О боже! – завопил Джек. – Что ты делаешь? Не останавливайся, ради всего святого, не останавливайся!

– Я стараюсь не расколотить твой драгоценный «Феррари» и не угробить нас, – отозвалась Аманда.

Он в ужасе посмотрел на нее:

– Черт!.. У тебя уже началось? Это... как его... изгнание плода?

– Я сама знаю, что у меня началось, а что – нет, – рявкнула Аманда. – Будь так добр, сейчас же прекрати истерику и позвони моей дочери.

Джек на секунду задумался, потом ахнул.

– Точно, я помню... Об этом говорила наша лекторша-садистка с курсов... Она сказала, что как только ты начнешь вести себя как совершенно незнакомый человек, значит, у тебя началось!..

Аманда ничего не сказала. Она только быстро посмотрела на него, не зная, смеяться ей или лучше треснуть его чем-нибудь тяжелым, чтобы он пришел наконец в себя. К счастью для себя, Джек начал наконец набирать номер Джен, и никаких экстраординарных мер не потребовалось.

Когда Джен ответила, Джек с ходу огорошил ее сообщением, что у ее матери началось изгнание плода.

– Это что, шутка? – спросила Джен сонным голосом. Она никак не могла проснуться, к тому же термин «изгнание плода» ни о чем ей не говорил. Очевидно, решила Джен, Джек слишком много выпил на свадьбе и теперь куролесит.

– Никакая это не шутка! – истерически завопил Джек. – Аманда рожает, и мы уже едем в клинику. У нее уже началось изгнание плода, нам на курсах говорили... Она ведет себя как чужая!

– А ты уверен, что это действительно мама? – рассмеялась Джен. Судя по его голосу, Джек был напуган и растерян даже больше, чем предсказывала Аманда.

– По крайней мере, она одета в такое же свадебное платье, – откликнулся Джек, бросив быстрый взгляд на Аманду. – И она просила тебя позвонить Луизе. Только поторопись, мы уже подъезжаем к клинике.

– Мы будем в «Синайском Кедре» через десять минут, – совсем другим, серьезным голосом ответила Джен и дала отбой как раз в ту минуту, когда Джен въехала на территорию больницы. Затормозив перед дверями приемного отделения, она распахнула дверцу «Феррари» и оценивающе посмотрела на своего свежеиспеченного мужа.

– Припаркуй машину, будь любезен, а то мне некогда. Я сейчас буду очень занята, – сказала она величественно. – Да смотри не поцарапай, иначе мой муж тебя прибьет.

– Очень смешно, мисс Неизвестно Кто! – с упреком ответил Джек, но Аманды уже не было рядом.

– Нет, правда, она очень похожа на мою жену... – сообщил он ночному сторожу, но тот только покачал головой и жестом указал ему, где он может припарковать машину.

Аманда к этому времени уже была в приемном покое. Там ее уложили на каталку, и она, сообщив дежурной сестре фамилию врача, наблюдавшего ее в течение всей беременности, стала делать дыхательные упражнения на расслабление, как учили ее на курсах подготовки к родам. Между тем схватки становились все более частыми и болезненными, и Аманда уже не знала, как ей справиться с болью.

Через пару минут в приемный покой ворвался Джек. Увидев, как неестественно и странно поднимается и опускается огромный живот Аманды, он на мгновение опешил, но тут же все вспомнил.

– А-а, брюшное дыхание... – пробормотал он. – Черт, я все-таки забыл наши песочные часы...

Но санитарки уже покатили Аманду к лифту, и она с силой вцепилась пальцами в металлические бортики каталки. А у Джека от одного взгляда на нее болезненно сжалось сердце.

– Как ты, родная? – проговорил он жалобно, входя в лифт следом за ними. – У тебя все хорошо?..

– Как я выгляжу? – слабым голосом спросила она, и Джек невольно улыбнулся. Этот вопрос до такой степени напомнил ему о прежней Аманде, что он не стал увиливать и ответил честно:

– Не очень, – сказал он. – Даже, пожалуй, еще хуже...

– Оно и есть хуже. – Аманда поморщилась. – Ощущение такое, словно тебя режут пополам бензопилой.

– А это... Ну, когда натягивают губу на затылок?

– Это мне еще предстоит.

– Бедная моя, скорей бы уж все кончилось...

Тем временем лифт поднялся на третий этаж, и Аманду ввезли в просторную светлую комнату, где она переоделась в больничный халат. Джеку сестра тоже вынесла шапочку, которую он поспешно нахлобучил на голову, и светло-зеленую просторную пижаму.

– Это еще зачем? – перепугался Джек.

– Для вас, если, конечно, вы хотите видеть, как рождается ваш ребенок, – заявила сестра и, без церемоний сунув Джеку одежду, вызвала дежурного врача, чтобы он пришел обследовать Аманду.

Молодой врач появился минуты через две – Джек даже не успел переодеться. Быстро осмотрев Аманду, он заявил, что зев раскрылся на восемь сантиметров и что шейка матки продолжает расширяться. Когда он закончил осмотр, маточный зев раскрылся уже на девять с половиной сантиметров.

– Дайте мне азот, – простонала Аманда, с силой сжимая поручни каталки. – Или морфин... Хоть что-нибудь! Я не выдержу!

– Слишком поздно, миссис Кингстон, – ответила медсестра. – На семи сантиметрах еще куда ни шло, но не сейчас. Почему вы не приехали раньше?

– Потому!.. – отрезала Аманда, стискивая зубы. – Я была чертовски занята. Я ехала сюда в долбаном «Феррари» моего мужа...

И она неожиданно расплакалась. В трудной ситуации, в которой она оказалась, не было ничего смешного, и Джек, только что вышедший из-за ширмы, за которой переодевался, непроизвольно шагнул вперед, чтобы утешить ее, но Аманда перестала плакать так же внезапно, как и начала.

– Вы что, хотите сказать, что, если бы я приехала сюда полчаса назад, я получила бы обезболивание? – спросила она срывающимся от волнения и боли голосом и попыталась даже приподняться на локте, но силы изменили ей, и она рухнула обратно. – Это ты виноват! – заявила она Джеку, который в своей салатовой униформе стал похож на больничного уборщика. – Ты, ты, ты!

– В чем? В чем я виноват?! – опешил он поначалу, но потом его взгляд упал на ее огромный живот. – Ах, в этом!.. Пожалуй, тут ты права, – покорно согласился он. – Кстати, – добавил он, величественно поворачиваясь к врачу и медицинской сестре. – Никакая она не миссис Кингстон. Перед вами – миссис Уотсон.

– Вот как? – удивился врач и, близоруко сощурившись, поднес к глазам ее медицинскую карточку. – А здесь написано, что это миссис Кингстон. Миссис Аманда Кингстон...

– Нет, это миссис Аманда У-уотсон. Я на этом настаиваю, – заупрямился Джек, у которого в голове все еще играло выпитое перед сном шампанское.

Аманда поняла, что пройдет еще несколько часов, прежде чем он протрезвеет, и поспешила вмешаться.

– Неважно, кто я такая, – сказала она. – Просто вызовите моего врача. Где он?

– Я здесь, – донесся от дверей спокойный голос, и Аманда, повернув голову, увидела акушерку, которая наблюдала ее с самого начала беременности.

– Наконец-то! – воскликнула она и испустила вздох облегчения. – Мне нужно болеутоляющее, а они не хотят мне его давать!

Акушерка пошепталась с молодым врачом.

– Как насчет морфина, миссис Аманда?

– Очень хорошо. Только поскорее! – пробормотала Аманда, и сестра, настраивавшая аппарат УЗИ, быстро сделала ей укол. Потом она подвесила над каталкой капельницу и ввела Аманде в вену толстую канюлю.

Все это заняло не больше пяти минут, но этого вполне хватило, чтобы Джека опять начало мутить. Комната перед его глазами бешено вращалась, и он, крепко зажмурив глаза, скорчился в кресле в углу.

– Может быть, дадим мистеру Уотсону чашечку нашего фирменного черного кофе? – спросил врач, и медсестра вопросительно посмотрела на него.

– Раствор номер четыре?

– Вот именно.

Тут медики рассмеялись, и Джек рискнул открыть один глаз. Аманду по-прежнему мучили боли, но, судя по выражению ее лица, уже не так сильно, как в начале. Очевидно, морфин начинал действовать.

Он уже собирался спросить, что это за «кофе номер четыре», когда дверь отворилась, и в комнату вошли Джен и Луиза. Не обратив на Джека никакого внимания, они прямиком бросились к матери.

– А, это вы... – пробормотала Аманда. Морфин в самом деле начинал действовать, и ей чертовски хотелось спать. – Вам... вам не нужно тут быть. Особенно тебе, Джен. Подожди снаружи, ладно?..

– Почему снаружи?! – воскликнула Джен, нежно гладя мать по щеке, а Луиза полезла в сумочку и достала оттуда огромный пакет колотого льда. Когда она рожала своих детей, ей ничего так не хотелось, как почувствовать во рту приятную прохладу талой воды.

– Потому что, после того что ты здесь увидишь, ты можешь вовсе не захотеть рожать детей... – сказала Аманда, закрывая глаза. Потом веки ее снова дрогнули и она добавила: – Хотя дело того стоит... какими бы ни были страдания. Я люблю тебя, Джен. И тебя, Лу. Я люблю вас обеих...

С этими словами Аманда отключилась, крепко сжав зубами кусочек льда, который Луиза положила ей в рот.

В начале шестого врач и акушерка снова осмотрели Аманду и решили, что ее пора перевозить в родовую палату. Между тем действие морфина заканчивалось. Аманда очнулась и снова начала жаловаться на боль.

– Я чувствую себя так ужасно... – простонала она таким странным голосом, что Джек, сидевший в углу со второй чашкой крепчайшего кофе, чуть не вылил его на свою зеленую пижаму. – Ну почему, почему мне так нехорошо?

– Потому что совсем скоро ты должна родить, – напомнила ей Луиза, и Джек, поставив кофе на пол, тоже подошел к каталке. Он наконец окончательно протрезвел.

– Тебе плохо, родная? – с сочувствием спросил он.

– Мне плохо, очень плохо, Джек, – проговорила она еле слышным голосом, снова прикрывая глаза. – Мне кажется, что я вот-вот лопну...

– Конечно, я понимаю, – кивнул Джек и повернулся к медицинской сестре. – Дайте же ей что-нибудь. Нельзя же, чтобы человек так мучился! – сказал он раздраженно. – Почему вы не хотите дать ей общий наркоз?

– Потому что это роды, а не операция на сердце, – возразила сестра. – Ваша жена должна тужиться, а как она будет это делать, если мы ее выключим?

– Я не хочу тужиться! – подала голос Аманда, снова открывая глаза. – Не могу!

Действие морфина почти прошло, к тому же доза была слишком маленькой. После укола Аманду потянуло в сон, да и боль стала не такой острой, однако даже во сне она продолжала чувствовать ее.

– Ничего, теперь уже скоро! – промямлил Джек, ибо это было все, что он мог сказать ей в утешение.

Тем временем медсестра и акушерка повезли каталку Аманды в родовую палату, и Джек, словно баран, которого ведут на заклание, послушно пошел следом, гадая, как же это он умудрился так влипнуть. Но сбежать он никак не мог. Во-первых, ему было стыдно бросить Аманду, а во-вторых, за ним по пятам шли Джен и Луиза, и Джек не мог уронить себя в их глазах.

«Только бы не грохнуться в обморок, только не это!» – подумал он в отчаянии, оглядывая сложное оборудование и разложенные на столах поблескивающие хирургические инструменты.

Тем временем врач и сестра устроили Аманду на столе, так что она оказалась в полулежачем положении. Ее ноги были просунуты в стремена, а руки пристегнуты ремнями к поручням. Джен, Луизу и Джека акушерка усадила на стулья в изголовье операционного стола, и он, снова оглядевшись по сторонам, заметил в углу застеленный чистой простыней пластиковый столик с высокими бортиками, над которым горели две лампы – обычная и ультрафиолетовая. Столик был готов для приема малыша, и Джек неожиданно почувствовал себя увереннее. Теперь он уже не так сильно боялся того, что ему предстояло увидеть и услышать. Напротив, у него появилось такое ощущение, будто он присутствует при чем-то очень и очень значительном, грандиозном. В конце концов, они собрались здесь вовсе не для того, чтобы присутствовать при страданиях Аманды, а для того, чтобы встретить рождение новой жизни.

Прошло, однако, сколько-то времени, и это ощущение почти исчезло. Во всяком случае, Джек снова перестал понимать, для чего он здесь. Аманда тужилась уже два часа, однако все было тщетно. Ребенок оказался слишком большим и никак не хотел выходить. Медики, к которым прибавились еще одна акушерка и анестезиолог, начали перешептываться между собой, потом врач посмотрел на часы и кивнул.

– Дадим ей еще десять минут, – сказал он тихо, но Джек был настороже и услышал эти слова.

– Что это значит? – спросил он, вскакивая со стула.

– Ребенок перестал продвигаться к выходу, Джек, – негромко пояснил врач. – А миссис Уотсон очень устала. Боюсь, нам придется ей помочь.

– Как это – помочь?! – в панике выкрикнул Джек, который вдруг вспомнил учебный фильм о кесаревом сечении. Там двое похожих на маньяков врачей резали роженицу остро заточенными ножами, а она кричала... Боже, как она кричала! Помнится, тогда он еще подумал, неужели с живым человеком можно обращаться подобным образом? Неужели законы Соединенных Штатов допускают подобное зверство?

Джек покачнулся от ужаса и схватился рукой за спинку стула, чтобы не упасть.

– Неужели вам придется... – пролепетал он непослушными губами.

– Посмотрим, – врач пожал плечами. – Может быть, все обойдется, надо только, чтобы она нам помогла.

Джек машинально перевел взгляд на жену и подумал, что Аманда вряд ли способна сейчас кому-нибудь помочь. По ее искаженному лицу катились крупные капли пота и слез, пальцы судорожно сжимали поручни стола, а из полуоткрытого рта доносились хриплые, жалобные стоны. Впрочем, Джек и сам выглядел немногим лучше.

Прошло пять минут, но ничего не изменилось, и Джек почувствовал, что изнемогает от страха и острого ощущения собственного бессилия и беспомощности. Дочери Аманды тоже выглядели обеспокоенными, но пока держали себя в руках. Поднявшись со своих мест, они подошли к матери и встали по обеим сторонам от стола, чтобы она могла их видеть. Джек тоже приблизился и взял осторожно Аманду за руку, чтобы хоть как-то поддержать ее, но она с такой силой сжала его пальцы, что ему стало больно.

Он как раз хотел спросить врача, как дела, но не успел. Раздался тревожный звонок, и врачи сразу засуетились.

– Что? Что случилось?! – испуганно воскликнул Джек.

– Сработал датчик положения плода, – быстро ответила одна из акушерок. – Ребенок в беде...

Она была слишком занята, чтобы объяснить все подробно, и Джек почувствовал, как у него подкашиваются ноги. Врачи быстро переговаривались между собой, сыпя непонятными терминами, анестезиолог склонился к Аманде и что-то ей настойчиво говорил, а Аманда плакала.

– Да скажите же мне толком, в чем, собственно, дело?! – взмолился Джек, но ему никто не ответил.

Прошла еще минута, и врач, пристально смотревший на экран какого-то прибора, повернулся к Джеку.

– Вам сейчас придется уйти. Всем троим, – сказал он и, совсем не слушая их слабых возражений и больше не обращая на них внимания, повернулся к анестезиологу.

– У нас есть время для эпидуральной блокады?[1]

– Посмотрим, – отозвался тот.

Шум и суета усилились, но Джек этого не замечал. Он видел только страдающие глаза Аманды, которая в отчаянии сжимала его пальцы. Джен и Луиза уже покинули родовую, но Джек никуда не собирался уходить. Он знал, что не может бросить ее сейчас.

– Я посещал курсы... – объяснял он врачам. – Курсы молодых родителей. Нам показывали фильм про кесарево сечение. Мне можно, можно...

Но никто его не слушал. Акушерки, то и дело поглядывая на главный монитор, пытались извлечь его сына из чрева Аманды, но безуспешно. Анестезиолог возился с какими-то шлангами и катетерами, а врач, строго посмотрев на Джека, сказал не терпящим возражений тоном:

– Сядьте и разговаривайте с ней. О чем угодно...

К этому времени медсестра установила над Амандой небольшую складную ширму, так что Джек не мог видеть, что делают врачи; открытым оставалось только ее лицо – покрасневшее, перекошенное, блестящее от пота. И глаза, в которых застыли ужас и мука.

– Все будет хорошо, родная, – пробормотал Джек. – Я здесь, с тобой. Пожалуйста, потерпи еще капельку. Еще немного, и все кончится.

– Джек!.. – простонала Аманда. – Скажи... скажи мне, ребенок жив? С ним все в порядке?

Аманда плакала и говорила одновременно, но никакой боли она не чувствовала. Из нее рывками вытаскивали что-то очень большое, но это ощущение не было бо-

[1] Эпидуральная блокада – разновидность местной анестезии при родовспоможении.

 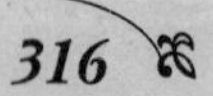

лезненным. Да и Джек не давал ей сосредоточиться на своих ощущениях – он говорил, говорил без конца о том, как он любит ее и как они счастливо заживут втроем, когда все будет позади.

– Ребенок жив, – повторял он, от души желая, чтобы это было правдой, и молясь про себя всем известным и неизвестным богам, чтобы все обошлось, чтобы с ребенком ничего не случилось и чтобы он родился живым и здоровым. И чтобы ничего не случилось с Амандой. Она и так перенесла слишком много, и Джек просто не допускал мысли о том, что все может оказаться напрасно. От напряжения его лицо тоже покрылось испариной, а слезы, стекавшие по щекам, падали на простыни, на сплетенные руки и на лицо Аманды, смешиваясь с ее слезами.

Они ждали. Потом в комнате неожиданно стало очень тихо, и в этой тишине раздалось громкое рыдание Аманды, которая поняла, почувствовала, что вот-вот может случиться самое страшное.

А Джек ничем не мог ей помочь. Он только наклонился еще ниже и горячо заговорил о своей любви и о том, как он счастлив с ней. Про себя же Джек думал, что он будет делать, если Аманда потеряет ребенка. Как ему утешить ее и сможет ли он? Джек знал, чувствовал, что эта потеря будет невосполнимой и что, если это случится, из их жизни уйдет что-то важное, что связало их крепче, чем привязанность и страсть.

Со страхом и трепетом они ждали, что же будет дальше, и вдруг услышали тоненький плач, который становился все громче, наполняя собой комнату.

– Он... с ним все в порядке? – слабым голосом спросила Аманда, открывая глаза. Она чувствовала себя так, словно ее только что пропустили через мясорубку, но сейчас она могла думать только об одном. – Он жив, доктор?

И врач, такой же потный и красный, как и она, поспешил успокоить ее.

– Отличный малыш, Аманда! – проговорил он, отдуваясь, пока акушерка перереза́ла и перевязывала пуповину. Потом они стали взвешивать малыша, и Джек, привстав со стула, заглянул за ширму, чтобы скорее увидеть сына.

Ребенок действительно был очень большим. Он весил девять фунтов и двенадцать унций – почти десять. Неудивительно, что ему было трудно появиться на свет. У него было красное сморщенное личико и большие голубые глаза, в которых застыло удивленное выражение пришельца из иного мира, впервые увидевшего нашу прекрасную землю.

Акушерки быстро обмыли ребенка, завернули в одеяло и положили рядом с Амандой, но ее руки все еще были пристегнуты, и она не могла обнять его. Джек первым взял малыша на руки и передал Аманде, как только медсестра расстегнула ремни. Аманда бережно приняла сына и прижалась щекой к его мокрой головке.

Глядя на них, Джек почувствовал, что плачет. Ему казалось, что ничто в мире не может быть прекраснее этой женщины, которую он так любит, и их сына, который стал для них нечаянным даром судьбы. Этот сморщенный младенец был живым воплощением их надежд на будущее, и Джек неожиданно почувствовал себя совсем молодым и бесконечно счастливым.

Широко улыбаясь, он снова посмотрел на сына и жену.

– Как он красив! – прошептала Аманда, поднимая

на Джека взгляд. – И он будет похож на тебя. Он уже похож!..

– Надеюсь, что не во всем, – с глубоким раскаянием ответил Джек и наклонился, чтобы поцеловать их обоих. – Спасибо тебе, спасибо, моя родная... – добавил он, с трудом сглотнув застрявший в горле комок. – Спасибо тебе за то, что ты оставила его... что не послушалась меня, когда я, идиот, хотел от него избавиться.

– Не думай об этом, Джек... Я люблю тебя, – прошептала Аманда и неожиданно сладко зевнула. На часах было восемь утра, а их ребенку уже исполнилось десять минут.

– Я тоже тебя люблю, – сказал Джек, глядя, как веки ее тяжелеют и опускаются. – И еще раз – спасибо...

Вскоре Аманда заснула. Сиделка унесла ребенка в палату для новорожденных, а врачи принялись обрабатывать разрывы, которые Аманда получила во время родов. Все это время Джек тихо сидел рядом и смотрел на нее совершенно ошеломленный, счастливыми глазами. И когда Аманду, продолжавшую крепко спать, перенесли обратно на каталку и отвезли в палату, где ей предстояло пролежать несколько дней, Джек был рядом с ней. Он ни на шаг не отходил от нее.

В палате его уже ждали Джен, Луиза и Пол. Они уже все знали и встретили его улыбками.

– Ну что ж, Джек, поздравляю! – первой сказала Луиза, протягивая ему руку.

И Джек обнял ее, радуясь, что все страшное осталось позади.

Литературно-художественное издание

Даниэла Стил

ВОЗРАСТ ЛЮБВИ

Редактор *Н. Крылова*
Художественный редактор *Е. Савченко*
Технический редактор *Н. Носова*
Компьютерная верстка *Т. Жарикова*
Корректор *М. Минкова*

ООО «Издательство «Эксмо»
127299, Москва, ул. Клары Цеткин, д. 18/5. Тел.: 411-68-86, 956-39-21.
Home page: www.eksmo.ru E-mail: info@ eksmo.ru

По вопросам размещения рекламы в книгах издательства «Эксмо» обращаться в рекламный отдел. Тел. 411-68-74.

Оптовая торговля книгами «Эксмо» и товарами «Эксмо-канц»:
ООО «ТД «Эксмо». 142700, Московская обл., Ленинский р-н, г. Видное, Белокаменное ш., д.1. Тел./факс: (095) 378-84-74, 378-82-61, 745-89-16. Многоканальный тел. 411-50-74. **E-mail: reception@eksmo-sale.ru**

Мелкооптовая торговля книгами «Эксмо» и товарами «Эксмо-канц»:
117192, Москва, Мичуринский пр-т, д. 12/1. Тел./факс: (095) 932-74-71.
127254, Москва, ул. Добролюбова, д. 2. Тел.: (095) 745-89-15, 780-58-34.
www.eksmo-kanc.ru e-mail: kanc@eksmo-sale.ru

Полный ассортимент продукции издательства «Эксмо» в Москве в сети магазинов «Новый книжный»:
Центральный магазин — Москва, Сухаревская пл., 12
(м. «Сухаревская»,ТЦ «Садовая галерея»). Тел. 937-85-81.
Информация о других магазинах «Новый книжный» по тел. 780-58-81.

В Санкт-Петербурге в сети магазинов «Буквоед»:
«Книжный супермаркет» на Загородном, д. 35. Тел. (812) 312-67-34
и «Магазин на Невском», д. 13. Тел. (812) 310-22-44.

Полный ассортимент книг издательства «Эксмо»:
В Санкт-Петербурге: ООО СЗКО, пр-т Обуховской Обороны, д. 84Е.
Тел. отдела реализации (812) 265-44-80/81/82/83.

В Нижнем Новгороде: ООО ТД «Эксмо НН», ул. Маршала Воронова, д. 3.
Тел. (8312) 72-36-70.

В Казани: ООО «НКП Казань», ул. Фрезерная, д. 5. Тел. (8432) 70-40-45/46.

В Киеве: ООО ДЦ «Эксмо-Украина», ул. Луговая, д. 9.
Тел. (044) 531-42-54, факс 419-97-49; e-mail: **sale@eksmo.com.ua**

Подписано в печать с готовых монтажей 10.11.2005.
Формат 70x100 $^{1}/_{32}$. Гарнитура «Нью-Баскервиль».
Печать офсетная. Усл. печ. л. 13,0. Уч.-изд. л. 13,3.
Доп. тираж 5000 экз. Заказ № 382.

ОАО "Тверской полиграфический комбинат"
170024, г. Тверь, пр-т Ленина, 5. Телефон: (0822) 44-42-15
Интернет/Home page - www.tverpk.ru Электронная почта (E-mail) -sales@tverpk.ru